GOVERNANÇA EM FAMÍLIA
Da fundação à sucessão

BRUNO LUÍS FERRARI SALMERON

GOVERNANÇA EM FAMÍLIA
Da fundação à sucessão

Publisher
Henrique José Branco Brazão Farinha
Editora
Cláudia Elissa Rondelli Ramos
Pesquisa e copidesque
Lúcio Mattos
Preparação de texto
Gabriele Fernandes
Revisão
Vitória Doretto
Renata da Silva Xavier
Projeto gráfico de miolo e diagramação
Lilian Queiroz | 2 estúdio gráfico
Capa
Bruno Ortega
Impressão
BMF

Copyright © 2018 *by* Bruno Luís Ferrari Salmeron.
Todos os direitos reservados à Editora Évora.
Rua Sergipe, 401 – Cj. 1.310 – Consolação
São Paulo – SP – CEP 01243-906
Telefone: (11) 3562-7814/3562-7815
Site: http://www.evora.com.br
E-mail: contato@editoraevora.com.br

Dados Internacionais de Catalogação na Publicação (CIP) de acordo com ISBD

S171g	Salmeron, Bruno Luís Ferrari
	Governança em família: da fundação à sucessão / Bruno Luís Ferrari Salmeron. - São Paulo : Évora, 2018.
	288 p. ; 16cm x 23cm.
	ISBN: 978-85-8461-187-4
	1. Administração. 2. Governança. 3. Negócios. I. Título.
	CDD 658
2018-1159	CDU 658

Elaborado por Odilio Hilario Moreira Junior - CRB-8/9949

Índice para catálogo sistemático:
1. Administração de empresas 658
2. Administração de empresas 658

AGRADECIMENTOS

Primeiramente gostaria de agradecer aos meus avós (Bruno e Rosa), que vieram da Itália e lutaram arduamente para conquistar um espaço em São Paulo, e aos meus pais (Luiz e Sandra), que me deram uma grande educação fundamentada em valores éticos, no respeito e na humildade. Agradeço às famílias Garcia, Salmeron e Ferrari, com quem tanto aprendi ao longo de uma rica convivência.

Agradeço aos meus filhos (Bruno, André e Enrico), para quem busquei ser um exemplo em atitudes e comportamento, os ensinamentos que me proporcionam mesmo sem querer. À minha esposa Patrícia, obrigado por estar ao meu lado a cada novo capítulo, sempre disposta a escutar e oferecer apoio incondicional.

Quero agradecer a parceria do jornalista Lúcio Mattos, que nestes últimos dois anos abraçou a causa e me ajudou a colocar no papel minhas ideias de forma simples e objetiva.

Obrigado a todos que acreditaram e se dedicaram a tornar realidade este sonho de deixar um legado. Foram mais de uma centena de entrevistas com famílias empreendedoras do Brasil e do exterior, com o propósito de estudar mercados e comportamentos distintos, em busca dos exemplos reais que traduzem ao leitor o que essas famílias puderam me ensinar. Importante dizer que esses casos foram e serão mantidos em sigilo absoluto.

APRESENTAÇÃO

FAMÍLIAS EMOCIONAIS E NEGÓCIOS RACIONAIS

O empreendedor que constitui uma empresa familiar costuma ser alguém com profunda paixão por seu negócio. Porém, envolvidos nas dificuldades de criar e fazer crescer a própria empresa, muitos não se dedicam a preparar a sucessão, que assegura longevidade e perenidade ao que estabeleceram. Na ausência dessa preparação, muitos conflitos começam justamente pela dificuldade de alinhar os interesses da família aos dos negócios – afinal, famílias são emocionais e negócios são racionais.

É preciso entender que a empresa familiar normalmente se defronta com uma série de questões fundamentais, da ausência de estratégias bem definidas à confusão entre propriedade e gestão, dificuldades que costumam ser aprofundadas pelo conflito de interesse e atritos entre familiares. Para combater essas dificuldades, é essencial que sejam estabelecidos instrumentos e uma estrutura capaz de dar alinhamento, sustentabilidade e longevidade ao negócio.

A trilha a seguir e os instrumentos legais e administrativos de governança corporativa que devem ser implementados são conhecidos. É necessário estabelecer um acordo de sócios e acionistas, criar um conselho de família e um conselho consultivo ou de administração para a empresa, tudo isso acompanhado do planejamento sucessório.

Este talvez seja justamente um dos maiores desafios desse empreendedor ou principal dirigente da empresa familiar: elaborar um plano para a "entrega do bastão" em vida, algo sempre difícil, doloroso e complexo. Não é tarefa simples, porque, ao mesmo tempo que a transição exige ajustes na cultura da empresa, costuma esbarrar em fortes vínculos emocionais existentes dentro da família.

Este livro retrata a vivência de Bruno Luís Ferrari Salmeron em empresas familiares, em especial suas experiências em conflitos societários e familiares derivados da falta de um plano de sucessão, de uma sucessão falha ou de deficiências em governança.

Desde os meus 14 anos trabalhei em empresas familiares, exercendo diversas funções gerenciais e diretivas, sempre em gestão administrativa e financeira. Porém foi como executivo no Grupo WEG que tive a maior vivência em governança corporativa – e vi de perto a necessidade de preparar os sucessores para assegurar a longevidade da empresa.

Aproveitando essa experiência, desde 2010 comecei a prestar consultoria e a integrar conselhos consultivos ou de administração de diversas companhias familiares, em que insisto sempre na necessidade de se discutir a estrutura da empresa e o alinhamento entre família, patrimônio e gestão, para que o negócio siga adiante.

Foi nessa jornada de governança que conheci o autor, quando ele foi convidado a presidir a diretoria de uma empresa familiar de porte médio da qual eu era conselheiro. Tive a oportunidade de oferecer orientações ao Bruno durante sua primeira experiência como gestor principal de um negócio de família e, tendo visto o conteúdo deste livro e o sucesso de sua carreira de lá para cá, creio que meus conselhos devem ter sido de alguma utilidade. Continuamos mantendo contato profissional desde então, e o convite para fazer esta apresentação me deixou muito feliz.

Além de apresentar com simplicidade e clareza os órgãos formais de governança, neste livro Bruno trata com propriedade da interação entre família e empresa, principalmente do desafio de desenvolver e fazer a escolha correta do sucessor, mostrando a importância de se estruturar a governança como base de apoio à sucessão.

Para concluir, creio que o livro será de grande valia como subsídio e apoio às famílias empresárias, na medida em que tece e compartilha a vivência de Bruno com comentários e reflexões envolvendo planejamento sucessório e a preparação do futuro gestor, a rota mais segura possível para preservar os valores da empresa e minimizar os conflitos familiares.

Alidor Lueders
Ex-diretor administrativo/financeiro e de relações
com investidores da WEG S.A., faz parte do Conselho Fiscal
do Grupo e é conselheiro de outras oito empresas.

PREFÁCIO

AS MESMAS PERGUNTAS, RESPOSTAS DIFERENTES

Uma análise criteriosa e inteligente de um importante segmento do empresariado brasileiro aliada ao relato dos aprendizados de uma vivência pessoal, real e inspiradora. Essas são as duas vertentes que se misturam e constroem este livro, na intenção de contribuir para o desenvolvimento da empresa familiar no Brasil.

É uma oportunidade única para o leitor acessar, de uma só vez, conhecimentos estratégicos e reflexões teóricas com a experiência de quem viveu e presenciou desafios reais – como membro da empresa de sua família e também como executivo de outras empresas familiares.

Todo esse conhecimento compartilhado por Bruno Luís Ferrari Salmeron vai ao encontro de meu próprio aprendizado, obtido na experiência de atuar por muitos anos na gestão da governança de um grande grupo familiar – e de hoje auxiliar outras empresas familiares no entendimento e na implantação de seus processos de governança como membro do Instituto Brasileiro de Governança Corporativa (IBGC) e como consultora.

Aprendi e pude ver de perto o quanto os processos precisam de tempo e amadurecimento para se consolidarem. E como é necessário ter determinação e foco para implantar a governança, persistir no modelo, cuidar dos erros e corrigir o que for necessário. Na Votorantim, onde estive por quase duas décadas, a governança foi testada e praticada por mais de dez anos – e depois cuidadosamente revista para entrar em um novo ciclo. Porque os desafios são de toda ordem e estes também se renovam.

Um negócio familiar traz consigo aspectos emocionais e questões humanas que nem sempre estão claros, mas que precisam ser considerados. Deve-se assegurar que os familiares tenham suporte para não se perderem nos conflitos, na angústia do embate entre desejos pessoais e coletivos e em tantos outros desafios que podem surgir. O ser humano é múltiplo, rico e complexo, há que se cuidar para garantir sua integridade, para assim também garantir a integridade da família e do negócio.

Ainda que a teoria nos ajude, é na prática e na busca de caminhos próprios que encontramos espaço e viabilidade para questões tão recorrentes quanto as dificuldades de convívio entre gerações de vivências e expectativas distintas, de forma a construir o senso de legado.

A implantação da governança familiar, como este livro tão bem nos ajuda a compreender, demanda resiliência e atenção. Não existe modelo único, as empresas são diferentes e têm estruturas familiares com peculiaridades próprias, portanto precisam de cuidados distintos. Isto é, as perguntas são as mesmas, mas as respostas são diferentes.

Porém, se olharmos para o panorama das empresas familiares, veremos que, embora os caminhos sejam distintos, respondem a desafios comuns. Sabemos também que há algumas estruturas e processos que garantem a construção desses caminhos. Em primeiro lugar está a base: a implantação da governança com o apoio de profissionais capazes e experientes para garantir planejamento sucessório, alinhamento de valores e propósitos, suporte legal, preparação de acionistas e tantas outras frentes. O trabalho de educação, comunicação e integração dos familiares também é um alicerce importante, assim como é fundamental a construção de acordos e protocolos, garantindo a máxima de que vale o que está assinado.

Os desafios são muitos, mas entendo que é possível vencê-los e que compreender o cenário é um grande e importante passo para isso.

Compreensão que não existe sem a generosidade do compartilhamento de *cases*, exemplos e histórias, tal qual Bruno Salmeron se propõe a fazer.

Olhando para a história do outro, suas decisões, seus percalços e suas inovações, podemos entender melhor nossa própria história. Compartilhar melhores práticas, além de avaliar e incentivar o aprimoramento do que fazem as empresas familiares, sem dúvida contribui para que tenhamos um futuro com empresas familiares ainda mais fortes e se perpetuando entre gerações.

É o que este livro faz. Um livro com a alma de quem viveu a história e de quem quer transformar a história. Que sirva de inspiração para famílias empresárias em suas práticas diárias e também para que outros se disponham a contar suas histórias.

Célia Picon
Foi coordenadora da Comissão de Empresas Familiares
do Instituto Brasileiro de Governança Corporativa (IBGC)
e durante quinze anos dirigiu a secretaria dos Conselhos e do
Instituto Votorantim, na Votorantim Participações.

SUMÁRIO

Introdução, 1

1 – Da Itália ao Brasil de elevador, 9

2 – Diálogo, liberdade de escolha e convivência:
do sonho compartilhado ao senso de legado, 43

3 – O primeiro mergulho no universo automotivo, 61

4 – Desenvolvendo o sucessor, 75

5 – Sem formação não há solução, 85

6 – Escolhendo o sucessor, 113

7 – O orientador, 129

8 – Governança, base e apoio para a sucessão, 147

9 – O equilibrista, 173

10 – Cem anos e cinco gerações, 193

11 – As cinco grandes ameaças à continuidade, 239

12 – Conclusão, 263

Bibliografia, 269

INTRODUÇÃO

Este livro trata de um assunto que precisa ser melhor discutido no Brasil, simplesmente por ser determinante para a sobrevivência de um gigantesco volume de negócios – e, consequentemente, de milhões de pessoas que dependem deles. Falamos das empresas familiares e, mais precisamente, da enorme dificuldade que fundadores enfrentam para garantir sua continuidade.

Aos números então. De acordo com o Serviço Brasileiro de Apoio às Micro e Pequenas Empresas (Sebrae), nada menos do que 90% dos negócios em funcionamento no Brasil são de origem familiar. Uma pesquisa do Instituto Brasileiro de Geografia e Estatística (IBGE), de 2010, mostrou que essas empresas respondem por metade da riqueza gerada anualmente no país, o chamado Produto Interno Bruto (PIB).

A questão é que, ainda segundo o Sebrae, de cada cem companhias familiares que são fundadas no Brasil, apenas trinta chegam à segunda geração da família – e só cinco alcançam a terceira.

Por que isso acontece? O que pode ser feito para ampliar as chances de continuidade desses negócios que surgem e crescem em família, mas não conseguem ser perpetuados dentro dela? Como agir para encaminhar a sucessão? Qual o segredo para formar sucessores que se interessem por levar a empresa da família adiante – e que sejam capazes de cumprir essa tarefa com excelência? Qual o caminho para preparar esse sucessor (ou sucessores) eficientemente? Quais ferramentas de governança podem ajudar a construir uma estrutura que apoie o bom funcionamento da empresa, respeitando as nuances da vida familiar?

Não são perguntas fáceis, mas as respostas são essenciais para que se cumpra a missão de levar a empresa familiar à geração seguinte. O objetivo deste livro é colaborar com respostas através do ponto de vista de alguém que viveu a maioria das situações levantadas por esses questionamentos e esteve dos dois lados do balcão: primeiro crescendo dentro do negócio da própria família e depois alcançando os postos mais elevados de gestão (incluindo o de principal executivo) em outras grandes companhias de origem familiar.

O livro parte dessa dupla experiência para discutir e tentar iluminar o caminho de outras empresas e famílias que vivem o desafio da continuidade. A visão é de alguém com expertise e formação reconhecidas pelo mercado, mas marcado profundamente pela formação inicial no negócio da própria família – o que Bruno gosta de ressaltar com orgulho quando afirma trazer "no sangue" a vivência única do ambiente empresarial-familiar brasileiro. A questão, porém, é que no ambiente econômico atual, o qual parece atado a uma espiral competitiva rumo ao infinito, apenas a experiência na empresa da família não é mais suficiente para garantir excelência futura.

Este livro baseia-se amplamente no que Bruno viveu na pele. De um dia para o outro, aos 17 anos, ele se viu fora do negócio de que sempre sonhara fazer parte. Essa transição, que a princípio pareceu lhe tirar o chão, converteu-se na oportunidade de se lançar em uma carreira executiva de sucesso – e, mais do que isso, na descoberta de outro universo, o da indústria automotiva, que lhe abriu as portas para uma formação tecnológica e administrativa de excelência, tanto na prática quanto nas melhores escolas de negócios da Europa.

Curiosamente, esse salto para fora do ninho empresarial familiar é justamente do que muitos herdeiros de negócios buscam fugir – e o que tantos pais tentam impedir os filhos de executar. O passo de deixar a asa protetora do ambiente do fundador não é fácil para nenhum dos lados, mas é essencial para a formação do sucessor e futuro líder.

É fora do negócio da família que o sucessor encontrará as oportunidades de aprender com acertos e erros – seus e dos outros ao seu redor. Afinal, dentro da própria empresa quase sempre se forma uma espécie de redoma protetora ao redor desse indivíduo. Se por um lado isso o isenta de cometer grandes enganos, ao receber supervisão mais atenta do que a que seria dedicada a um profissional comum, também limita seu crescimento. É difícil aprender sem errar, e o filho do dono não pode errar...

A experiência no chamado "mundo real" não só ajuda a desenvolver as capacidades indispensáveis para liderar a empresa da família – por colocar o sucessor em contato com tecnologias, práticas e técnicas muitas vezes mais avançadas do que as que encontraria na própria empresa –, mas permite também que o sucessor receba críticas e um feedback muito mais honestos do que seria possível dentro da redoma em que estaria limitado no negócio familiar.

Mas, antes da necessidade de vivência externa do sucessor, a continuidade da empresa familiar depende da consolidação de um ideal comum indispensável: o sonho compartilhado. O conceito é ao mesmo tempo simples e carregado de complexidade, embora não seja difícil de entender. Em poucas palavras, é tudo aquilo que carrega o negócio familiar de significado, que embute e resume a explicação de por que manter a companhia viva e dentro da família é tão importante.

Nas organizações centenárias é essa visão coletiva de futuro que inspira fundadores (e principalmente sucessores) a se engajarem no trabalho duro, a fazer o que for preciso para manter a colaboração entre si no longo prazo e atingir o grande objetivo final da longevidade corporativa.

A sucessão, no fim das contas, depende diretamente da habilidade da família em criar e consolidar essa visão comum, de transmitir aos filhos, aos netos e aos bisnetos um senso de legado, de querer preservar a instituição que recebeu dos antepassados e passá-la adiante aos descendentes em iguais ou melhores condições.

Além de partir da experiência prática de Bruno, os temas são tratados com base em casos reais e exemplos de famílias e empresas envolvidas no processo de sucessão e continuidade. Não se trata de estabelecer um passo a passo para o processo, mas as questões centrais das etapas-chave serão analisadas de perto, sempre com olhar prático. São elas:

Desenvolvendo o sucessor

Mais do que apenas formar, é preciso desenvolver o sucessor dentro da empresa familiar logo em seu ingresso. Quais os critérios para que integrantes da família trabalhem no negócio? Com qual idade devem ser admitidos? Como medir o desempenho deles? Genros e noras devem fazer parte desse círculo profissional?

Nessa etapa discutiremos também o valor da experiência fora da companhia familiar, para que o possível sucessor possa evoluir, como citamos antes.

Escolhendo o sucessor

Antes de qualquer sucessão, é essencial o planejamento estratégico desse processo. É preciso levar em conta que, em um mundo em constante mudança e cada vez mais competitivo, o cenário futuro a ser enfrentado pela empresa dificilmente será semelhante ao atual.

Se as condições mudam, também precisa mudar o perfil do líder necessário para conduzir o leme. Quais habilidades e qualificações serão necessárias para responder às oportunidades e desafios que vão confrontar a organização no futuro?

Nessa avaliação – e em todo o processo sucessório –, é crescente a presença de consultorias e "experts" dentro das empresas, muitas vezes sem o devido conhecimento ou vivência do que significa um negócio familiar.

Aqui se faz a ressalva de tomar cuidado extra para resguardar o chamado "Triângulo de Ouro" de competências das quais a empresa não pode e não deve abrir mão: liderança, conhecimento técnico e metodologia.

Mentorização

O jovem sucessor precisa de apoio e acompanhamento para percorrer o duro caminho até se consolidar como o grande responsável pela empresa da família. Esse papel por vezes tenta ser desempenhado pelo fundador, muitas vezes o pai, o que adiciona uma dose de dificuldade por causa das relações afetivas, tantas vezes já carregadas de complexidade.

Essa função de mentor costuma funcionar melhor quando destinada a um (ou mais) executivos-sênior dentro da empresa, que terão mais liberdade para falar abertamente o que deve ser dito e para fazer avaliações de desempenho mais imparciais do que faria um pai.

Nessa etapa, avaliaremos como a diferença de idade entre mentor e pupilo pode interferir na eficiência do processo, levando em conta as diferenças geracionais e fazendo um passeio pelos perfis dos três grandes grupos dos tempos atuais: Baby Boomers, Gerações X e Y.

Governança corporativa, base e apoio para a sucessão

Se em qualquer negócio a governança trata do conjunto de mecanismos para assegurar que o comportamento dos gestores esteja sempre alinhado com o melhor interesse da empresa, no caso das companhias familiares é preciso acrescentar dois novos ingredientes à discussão: sucessão e continuidade.

Aqui o plano é apontar os caminhos de como as diversas estruturas de governança podem colaborar para a transição geracional, incluindo a educação das partes para respeitar a atuação de cada esfera – acionistas, conselho de administração, conselho de família e os próprios gestores.

Trataremos também do modelo de estrutura que consideramos ideal para o bom funcionamento do sistema.

CEO externo como pino da balança que equilibra a governança

Quando se trata de uma empresa familiar, há mais nuances no relacionamento entre as esferas de governança do que em companhias despersonalizadas, como multinacionais. Nesse caso, as emoções familiares e um histórico de situações e convivências que se desenvolveram ao longo do tempo acabam por permear a maneira como as partes interagem, ao que tantas vezes se acrescenta uma sensação de posse por parte dos acionistas muito mais intensa do que em negócios mais "frios".

Assim, com o objetivo de conseguir implantar e manter uma gestão profissionalizada, eficiente e independente, é preciso garantir que exista uma espécie de "blindagem" entre os proprietários e o dia a dia da empresa, estabelecendo um tipo de filtro entre as duas partes.

Esse papel pode ser melhor exercido com propriedade por um executivo de mercado, equipado com todas as ferramentas de gestão moderna, mas é essencial que ele tenha sensibilidade para compreender as nuances familiares, para poder tramitar com eficiência entre as partes e ao mesmo tempo manter a administração profissional e livre.

As grandes ameaças à sucessão

Por fim, sempre com exemplos, vamos avaliar algumas situações corriqueiras maléficas, identificadas por nós como grandes riscos à sucessão nas empresas familiares. Trata-se do desejo de repetir na próxima geração o modelo sucessório que funcionou para a anterior, da relutância do fundador em delegar o poder, da resistência deste em se afastar da gestão no momento final da sucessão, das rivalidades familiares que contaminam o ambiente empresarial, da "egomania" de alguns proprietários que colocam projetos em andamento para satisfazer desejos pessoais, entre outros.

Em resumo, este livro foi escrito para servir de apoio a tantas famílias que se encontram em meio ao dilema da sucessão empresarial, com atenção especial aos jovens sucessores e às possibilidades que se abrem a eles no momento em que deixam o negócio familiar. A saída, mais do que um adeus definitivo, pode ser justamente o trampolim que os fará ganhar altura e mergulhar de volta no negócio da família no futuro, com muito mais energia – ou não.

A conclusão, em todo caso, é de que existe, sim, felicidade fora da empresa da família. Para alcançá-la, porém, é preciso coragem para dar o salto. Boa leitura!

Lúcio Mattos
É escritor e jornalista, com passagens pela Agência Folha,
Diário de Comércio e Indústria (DCI) e portal Panorama Brasil.

1

DA ITÁLIA AO BRASIL DE ELEVADOR

O segredo do sucesso não é prever o futuro, é criar uma organização que prosperará em um futuro que não pode ser previsto.
Michael Hammer

Quem me conhece já deve ter me ouvido dizer mais de uma vez que nasci e cresci dentro de uma empresa familiar. Pode parecer exagero, afinal quem é que vive dentro de uma fábrica de elevadores? Tudo bem, é verdade que frequentava o colégio, brincava e fazia minhas refeições em casa, como qualquer criança. Mas, desde os 5 anos de idade, cada dia das minhas férias passava com o meu avô naquele galpão próximo ao Aeroporto de Congonhas, na Zona Sul de São Paulo.

Se o normal para um menino dessa idade era contar os dias que faltavam para o recesso escolar, quando finalmente poderia jogar os livros para o alto, esquecer a lição de casa, dormir até tarde ou jogar bola de gude na rua, devo confessar que eu não era normal. Quando o sinal do colégio tocava na sexta-feira, o último dia de aula pelas próximas semanas, só torcia para chegar logo a segunda-feira.

Por quê? É que para mim só ali ia começar o melhor das férias. Pulava da cama cedo e tomava café da manhã feliz, apressado, para poder ir esperar na janela. Tínhamos um sinal sonoro combinado: dois toques na buzina e eu já sabia que era ele, pontualmente às sete da manhã para me pegar no Fusca branco. Na São Paulo do início dos anos 1970, de onde eu morava com meus pais, no Brooklin, até a fábrica da Zenit, na vizinha Vila Santa Catarina, íamos em menos de dez minutos.

O que um menino de 5 anos fazia em uma fábrica de elevadores industriais? Com o tempo, de tudo – meu avô não me deixava ficar à toa e aos poucos ia me introduzindo às diversas atividades da linha de produção. Naqueles anos iniciais, porém, ele me incumbia de tarefas simples, mas que fazia questão de carregar de responsabilidade.

Uma das primeiras foi disciplinar a área do estacionamento que ficava ao lado do galpão, pintando faixas de parada para identificar as vagas destinadas aos veículos visitantes. Para tanto, ele me entregou um pincel, a lata de tinta e depois fez questão de me acompanhar até o posto de trabalho designado. Meu avô sempre gostou de método e organização: antes de eu começar a pintar, estacionou o Fusca em uma das vagas com as duas portas abertas – afinal, era preciso deixar espaço para o conforto de quem chegava à Zenit.

Sob o olhar atento do velho Bruno (sim, ele era meu xará), comecei a pintar. Por mais que eu me esforçasse em manter a linha, a tinta borrava, deixando como resultado faixas irregulares. Vendo isso, ele me interrompeu, decretando: "Padrão tem que ter gabarito". Em seguida virou as costas e foi para dentro do galpão, retornando com duas ripas de madeira, que uniu com alguns pregos, formando um molde para minha pintura no chão. "Isso vai te dar muito mais velocidade", ensinou. Acho que esse foi um de seus primeiros conselhos que absorvi e trago comigo até hoje: gestão é padronização.

Tenho certeza de que meu avô não tinha conhecimento do que atualmente chamamos de *lean factory*, a filosofia clássica de redução de desperdício em processos industriais – até porque o conceito só se consolidaria vinte anos depois, nos anos 1990. Nem mesmo o modelo que o originou, o Sistema de Produção da Toyota, tinha começado a se tornar conhecido fora do Japão naquele começo dos anos 1970. Ainda assim, intuitivamente, era isso que ele já praticava na própria fábrica de elevadores.

Esse hábito de atenção aos detalhes e obsessão pela eficiência também acabei internalizando. É claro que nos dias de hoje, com as práticas do *lean* institucionalizadas, tudo parece mais natural. Mas a verdade é que simplesmente não consigo fugir disso ao visitar uma fábrica. Tenho o costume de caminhar pela área de fundição da empresa em que trabalho, por exemplo, e mesmo com tanta coisa acontecendo ao meu redor, o chão quase sempre chama minha atenção.

Por todo o piso da unidade há um caminho delimitado por fita adesiva para indicar o trajeto que deve ser percorrido com segurança pelas máquinas. Às vezes, uma empilhadeira passa por cima da fita e a arranca, deixando uma falha na trilha. Sempre que vejo um pedaço faltando, faço questão de apontar a falha ao funcionário responsável pelo setor.

Lean à parte, o que ecoa na minha memória nesses momentos são as palavras do meu avô naquele dia de pintura no estacionamento: "É preciso seguir o padrão".

O pastorzinho

A história do meu avô é semelhante à de tantos outros imigrantes que enfrentaram dificuldades econômicas em uma Europa ainda longe de atingir o atual patamar de bem-estar social construído no pós-Segunda Guerra Mundial. Ainda assim, como a história de qualquer pessoa, ela é única.

Bruno Ferrari nasceu em 3 de dezembro de 1911, em Bologna, a maior cidade da Emília-Romana, no norte da Itália. Seus pais trabalhavam na terra e, quando ele ainda era criança, migraram com os três filhos pequenos para Cecchina, uma cidadezinha a 30 quilômetros de Roma. O objetivo, além de melhorar de vida, era buscar um clima mais ameno e fugir dos invernos rigorosos – a nova moradia estava quase 400 quilômetros mais ao sul.

A alternativa encontrada pela família, de trabalhar em uma fazenda, não diferia muito do que faziam antes. Conforme a mentalidade daquele tempo, como Bruno era o único *figlio maschio* (filho homem), ajudava o pai nos trabalhos do campo, enquanto a mãe e as duas irmãs cuidavam dos afazeres domésticos e da horta, que ficava próxima à sede. Seu trabalho diário era o de conduzir as ovelhas a pastar. Fizesse chuva ou sol, calor ou frio, ele recolhia o cajado e saía bem cedo, carregando um saquinho onde a mãe colocava algo de comer, voltando só ao anoitecer.

O pai, severo como mandava a tradição da época, estava sempre inspecionando o trabalho do filho. O menino gostava de matemática e às vezes se distraía fazendo contas no chão, ou escrevendo com um graveto – quando era pego em uma dessas atividades, era colocado de castigo. Eu me lembro de que meu avô tinha uma bela caligrafia e grande facilidade para fazer contas de cabeça, apesar de só ter *fino alla seconda* em seu tempo de escola, o equivalente a terminar a segunda série do primeiro grau no Brasil.

Quando eu era pequeno, o *nonno* costumava contar muitas vezes o que na família a gente conhecia por "história do pastorzinho", em que um heroico menino enfrentava frio, chuva e sol ao percorrer as montanhas, sempre de olho em um rebanho de ovelhas travessas. Hoje me dou conta de que essas histórias, inventadas por ele próprio, só podem ter sido baseadas na infância passada nos campos dos arredores de Roma.

De motorista a operário

Meu avô sempre teve como característica marcante a simpatia e o bom humor, algo que o ajudou desde os dias de menino. A família dona da fazenda de Cecchina onde ele e os pais trabalhavam vivia em Roma – eram os Spinetti, um casal formado por um italiano bonachão e uma alemã brava e rigorosa. Era comum que a senhora da casa exigisse que Bruno a acompanhasse até a cidade após suas visitas à propriedade para ajudar a descarregar os mantimentos, transportados em grandes sacos.

Ele fazia o trabalho extra sempre de boa vontade, o que o faria progredir em breve.

A adolescência do *nonno* na Itália já se deu sob os primeiros anos do fascismo, após a chegada de Benito Mussolini ao poder em 1922 – primeiro como primeiro-ministro, depois como *Il Duce* (o líder, em italiano), com poderes ditatoriais a partir de 1925. Naquela década de 1920, tudo o que se queria na Europa era recuperar pelo menos parte do que tinha sido devastado há poucos anos, na Primeira Guerra Mundial. Para o italiano comum e sem muito apreço por política, a impressão era de que novas oportunidades surgiam, em especial depois da *Carta del Lavoro*, de 1927, que estabelecia direitos trabalhistas até então inexistentes, como férias, adicional noturno, seguro maternidade, auxílio-doença e seguro-desemprego.

O progresso também criava novas necessidades e funções. Em 1929, ao completar 18 anos, Bruno se viu promovido a motorista da família Spinetti e mudou-se da fazenda para Roma. Sua rotina começava cedo, quando era encarregado de comprar leite e cigarros, além de cuidar do jardim da casa. Em seguida vestia a farda decorada com botões dourados e o quepe, para assumir o volante.

Os anos 1930 trariam ao meu avô dois encontros dos quais ele nunca mais se desvencilharia: com a esposa Rosa e com o mundo dos elevadores. O mais curioso é como uma coisa levou à outra...

Minha avó era uma costureira de mão cheia e trabalhava para um modista que servia as esposas dos industriais italianos e a nata do fascismo, o Atelier Moschini – ali ela conheceu até mesmo Clara Petacci, futura amante do próprio Mussolini. Rosa tinha entre seus clientes a mulher de um diretor-industrial que costumava visitar para levar os vestidos a serem provados. Bruno tinha uma tia no mesmo edifício, que costumava ir ver nos domingos em que tinha folga. Foi lá que os dois se conheceram, no que parece ter sido um duplo encantamento instantâneo.

Em pouco tempo, o *nonno* e a *nonna* já sonhavam construir um lar juntos, mas o dinheiro era curto. Estávamos em 1935 e surgiam no horizonte os primeiros sinais dos tempos sombrios a caminho: em seu devaneio de construir um império tão grandioso quanto fora o Romano, Mussolini decidiu anexar a Abissínia, um reino formado pelos territórios hoje ocupados por Etiópia, Somália e Eritreia, no chamado Chifre da África. O resultado foi uma guerra que se estenderia até o ano seguinte, para a qual os dois irmãos de Rosa foram convocados, deixando na Itália duas esposas e três crianças que ela precisava ajudar a sustentar.

Bruno não ganhava muito como motorista dos Spinetti, mas tinha receio de procurar outro emprego por causa dos pais, que viviam na fazenda deles, em Cecchina. Meu avô fazia o possível para não desagradar a alemã rigorosa, com medo de que a família perdesse o teto onde morava – eles simplesmente não tinham para onde ir.

Quem resolveu o dilema foi a *nonna*. Em uma das visitas à esposa do industrial que vivia no prédio da tia de Bruno, convenceu o namorado a ir junto – e deu um jeito para que ele conversasse a sós com o marido da cliente. O homem respondia pelas operações da Stigler, uma fabricante de elevadores em franca ascensão na Itália da época.

A companhia tinha sido criada por Augusto Stigler, um alemão que imigrou primeiro para a Suíça, estabelecendo-se depois em Milão, onde em 1860 fundou a Officina Meccanica Inc. Junto com o filho Augusto Stigler II, ele revolucionaria o mundo da elevação ao promover a transição para motores e controles elétricos, inaugurando o primeiro elevador movido a eletricidade em 1898. Em 1910, a Stigler já tinha dez mil elevadores em operação na Itália, número que dobraria na década seguinte e chegaria a 35 mil naqueles anos 1930.

Foi através desse negócio em expansão que meu avô ingressou no mundo dos elevadores – e o melhor é que ele pôde começar imediatamente, contratado para engraxar as engrenagens e mecanismos dos equipamentos da Stigler já instalados na capital italiana. Com seu sorriso característico e boa vontade, Bruno aprendeu rápido e em poucos meses já era capaz de montar um elevador sozinho.

Ao mesmo tempo aprendia também a instalar escadas rolantes. O ofício parecia bastante promissor, especialmente após Mussolini anunciar seu plano para construir a primeira linha de metrô de Roma. O objetivo era fornecer uma conexão rápida entre a principal estação ferroviária (Termini) e um novo distrito batizado de E42, que estava sendo criado no sudeste da cidade para abrigar a Exposição Universal, agendada para 1942.

Cheios de esperança, o *nonno* e a *nonna* finalmente conseguiram juntar dinheiro suficiente para se casarem dois anos depois, em 1937. No entanto, eram tempos ilusórios.

Nem Roma veria sua exposição internacional nem Bruno montaria tantas escadas rolantes assim – entre as consequências da Segunda Guerra Mundial para a Itália, podem ser incluídos o cancelamento do evento e o adiamento da inauguração da rede metroviária da capital italiana para 1955. Os túneis que já tinham sido construídos na região central da cidade (entre as atuais estações Termini e Piramide, hoje parte da Linha B do metrô romano) seriam usados como abrigos antiaéreos durante os bombardeios aliados.

Estoura a guerra

Uma nova guerra europeia parecia cada vez mais só uma questão de tempo naquele fim dos anos 1930 enquanto Mussolini desenhava planos para exercitar suas ambições territoriais. Em um discurso sobre política externa que fez em fevereiro de 1939, no *Gran Consiglio*, a instância máxima do fascismo, *Il Duce* retratou a Itália como "uma prisioneira do Mediterrâneo". Para ele, as ilhas de Malta e Chipre, pertencentes à Inglaterra, e os territórios da Córsega e da Tunísia, parte da França colonial, eram as "barras da prisão", enquanto os estreitos de Suez e Gibraltar, a leste e a oeste, foram descritos como os "guardas".

Dois meses depois, a Itália invadiu e ocupou a vizinha Albânia, do outro lado do Mar Adriático, e em maio Mussolini assinou com Hitler o Pacto de Aço, que amarrou italianos e alemães em uma aliança militar.

Enquanto isso, meus avós, recém-casados, davam os primeiros passos na vida a dois, o *nonno* ganhava experiência nos elevadores da Stigler e a *nonna* esmerava-se na máquina de costura. Em fevereiro de 1939 nasceu o primeiro filho do casal, Giancarlo – e em setembro estoura a guerra, com a invasão nazista à Polônia.

Apesar de aliado alemão, Mussolini hesitava em entrar no conflito e só tomou a decisão no ano seguinte, quando o governo francês tinha fugido para Bordeaux e declarado Paris uma cidade aberta. Em junho de 1940, a Itália declarou guerra à França e à Inglaterra, atacando a zona fronteiriça francesa na sequência.

Durante os três primeiros anos da guerra, a situação não parecia tão ruim aos italianos – afinal, até ali eles estavam do lado vencedor, com os aliados alemães derrotando a França e avançando no *front* oriental, depois de invadirem a União Soviética no verão de 1941. Para os meus avós, porém, o início dos anos 1940 traria uma grande tristeza: com pouco mais de dois anos de idade, Giancarlo não resistiu ao sarampo e morreu.

Os dois viviam na parte superior de uma pequena casa, ainda em Roma, alcançada por uma escada íngreme. O espaço se limitava a um quarto, uma sala e a cozinha – as roupas eram lavadas na fonte que ficava em frente ao sobradinho. A modesta residência dos Ferrari só voltaria a se encher mesmo de alegria em abril de 1942, quando nasceu Sandra, minha mãe.

Se durante os primeiros anos parecia distante, a guerra atingiu a capital italiana em cheio em 1943. Em maio os Aliados decidiram bombardear a cidade, terror com que os romanos teriam de conviver por 78 dias, enquanto o Papa Pio XII negociava através de cartas com o presidente dos Estados Unidos, Franklin Roosevelt. O acordo saiu finalmente em agosto quando Roma, assim como Paris, foi declarada cidade aberta, para evitar maior destruição. Até ali, porém, mais de sessenta mil toneladas de bombas tinham sido despejadas pelos aviões americanos e ingleses.

Além do medo dos ataques aéreos, outras consequências diretas se faziam sentir aos romanos – Bruno, Rosa e agora também Sandra entre eles. À dificuldade de conseguir itens essenciais do dia a dia, como pão, leite ou sabão, somou-se um problema extra e grave: as economias obtidas com o trabalho duro do casal tinham virado pó.

Para entender a situação basta olhar para o câmbio. No ano em que Bruno tinha sido promovido a chofer da família Spinetti e mudou-se para Roma (1929), um dólar valia 19 liras, a moeda italiana da época. Dez anos depois, antes da entrada do país na guerra (1939), não houvera grande mudança – a taxa estava em 19,8 liras por dólar. No ano dos bombardeios (1943), porém, já eram necessárias 120 liras para comprar uma única unidade da moeda americana, seis vezes mais do que antes do conflito.

O *nonno*, a *nonna* e minha mãe tinham de se virar para sobreviver à guerra e a toda a confusão que tomou conta da Itália até o fim do conflito. Em julho de 1943, americanos e ingleses desembarcam na Sicília, tomando a ilha no mês seguinte. Em meio a isso, Mussolini foi destituído pelo *Gran Consiglio*, que entregou o controle das forças armadas ao rei italiano Vittorio Emanuele III. *Il Duce* foi preso e um novo governo foi estabelecido pelo General Badoglio, que oficialmente prometeu continuar lutando ao lado dos alemães, mas em segredo negociava um acordo para passar para o lado dos Aliados.

Em 8 de setembro, Badoglio assinou um armistício com os Aliados, que tinham acabado de invadir o calcanhar da bota italiana, em Taranto. No dia seguinte, tropas alemãs entraram em Roma e ocuparam a cidade. Dias depois, um acontecimento inesperado estremeceu a Itália – e o mundo. Transportados em planadores, um grupo de comandos de elite alemães resgatou Mussolini do inóspito resort de esqui onde o ex-ditador era mantido preso, no topo de uma montanha dos Apeninos, na região de Gran Sasso, 130 quilômetros a noroeste da capital italiana.

Levado para a Alemanha, *Il Duce* encontrou-se com Hitler e depois foi enviado para o norte da Itália, onde os nazistas o colocaram para comandar um estado-fantoche recém-criado, a *Repubblica Sociale Italiana*, também chamada de *Repubblica di Salò*, na Lombardia. Os Aliados avançavam no sul, mas o conflito se arrastaria por quase mais dois anos, mesmo após a liberação de Roma pelas tropas americanas em junho de 1944.

Com o fim da guerra, que na Itália só se concretizou com a rendição dos alemães no norte do país, em maio de 1945, era tempo de reconstruir, inclusive para a família Ferrari. Mas não eram dias fáceis.

Com parte de Roma ainda destruída pelos bombardeios aliados, os elevadores certamente não estavam entre as prioridades. Meu avô contava que, nos primeiros anos do pós-guerra, a Stigler manteve apenas três funcionários para cuidar da manutenção de todos os aparelhos instalados na capital italiana – por sorte, o *nonno* permaneceu entre eles.

No Atelier Moschini, onde Rosa trabalhava, tinham ficado distantes as memórias do período de vacas gordas dos anos 1930, quando sobrava dinheiro e as mulheres da elite italiana desfilavam pelos três andares. No primeiro, que chamavam de "Festa", eram costurados os vestidos luxuosos. O segundo piso, destinado a roupas de inverno, casacos de lã, de pele ou de veludo, respondia por "Pesado". Ao terceiro pavimento, "Passeio", eram enviadas as senhoras em busca dos *tailleurs*, o clássico conjunto de saia e paletó feminino.

Minha avó tinha começado no ateliê recolhendo alfinetes do chão nos três andares, passando depois a arrumar as salas de prova das roupas, ao mesmo tempo que lhe deixavam arrematar um ou outro vestido, para aprender. Um dia, uma das costureiras teve pneumonia e precisou se afastar do trabalho. A temporada de óperas se aproximava e era justamente a época do ano em que as damas da alta sociedade romana queriam vestidos novos para exibir nos camarotes do teatro.

Naqueles bons dias do ateliê, cada costureira estudava os moldes criados pessoalmente pelo senhor Moschini e depois recebia as partes do vestido separadas, embrulhadas em um lençol de linho, acompanhadas

das instruções de como deveria montá-lo. Depois elas assistiam às provas da cliente e faziam os ajustes necessários.

O dono do estúdio de alta costura vivia trancado com suas peças e desenhos, mas a ausência da funcionária doente o obrigou a sair pelos três andares procurando alguém para assumir o trabalho. Vendo que ninguém se prontificava, minha avó levantou o braço e se ofereceu. Desconfiado, mas sem alternativa melhor, Moschini cedeu. Rosa cumpriu a tarefa antes do prazo e dali em diante passou a receber trabalho de costura regularmente. Com isso, tudo melhorou.

Nas palavras da *nonna*, a nova função lhe abriu acesso a uma "verdadeira mina". No ateliê era possível ter contato com os lançamentos, tendências e cores da moda antes mesmo dos grandes desfiles. Roma estava repleta de mulheres ávidas por se vestir bem – mas que não podiam pagar por um vestido produzido pelo senhor Moschini. Assim, Rosa começou a desenvolver uma clientela própria, passando os domingos que seriam de folga debruçada à máquina de costura, criando e recriando as próprias coleções.

Agora, porém, na carestia do pós-guerra, esse mercado tinha simplesmente desaparecido. Para piorar, as dificuldades se amontoavam. Grávida de novo, Rosa viu uma quarta boca ser adicionada à mesa da família Ferrari naquele duro ano de 1947 – e não era a do filho, ainda em formação dentro do ventre.

Fazendo de tudo para se equilibrar no valioso emprego na Stigler, Bruno recebeu um pedido que não tinha como negar, da boca do mesmo diretor que lhe dera trabalho na empresa havia mais de dez anos. Um engenheiro iugoslavo da fabricante de elevadores havia chegado a Roma, mas não tinha papéis para permanecer na Itália e precisava de um abrigo provisório até poder tomar outro rumo.

Com o fim da Segunda Guerra Mundial, uma nova realidade começava a dividir a Europa e o restante do mundo, nos primeiros movimentos do que ficou conhecido como Guerra Fria. A parte ocidental do continente tornou-se área de influência americana, enquanto os países do leste, onde as tropas soviéticas tinham expulsado os alemães, foram transformados um a um em Estados comunistas, sob pressão russa.

Não muito distante da Itália, na outra margem do Mar Adriático, a região dos Balcãs tinha sido uma exceção à regra: ali os guerrilheiros comunistas conseguiram expulsar os nazistas por conta própria. Mesmo sem ajuda soviética, o comandante dos *partisans*, o Marechal Tito, decidiu criar um novo país socialista unindo sete territórios: Sérvia, Croácia, Bósnia, Eslovênia, Montenegro, Macedônia e Kosovo. Era a Iugoslávia, de onde o engenheiro da Stigler tinha conseguido fugir.

Milan passou algumas semanas sob o teto da família, até conseguir embarcar em um navio com destino à América do Sul, mais exatamente rumo ao Brasil. Esse engenheiro, de quem minha mãe, na época com pouco mais de 5 anos, se recorda apenas como "carrancudo", voltaria a cruzar o caminho dos Ferrari em breve.

O ano encaminhava-se para o fim quando Rosa deu à luz um menino: meu tio Alessandro nasceu no dia 14 de novembro, em Roma. Em uma Itália cuja economia se arrastava e com dois filhos para sustentar, meu avô tomou a decisão que ia mudar o destino dos Ferrari.

Andiamo a Brasile

Bruno tinha um emprego em vista do outro lado do Atlântico, prometido justamente pelo engenheiro iugoslavo que abrigara em Roma. Com pouco tempo de Brasil, Milan havia se associado a um italiano e juntos fundaram a Elevadores Lift, em São Paulo.

Ainda assim, a perspectiva de cruzar o oceano com a esposa, uma filha pequena e outro recém-nascido não lhe pareceu muito sensata – decidiu primeiro ir sozinho, avaliar a situação e só depois mandar vir a família.

Meu avô embarcou em um velho vapor que pertencia ao Lloyd Brasileiro, o Raul Soares, em fevereiro de 1948. Construído em 1900 para a Hamburg-Süd, o navio tinha quase meio século de trabalhos prestados ao transporte de imigrantes entre a Europa e o Cone Sul, em especial os portos brasileiros de Santos e Rio de Janeiro, além de Montevidéu (Uruguai) e Buenos Aires (Argentina). A embarcação tinha capacidade para oitenta passageiros na primeira classe e outros quinhentos no porão, alojados em apertados beliches, além da tripulação de 180 homens.

Sem poder pagar por algo melhor, o *nonno* viajou na segunda classe, em uma travessia que durou 45 dias. Nos momentos em que podia subir ao convés, a imensa chaminé deve ter lhe chamado a atenção – era a maior entre todos os navios da frota do Lloyd. O Raul Soares ainda teria um destino infame, quase vinte anos mais tarde, quando serviu de prisão flutuante no Porto de Santos, entre abril e outubro de 1964, nos primeiros meses após o golpe militar que depôs João Goulart. No fim daquele ano, o velho navio seria desmontado e vendido como sucata.

Meu avô não perdeu tempo em Santos, logo depois de desembarcar tomou um trem para São Paulo, onde estava o emprego prometido. Foi morar em uma pensão que funcionava em uma velha casa no mais italiano dos bairros paulistanos, o Bexiga.

O *nonno* trazia desde a Itália um pacote que um conhecido lhe confiara para entregar a um parente no Brasil. Quando foi honrar a promessa, descobriu que o destinatário da encomenda era um farmacêutico, que identificou nele sinais de febre amarela, medicando-o em seguida. Acabaram amigos e meu avô era convidado para os almoços de domingo em companhia da família Barbarulo, o que lhe permitia economizar mais alguns cruzeiros no esforço de juntar dinheiro para resgatar a família.

O engenheiro iugoslavo cumpriu o prometido e empregou Bruno para fazer a manutenção de elevadores, recebendo um salário mensal de 2600 cruzeiros. A conjuntura econômica brasileira da época acabou por se tornar mais um ingrediente fortuito na história da família Ferrari: o país vivia um período de câmbio sobrevalorizado.

O padrão econômico-financeiro mundial estava mudando no pós-Segunda Guerra Mundial, a partir do acordado entre 44 países capitalistas na Conferência de Bretton Woods, realizada em julho de 1944. Dali surgiu o chamado padrão dólar-ouro, a alternativa encontrada para estabelecer alguma segurança monetária que permitisse reconstruir uma Europa em ruínas.

Era a etapa final da troca de bastão que mudava o comando da economia mundial das potências europeias para os Estados Unidos. Os norte-americanos, através de seu poderio econômico, político e militar, garantiriam que uma onça troy de ouro (o equivalente a 31,1 gramas) valeria *35 dólares*. Na teoria, qualquer indivíduo, empresa ou banco poderia solicitar ao governo dos Estados Unidos que trocasse seus dólares de papel pelo equivalente do nobre metal dourado. A base do sistema era que o Banco Central americano tinha em seu poder quantidade suficiente de ouro para cada nota verdinha que emitia – algo que provavelmente não correspondia à realidade, mas dada a supremacia do gigante da América do Norte, isso pouco importava.

Pouco antes, no Brasil, o cruzeiro tinha sido transformado na nova moeda oficial em 1942 em substituição ao velho mil-réis. A taxa era de um por mil – em outras palavras, mil-réis valiam um cruzeiro. O país voltara a viver em democracia a partir de 1946, no governo do presidente Dutra, depois de quinze anos sob Getúlio Vargas, incluindo os últimos oito de ditadura no Estado Novo.

No novo arranjo econômico posterior a Bretton Woods, o governo Dutra decidiu fixar o câmbio em uma taxa sobrevalorizada de 18,5 cruzeiros por dólar, para controlar a inflação e valorizar as exportações de café, muito importantes na época. Para o meu avô, isso significou uma boa ajuda, já que os 2600 cruzeiros podiam ser transformados em pouco mais de 140 dólares, valor que na Itália do pós-guerra era "uma fortuna", lembrava ele.

A lira italiana continuava a perder valor e a taxa da moeda americana tinha disparado por lá – em 1947, um dólar comprava 575 liras. Só para lembrar, um ano antes do começo da guerra, em 1939, bastavam 19,8 liras para obter um dólar, quase 30 vezes menos...

Trabalhando nos elevadores da Lift, Bruno conseguiu em poucos meses juntar o dinheiro para mandar vir a família da Itália. Foi ao Consulado

Italiano em São Paulo e cumpriu a burocracia exigida: a emissão da chamada Carta de Chamada, documento que seria exigido da esposa, de minha mãe e do meu tio ao desembarcarem no Brasil. No papel com o timbre da *Reppublica Italiana*, meu avô declarava que os três vinham para viver com ele, marido e pai.

Ao ir encomendar as passagens, porém, ele teve uma decepção. Só havia disponibilidade de bilhetes de primeira classe e o dinheiro economizado não era suficiente. Quem emprestou a diferença foi a proprietária da casa em que viviam os pais de Rosa em Roma, a Senhora Mecozzi.

Assim, depois de uma viagem um pouco mais cômoda do que a de Bruno, realizada no navio Francesco Morosini, minha avó e os dois filhos (minha mãe com seis anos e o tio Alessandro com apenas nove meses) desembarcaram em Santos, em setembro de 1948, e rumaram em seguida para São Paulo. Os Ferrari estavam reunidos de novo, agora do outro lado do Atlântico.

Recomeço em São Paulo

Uma mudança de país nunca é uma coisa simples, mas a São Paulo que meus avós encontraram, de certa forma, deve ter colaborado para a adaptação. No fim dos anos 1940, a cidade já vivia o ciclo de desenvolvimento que a tornaria a maior do país e estava repleta de imigrantes como os Ferrari.

A velocidade com que a capital paulista crescera, impulsionada pela riqueza do café e pelo afluxo de estrangeiros, era espantosa sob qualquer ponto de vista. No primeiro censo realizado no Brasil, em 1872, São Paulo contava 31 mil viventes. Ao tempo do segundo levantamento (1890), a população dobrou para 65 mil habitantes. Três anos depois, nova multiplicação por dois dos paulistanos para 130 mil. Na virada para o século XX, sete anos mais tarde, quase uma nova dobra, atingindo 240 mil pessoas. Em 1920, a cidade já tinha 579 mil moradores e, quando meus avós chegaram, contava com mais de 1 milhão de almas.

São Paulo não era Roma, é claro, mas em 1948 as grandes reformas urbanas no Centro já tinham sido cumpridas e não se tratava mais do aglomerado urbano acanhado do começo do século. No Vale do Anhangabaú, uma praça tomara o espaço ocupado pelo riacho que corria por ali. Tinham sido alargadas as ruas centrais do chamado "Triângulo" – a região na colina histórica em que nasceu a cidade, entre as ruas Quinze de Novembro, Direita e de São Bento. A antiga igreja fora posta abaixo e o Largo da Sé ampliado, embora a catedral grandiosa, de inspiração gótica, ainda estivesse em construção. A capital se orgulhava do portentoso Theatro Municipal e da sua Estação da Luz, construída com material todo importado da Inglaterra e enfeitada por um relógio inspirado no Big Ben londrino. A população era servida por diversas linhas de bondes elétricos da Light desde 1900 e os quatro grandes bairros de imigrantes – Brás, Bom Retiro, Mooca e Bexiga – só faziam crescer. No último deles, Bruno, Rosa, Sandra e Alessandro se estabeleceram.

A São Paulo da primeira metade do século passado era ainda uma cidade de imigrantes. O Censo de 1920 apontava 205 mil estrangeiros vivendo na capital, o equivalente a um terço da população – a mesma porcentagem de Nova York, por exemplo. O domínio era dos italianos, que somavam 91 mil, seguidos pelos portugueses (64 mil) e espanhóis (25 mil). Nos anos 1940, o número de expatriados tinha aumentado para 285 mil, dos 1,3 milhão de paulistanos. E isso sem contar seus descendentes, filhos e netos já nascidos no Brasil.

Foi nesse Bexiga italiano que os Ferrari se instalaram, alugando uma pequena casa na rua Fortaleza, uma travessa da rua Treze de Maio, que logo equiparam com móveis de segunda mão: um espelho, um sofá e a cama de casal.

Se Bruno tinha o emprego garantido entre os elevadores da Lift, Rosa não ia ficar sem fazer nada. Ainda na Itália, nos seus últimos meses em Roma, o ateliê do Senhor Moschini passava por uma terrível crise. No pós-guerra, ninguém tinha dinheiro sobrando, muito menos para vestidos finos. Os ricos adotaram a estratégia milenar dos pobres: empurrar as dívidas para frente com a barriga. As mulheres da elite romana passaram a acertar as contas da coleção passada só quando encomendavam novas roupas, criando um crônico problema de fluxo de caixa para o modista.

Sem receber em dia, Moschini não conseguia pagar as costureiras. Então, em troca de seus serviços, ofereceu a Rosa os moldes das peças e retalhos de tecidos caros, importados da França – havia até partes bordadas com pérolas e ouro. Essas sobras de vestidos, além da inseparável máquina de costura, seu bem mais precioso, tinham sido carregadas por ela para o outro lado do Atlântico.

Depois de se instalar em São Paulo, com planos de estabelecer o próprio serviço de costura, minha avó resolveu se informar sobre os preços de tecidos nas casas da rua Barão de Itapetininga e com os alfaiates italianos que ocupavam a rua Marconi, próximo à Praça da República, no Centro da cidade. Para sua surpresa, ela descobriu que os moldes de Moschini e os retalhos trazidos de Roma valiam uma pequena fortuna. Naqueles anos do pós-guerra ainda vinha pouca coisa de moda da Europa para o Brasil – e o que aparecia demorava ou chegava com atraso de navio.

Com um plano na cabeça, Rosa se fez apresentar à esposa do proprietário da Lift, que se encantou com as sedas francesas e a encaminhou a uma amiga dona de uma fazenda de açúcar no interior do estado, a Senhora Morganti. Através dela, a *nonna* chegaria à Condessa Matarazzo, que havia sido casada com o maior industrial do país, Francesco Antônio Maria Matarazzo, ou Conde Matarazzo.

A história desse italiano nascido na pequena Castellabate, na região da Campania, província de Salerno, ao sul de Nápoles, é o exemplo acabado do sonho do imigrante em "fazer a América". Francesco chegou ao Brasil com 27 anos de idade, em 1881, e começou trabalhando como mascate, estabelecendo-se em seguida na interiorana Sorocaba, onde montou uma fábrica de banha.

Menos de dez anos depois, ele já tinha se mudado para a capital e na virada do século inaugurava o Moinho Matarazzo, a maior unidade industrial do Brasil na época, ocupando dois quarteirões inteiros do Brás. No ano seguinte (1901), viria a Tecelagem Mariângela e depois uma série de outros negócios, como processadoras de óleo vegetal, fábricas de sabão, usinas de açúcar, serrarias, banco, ferrovia, empresa de navegação e muitos mais, todos agrupados a partir de 1911 na poderosa Indústrias Reunidas Fábricas Matarazzo (IRFM), com sede na rua Direita, no Centro de São Paulo.

Quando morreu aos 83 anos, em 1937, Francesco Matarazzo era nada menos do que o homem mais rico do Brasil, com uma fortuna avaliada hoje em algo equivalente a vinte bilhões de dólares. Era para a viúva desse homem que minha avó começou a costurar.

Seria razoável imaginar que os problemas financeiros dos Ferrari tivessem terminado, com a proximidade de tamanha influência – mas não foi bem o que aconteceu. Apesar de não sobrar muito no fim do mês, tanto a *nonna* quanto o *nonno* sempre reservavam algum dinheiro para enviar aos pais, já idosos, que tinham ficado na Itália. Naquele tempo não era fácil transferir recursos de um continente a outro, e, como os Matarazzo iam todos os anos para a Europa de navio, minha avó encaminhava por eles o que conseguiam separar para ajudar.

A consequência disso era que, como acreditava estar fazendo um grande favor à família como portadora do dinheiro levado *à* Itália, a Condessa Matarazzo exigia grandes descontos, o que a colocava como uma das piores pagadoras entre as clientes de Rosa. Ainda assim, o serviço de costura prosperava e, com o reforço do trabalho do meu avô, os dois conseguiram dar entrada em uma casa localizada na então distante Cidade Monções, hoje parte do chamado Brooklin Novo, mais exatamente na rua Chicago.

A área tinha sido ocupada por uma fazenda da família Moraes, proprietária do Grupo Votorantim, que depois montou ali uma olaria. Em 1945, aproveitando o crescimento populacional constante – e a consequente demanda por habitação na cidade –, os donos tomaram a decisão de lotear a área, substituindo a fábrica de telhas e tijolos por casas térreas construídas em série para serem vendidas através da Cia. Bandeirantes.

Para lá, quase à beira do Rio Pinheiros, o limite natural da São Paulo de então, meus avós se mudaram. A distância e dificuldade de acesso à Cidade Monções, na época ainda não servida por transporte público, é a maior prova do talento de Rosa na costura: as clientes que podiam mandavam os motoristas buscá-la em casa, a fim de realizar as provas dos vestidos.

Enquanto isso, meu avô também progredia na Lift. A demanda por serviços de manutenção aumentou para valer a partir dos anos 1940, em especial depois que a prefeitura decidiu reforçar o cumprimento de uma lei municipal de 1925 que exigia o registro e a expedição de uma licença para que os elevadores pudessem funcionar.

O Decreto-Lei nº 26 passou a fazer valer uma exigência com a qual eu conviveria de perto durante parte da minha adolescência. Para que os equipamentos operassem dentro da lei, agora era obrigatória uma vistoria antes que a prefeitura emitisse o alvará. A partir daquela data, cada elevador teria uma placa com seu número de cadastro nos Registros de Elevadores da Prefeitura do Município de São Paulo.

Revolução na manutenção

Embora responsável por parte do aumento na demanda por manutenção de elevadores em São Paulo, a chegada da nova lei não foi o único fator. É verdade que manter os equipamentos em bom estado deixou de ser "apenas" uma questão de segurança para os usuários – agora, para que um prédio pudesse evitar dor de cabeça com os fiscais da prefeitura, era preciso manter as visitas do técnico em dia. Mas a questão era que, além disso, simplesmente havia um número cada vez maior desses equipamentos que poupavam as pernas dos paulistanos em funcionamento.

São Paulo vivia um processo acelerado de verticalização desde a década de 1930 que só se acentuaria dali para frente. Os números do

Censo de 1920 dão ideia do tamanho da mudança. Naquele ano, a cidade contava 73 mil edificações, das quais só dez tinham mais do que cinco pavimentos. Havia 407 prédios com três andares, 93 com quatro e trinta com cinco. Somando todos, a capital paulista enumerava 540 construções de mais de três pavimentos – ou seja, elas poderiam comportar um elevador. O resto do Brasil possuía apenas 34 edificações com mais de cinco andares até o início dos anos 1920.

Em 1940, o número de elevadores na cidade havia chegado a 1232 de acordo com o registro da Prefeitura, mais do que o dobro do número de edifícios vinte anos antes. E o número só aumentava.

Havia um objetivo por trás do processo de verticalização colocado no papel em 1930 por Francisco Prestes Maia, um engenheiro que mais tarde se tornaria prefeito de São Paulo.

O projeto, chamado de Plano de Avenidas e detalhado em nove capítulos e um apêndice, previa a construção de um sistema de avenidas radiais que circulariam o Centro, com o objetivo de arejar e fazer fluir o trânsito em uma região que já dava sinais de congestão. Cortando esse anel viário, Prestes Maia desenhou outra rede de avenidas perimetrais para fazer a conexão com os bairros. A ideia começou a sair do papel em 1934 e seguiria adiante durante os seus anos no comando da prefeitura (1938-1945), com desapropriações e obras para construir e alargar ruas e avenidas.

Além de encaminhar definitivamente os paulistanos a depender do automóvel para seus deslocamentos, o projeto abriu, alargou e estendeu avenidas como Paulista, Nove de Julho, Pacaembu, São João e Rio Branco, mas nunca foi totalmente executado. Ainda assim, veio acompanhado de uma série de leis para disciplinar as construções – essas sim cumpridas à risca.

O alargamento das avenidas, em última instância, era o que abria caminho para a verticalização da cidade, porque a partir de um decreto-lei de 1941 (Número 92) os limites de altura para as edificações passaram a depender diretamente da largura da rua em que ficava o terreno.

Além disso, o decreto também previa alturas mínimas para novas edificações em uma série de ruas do Centro. Para a Avenida São João e a Praça da República, por exemplo, só se poderia erguer prédios de pelo menos 39 metros (o equivalente a treze andares). As exigências para a rua Duque de Caxias e o Largo de São Francisco, por sua vez, eram um pouco menores (22 metros, ou sete andares) – ainda assim, já justificavam um elevador.

Fator adicional ao surto urbanista, em 1950 a população paulistana cumpriu mais uma vez sua sina de dobrar de tamanho, atingindo 2,2 milhões de pessoas. Era nesse cenário em que o *nonno* e a *nonna* trabalhavam com vontade, no esforço de economizar dinheiro suficiente para enviar aos pais na Itália e ainda honrar as prestações da casa na Cidade Monções. Sempre que podiam, pagavam duas ou três parcelas de uma vez, para encurtar o tempo da dívida imobiliária. A nova década, porém, prometia grandes novidades para a família Ferrari.

Elevador obrigatório

Na metade dos anos 1950, uma lei assinada pelo prefeito Wladimir de Toledo Piza ampliaria consideravelmente o mercado para quem trabalhava com elevadores em São Paulo. O Decreto nº 3205 de agosto de 1956 deixava bem claro em seu art. 2º: "Deverão ser, obrigatoriamente, servidos de no mínimo um elevador de passageiros os edifícios que apresentem piso de pavimento a uma distância vertical maior que dez metros contada do nível da soleira".

Trocando a linguagem jurídica em miúdos, o decreto obrigava a ter elevador qualquer edifício com mais de três andares construído dali para frente. E havia mais.

Dispunha o art. 3º: "Quando o edifício tiver piso de pavimento situado a uma distância vertical maior que 25 metros, correspondentes no máximo a oito pavimentos, contados a partir do nível da soleira, o número mínimo de elevadores será dois". Em português claro: para prédios novos com mais de oito andares, era preciso manter dois equipamentos.

O decreto também ampliava as exigências técnicas ao se montar elevadores, para o que era necessário a licença de instalação. Ao solicitar a licença, o requerimento deveria "ser instruído em três vias", incluindo as plantas do prédio, da caixa do elevador e da casa de máquinas, além do desenho dos aparelhos de segurança, diagramas dos circuitos elétricos e um "memorial descritivo". Neste, entre outras informações, deveriam constar marca, potência do motor, lotação, capacidade de tráfego, velocidade, percurso, número de paradas, dimensões, número e resistência total dos cabos de aço de tração, peso do carro e do contra peso, profundidade do poço, espaço livre da parte superior da caixa para o elevador e para o contrapeso, entre outros.

Por fim, o art. 12º instituía a regra de ouro para os síndicos: "Nenhum elevador ou monta-cargas poderá funcionar sem assistência e responsabilidade técnica de uma firma conservadora".

Pouco depois de o Decreto 3205 tornar claro que o mundo dos elevadores não era mais coisa para amadores, os Ferrari passaram a ser cinco. Em 2 de abril de 1957, dez anos depois do nascimento do último filho, ainda na Itália, Rosa dava à luz minha tia Luciana, a primeira integrante brasileira da família.

No ano seguinte, ao completar dez anos no Brasil e de trabalho na Lift, meu avô finalmente conseguiu tirar suas primeiras férias desde que chegara ao país. Os planos dele, porém, passavam longe do descanso.

Não sei se o *nonno* chegou a pesar as consequências de todas essas leis que abriam caminho para o avanço do mercado de elevadores na cidade antes de tomar a decisão, mas com certeza ele devia enxergar no seu dia a dia de trabalho o aumento na demanda – e estava certo.

Com muita economia, em 1958 meus avós já tinham conseguido quitar a casa da rua Chicago. Com a ajuda de Rosa pedalando firme na velha máquina de costura Singer que a acompanhava desde os tempos do Atelier Moschini, em Roma, os dois conseguiram até mesmo juntar algumas economias. O plano, combinado entre eles, era dar o salto para o negócio próprio: uma pequena firma de conservação de elevadores.

Aproveitando as férias, Bruno foi conversar com todos os proprietários ou síndicos dos prédios onde havia montado aparelhos nos últimos dez anos. Levou a eles uma proposta formatada com cuidado, em que se dispunha a fazer a conservação do maquinário respeitando cada detalhe da legislação municipal e a um valor mais baixo do que eles pagavam. No fim do período de descanso remunerado, tinha conseguido adicionar vinte elevadores à lista de clientes, o que considerava um bom número para começar.

Ao saber que iria perder o funcionário qualificado e ainda ganharia a ameaça de concorrência, o dono da Lift agiu rápido. Aos edifícios que tinham aceitado a proposta do meu avô, a empresa prometeu fazer a manutenção de graça. Nesse momento crítico, o carisma e o jeito alegre do *nonno* mais uma vez lhe valeram, e a maioria dos clientes preferiu se aventurar com ele. Assim surgia a Zenit, a empresa onde eu passaria minhas férias infantis mais de uma década depois.

Começo na garagem

O negócio começou como muitas empresas familiares – que, aliás, deveriam se orgulhar disso –, no fundo do quintal. Para ser mais exato, meu avô montou uma oficina na garagem da casa da rua Chicago, que aos seus olhos era um verdadeiro "monumento", lembra minha mãe.

A Cidade Monções era relativamente distante do Centro, onde ficava a maioria dos clientes. A solução foi convencer o dono de um edifício no qual fazia manutenção, na rua Doutor Bráulio Gomes, próximo ao Vale do Anhangabaú, a deixar Bruno guardar algumas ferramentas na casa de máquinas. Assim, conseguia manter um entreposto avançado na região central sem ter que pagar por isso.

Nesses primeiros tempos da empresa, o trabalho era literalmente em família: meu avô visitava os prédios, fazia a manutenção dos elevadores e trazia as peças que precisavam de conserto para a oficina no fundo do quintal. Minha mãe, com 16 anos, era a responsável por digitar os orçamentos de serviço em uma máquina de escrever Olivetti comprada de segunda mão. Rosa, além das suas costuras, era a responsável por atender as ligações telefônicas de emergência para algum equipamento enguiçado quando Bruno estava na rua.

Minha mãe me conta que o pai chegava em casa à noite, sujo de graxa, mas sempre feliz. *"Sandrina, ne abbiamo un altro"* (algo como "Sandrinha, tenho mais um"), era comum ouvi-lo dizer. Em seguida ela corria para a velha Olivetti.

Com simpatia, aos poucos Bruno foi adicionando clientes à sua carteira, e a Zenit ia crescendo. Tudo o que sobrava era investido em ferramentas, organizadas cuidadosamente nas prateleiras suspensas nas paredes, ao redor do torno usado que tinha sido instalado na garagem. Ali, em pouco mais de dez metros quadrados, ele se sentia o dono de uma indústria.

Na virada dos anos 1960, meu avô já contava com uma freguesia diversificada. Havia negócios do porte da Lorenzetti, que decolava com o sucesso de seus primeiros chuveiros elétricos, construídos na fábrica da Mooca, lançados na década anterior. O cliente mais ilustre talvez fosse o então prefeito de São Paulo e ex-governador do Estado Adhemar de Barros, em sua casa da rua Albuquerque Lins, no Pacaembu.

O *nonno* olhava para o futuro e sonhava com a mudança da empresa para uma sede própria — a garagem não seria capaz de comportar os funcionários que ele planejava contratar. Para isso, mantinha um controle estrito dos gastos, tanto na empresa quanto em casa, meticulosamente anotados em uma caderneta preta. Eu me lembro dessa prática que ele carregou pela vida toda. Tenho fresca na memória a imagem dele batendo com a caneta sobre o livrinho: "Confio mais aqui do que no banco".

A decisão para crescer foi investir na construção de novas instalações mais próximas ao Centro, para facilitar os atendimentos na região que concentrava a maioria dos prédios fregueses. A escolha foi pela rua

Tomaz Gonzaga, no bairro da Liberdade. Quando a obra ficou pronta, em 1961, a Zenit se mudou.

De volta aos anos 1970

Em 1965 eu nascia e cinco anos depois já estava "trabalhando" nas férias com o *nonno*. Enxergando a oportunidade não só de fazer a manutenção, mas também de produzir os próprios elevadores, meu avô ergueu novas instalações para a Zenit, uma fábrica na rua Richlin Matsuda, na Vila Santa Catarina, que ficou pronta em 1972. A área de atendimento foi mantida na Liberdade, para aproveitar a vantagem logística da proximidade ao Centro.

Naquele começo dos anos 1970 que deram início a este capítulo, além das tarefas ocasionais que meu avô me passava, havia uma incumbência diária da qual ele fazia questão – e que serve de exemplo para explicar o diferencial apontado por muitos funcionários que trabalham em empresas familiares.

Todas as manhãs eu tinha que fazer uma excursão pelas áreas de oficina e de produção da fábrica com caderninho e lápis em mãos. Minha missão era passar por cada um dos operários e perguntar o que eles iam querer para o lanche. Depois de completar a lista, recolhia algum dinheiro com meu avô e ia até a padaria da esquina encomendar os pedidos, com um dos funcionários me acompanhando.

Meia hora depois, após carregar uma montanha de sanduíches, eu os distribuía e decretava a pausa para o lanche. Aí comíamos todos juntos, até mesmo o *nonno*.

Olhando para trás, também percebo que ele adotou comigo uma série de procedimentos que casam com o que há de mais atual em preparação sucessória, entre eles uma prática que veremos detalhadamente depois, o desenvolvimento do líder. A ênfase sempre foi em formação e educação, tanto por parte do meu avô quanto da minha mãe. Eu crescia, continuava a frequentar a fábrica e consolidava a noção do que queria ser mais adiante. Mas, para meu desespero, minha mãe me colocou em um curso de datilografia.

Não adiantava reclamar: "Poxa, mãe, mas eu vou ser engenheiro, para que tenho que aprender isso?". Recebia como resposta que era importante saber um pouco de tudo.

Na empresa, meu avô me incentivava a fazer qualquer curso que aparecesse por lá, costumeiramente oferecidos aos funcionários. Uma vez estava sendo dado um treinamento de solda e ele me aconselhou a acompanhar as lições: "Você tem que ser um bom soldador também!".

É curioso como essas impressões – e formações – me acompanham até hoje. Outro dia fui discutir um assunto no setor de Calderaria da empresa e no caminho percebi algo que comentei com o supervisor: a forma como o eletrodo estava sendo usado por um soldador estava um pouco curta. Perguntei se não seria melhor girá-lo para ganhar eficiência. Olhando com mais cuidado, ele concordou comigo, e surpreso perguntou como eu sabia aquilo. Expliquei que já havia soldado peças, que tinha até feito um curso de solda. Ele riu e pelo jeito não acreditou muito no que lhe contei – ainda deve estar se questionando como um executivo pode entender de soldagem de peças...

Aos poucos, meu avô ia me colocando em contato com todos os processos produtivos na Zenit para que eu aprendesse cada uma das etapas e tarefas envolvidas na fabricação de um elevador.

Os funcionários conviviam bem comigo e deixavam que eu operasse as ferramentas da fábrica – menos a serra elétrica. Sempre que entrava no setor de marcenaria, responsável pelas partes internas do elevador, ouvia a mesma frase dos operários numa mistura de preocupação e ironia: "Bruninho não pode fazer dodói...".

Esta é uma das maiores barreiras encontradas pelo sucessor dentro do ambiente do negócio familiar: ele vive cercado por uma redoma protetora da qual é difícil se livrar. Se por um lado isso impede que cometa erros, também limita o aprendizado e o crescimento. Daí a importância de viver experiências fora da empresa da família, mas voltaremos a esse ponto mais adiante.

No meu caso com os marceneiros, não me rendia. Aproveitava o intervalo do café dos funcionários para entrar na sala sem ser visto e ligava a serra. Quando eles voltavam, estava cortando as tábuas de madeira.

O auge em um quadro elétrico

De todas as etapas que envolvem a fabricação de um elevador, a que coroava o processo todo era a instalação do quadro de comando elétrico. Essa é a peça que de fato aciona a máquina, fazendo-a subir ou descer. O equipamento era considerado chave no produto final e a razão para isso é bastante simples: se depois de instalado no elevador o quadro elétrico apresentasse uma falha, seria necessário retirá-lo por inteiro e levá-lo de volta à fábrica para ser consertado. Enquanto isso, a máquina ficava parada e os moradores tinham que usar as escadas. Assim, se havia uma etapa na linha de produção que meu avô não delegava, era o teste final do quadro elétrico.

Tinha 14 anos quando montei um desses quadros pela primeira vez, acompanhando um diagrama elétrico e observando atentamente como o funcionário do setor procedia. Antes que o *nonno* chegasse para avaliar o circuito que eu havia montado, o funcionário do setor tentou me preparar: "Não se decepcione, só no meu quinto ou sexto quadro consegui passar pela inspeção sem levar um puxão de orelha do seu avô". Eu sabia que o teste era extremamente meticuloso, já tinha assistido muitos deles antes.

Meu avô seguia sempre o mesmo procedimento: aproximava a banqueta, sentava-se e colocava os óculos, para em seguida começar com o *checklist* perfeitamente ensaiado. No fim, depois de experimentar o circuito, ele mesmo amarrava os fios novamente, presos em um chicote elétrico perfeito.

Estava ansioso, mas confiante para acompanhar o teste do meu quadro, era um modelo dos mais simples, com apenas duas paradas (térreo e primeiro andar). Para me provocar, logo no início meu avô instigou um curto proposital no capacitor, o que me fez dar um pulo para trás assustado com o estouro.

Já estava acostumado ao espírito brincalhão do meu avô, mas dessa vez não desconfiei de nada. Muito sério, ele anunciou o pior veredicto possível para mim naquele momento: "Não vou terminar de testar esse quadro hoje, só amanhã". Depois, em italiano, ainda completou: "Bruneto, tem tanta bobagem aqui que vou levar uma semana para arrumar isso tudo".

Fui para casa decepcionado e passei uma longa noite me debatendo na cama, insone, tomado pela ansiedade. Na manhã seguinte, disfarçadamente, meu avô pediu que um funcionário buscasse um lanche especial na padaria, que foi colocado na bancada do setor em que eram montados os quadros elétricos. Sob meu olhar preocupado, ele completou o teste. A aprovação final veio com a amarração dos fios no caprichado chicote elétrico que era a marca da Zenit.

Havia passado no teste, o que para mim significava ter atingido o auge da excelência – então era só desfrutar do lanche.

"Você é o Bruno Ferrari?"

Superada a montagem do quadro de comando, dois anos depois eu assumiria outra função-chave na Zenit: a de office boy. Pode parecer pouco, mas eu não era um mensageiro qualquer, que pagava contas em banco ou carregava pastas cheias de documentos de um endereço a outro. Minha incumbência era cruzar a cidade quase diariamente para desembaraçar as licenças que permitiam aos elevadores saídos da linha de produção operar.

O mesmo decreto municipal, que a partir de 1956 ampliou sensivelmente o mercado de manutenção dos equipamentos de elevação vertical em São Paulo também estipulava claramente, em seu art. º 5: "Nenhum elevador ou monta-cargas poderá ser instalado sem que o proprietário do prédio obtenha o respectivo alvará expedido pela Prefeitura na forma legal própria".

O alvará, porém, era só o primeiro passo. A lei explica, no art. º 7: "Com o alvará de instalação será fornecida a chapa de identificação do registro da Prefeitura, que deverá ser obrigatoriamente colocada, internamente, na parte superior da porta de entrada do carro, sob pena de não ser expedida a licença para funcionamento, quando requerida".

Era atrás dessas chapas que eu corria diariamente. Para dar entrada no processo, era necessário reunir uma documentação detalhada sobre o funcionamento de cada equipamento, que tinha de ser entregue na Secretaria Municipal de Habitação, responsável pela fiscalização dos elevadores, na rua São Bento, no Centro da cidade. O órgão ficava e até hoje está no Edifício Martinelli, um prédio elegante de trinta andares que foi o maior arranha-céu do Brasil até os anos 1940.

Com o tempo, percebi que havia dois fatores essenciais para cumprir a tarefa com eficiência e garantir as chapas, que na empresa chamávamos de "medalhas". O primeiro era assegurar que todos os documentos necessários a cada processo tinham sido reunidos – bastava a falta de um só deles para perder a viagem e voltar para a fábrica de mãos abanando, com a obrigação de repetir tudo no dia seguinte. Para evitar a perda de tempo, criei um método para checar que tudo estava em ordem antes mesmo de sair da Zenit.

O segundo fator era mais complexo, porque dependia do elemento humano. Percebi que a agilidade em desembaraçar as chapas, como na maioria dos processos burocráticos, estava diretamente ligada à boa vontade de quem trabalhava atrás do balcão da prefeitura. Assim, eu me esforçava para desenvolver uma relação cordial com os funcionários da secretaria, apostando na educação, no sorriso e na simpatia.

Chegava ao prédio, recolhia a senha e esperava pacientemente chegar minha vez de ser atendido. Na sala do registro de elevadores as paredes eram cobertas pelas "medalhas" com as informações do fabricante e do responsável técnico pelos equipamentos. Em boa parte delas, podia-se ler o nome solene que também estava presente em centenas de elevadores paulistanos naquele começo dos anos 1980: "Bruno Ferrari".

Em uma das vezes em que fui à secretaria, um funcionário recém-concursado tinha assumido o balcão e pediu para checar meu documento, já que ainda não me conhecia. Ele analisou o RG, levantou os olhos para mim e voltou a verificar a cédula, confuso. "Você é o Bruno Ferrari?", perguntou.

Sorrindo, respondi que sim e que não, explicando que o nome em quase metade das chapas penduradas na parede era na verdade o do meu avô, meu xará. Ainda mais intrigado, o funcionário deu continuidade ao processo, sem entender como o neto do dono de uma indústria de elevadores podia estar trabalhando como office boy.

Mais uma etapa entre as várias que o *nonno* me fez cumprir na empresa, o desembaraço das "medalhas" me deixou outras duas lições que permaneceram comigo: a importância de exercitar a simpatia em qualquer relacionamento e a noção de que, por mais humilde que pareça uma tarefa, você deve cumpri-la com excelência.

De Bruninho a Brunão

Chegamos ao ponto que talvez seja o grande motivador deste livro, a largada para uma caminhada que, naquele momento, me pareceu íngreme e tortuosa, quase além das minhas forças. Não diria que a jornada foi suave e desimpedida de obstáculos, mas não tenho dúvidas de que foi o melhor que poderia ter me acontecido.

Naquela metade dos anos 1980, meu avô aos poucos começava a se afastar da gestão da Zenit, em um processo gradual de sucessão para que meu tio Alessandro assumisse seu lugar. O velho Bruno passou a ficar mais tempo na fábrica da Vila Santa Catarina, abrindo espaço para que o filho dominasse a administração da empresa na unidade da Liberdade, onde também se concentrava a área comercial da companhia.

Eu, por minha vez, a essa altura já tinha passado por todos os setores existentes na planta de fabricação de elevadores. Em 1985, aos 20 anos de idade, cursava o terceiro ano de engenharia eletromecânica no Mackenzie. O caminho lógico, portanto, era passar a trabalhar na área equivalente da Zenit, o que fiz com prazer.

A próxima etapa no processo de formação que eu seguia na empresa era passar ao setor comercial para ganhar experiência com estratégias de venda, formação de mercado e aprender mais sobre a relação com os clientes. Com isso, passei a trabalhar diretamente sob a supervisão do meu tio, na Liberdade, distante dos olhos do meu avô, que ficava a maior parte do tempo na fábrica da Vila Santa Catarina.

Essa mudança teve um impacto imediato em mim: em poucas semanas, eu me sentia "sufocado", sem espaço para respirar durante as atividades do dia a dia. Ali, sob o olhar severo do meu tio, tinha muito pouca autonomia para agir e tomar decisões com independência. A falta de liberdade me fazia pensar no que fazer a seguir e comecei a olhar com um interesse cada vez maior os anúncios que apareciam no mural da faculdade, propagandeando estágios em grandes indústrias de São Paulo.

Vivia essa incerteza quando um acontecimento veio para precipitar a mudança: meu avô ficou doente. Sofrendo do coração, foi internado. A família se revezava para acompanhá-lo no hospital. Conforme os dias de internação se sucediam, chegou minha vez de passar uma noite ao lado dele.

Naquela madrugada resolvi aproveitar a chance de estar sozinho com o *nonno* para me abrir e pedir um conselho. Contei-lhe sobre a situação que estava vivendo, as dificuldades da falta de autonomia e a sensação de "sufocamento" no dia a dia. Por fim, temeroso, falei sobre meu plano, ainda não muito bem definido, de buscar um estágio fora da Zenit.

Para minha surpresa, meu avô foi direto ao ponto, lançando-me um questionamento que eu realmente não esperava: "Há quantos anos você trabalha na empresa?".

Comecei a fazer as contas mentalmente, sem saber se deveria incluir o tempo das férias do colégio. Antes que eu pudesse responder, ele fez uma nova pergunta: "Como é que todo mundo chama você por lá?".

Essa respondi rápido, sem precisar pensar muito. Tinha começado quando eu ainda era pequeno, mas, mesmo cursando o terceiro ano de engenharia eletromecânica, todos na Zenit ainda me conheciam por "Bruninho". Não via problema algum nisso, até porque eu e meu avô tínhamos o mesmo nome e aquela era uma forma natural de evitar confusão – eu era o "Bruninho" e ele era o "Brunão".

Então ele prosseguiu, com a terceira e decisiva pergunta: "E o que você quer ser, o Bruninho ou o Brunão?".

Minha resposta foi tão rápida e instintiva que surpreendeu até a mim mesmo: "O Brunão!".

"Bom, se você quer ser o Brunão, sabe o que tem que fazer", ele replicou. "Toque sua vida...".

Não esperava nada daquilo quando comecei a conversa. Imaginava que meu avô me reconfortasse, dissesse que as coisas iriam melhorar, que veria o que poderia ser feito para facilitar meu caminho dentro da Zenit. Um conselho definitivo para sair da empresa da família? Não, isso eu não esperava, e precisava de uma confirmação.

No dia seguinte saí do hospital e fui direto trabalhar, sem conseguir desviar meu pensamento do assunto o dia todo. À noite, depois da faculdade, decidi procurar minha mãe para uma conversa. Afinal, ela conhecia meu avô melhor do que eu, talvez pudesse me explicar o que ele queria dizer com aquele conselho. Quem sabe ela mesma pudesse me iluminar sobre o que fazer, até ajudando a pavimentar um caminho mais suave para mim na empresa.

Em casa, porém, eu teria minha segunda grande surpresa em pouco mais de 24 horas. Ela me ouviu com atenção e adicionou uma nova pergunta à minha lista: "Se você se sente capaz de fazer tanta coisa, não acha que é hora de provar isso fora da empresa do seu avô?".

A confirmação da minha mãe ao que o velho Bruno tinha me dito na noite anterior teve o impacto de um terremoto sobre as minhas convicções. Como era possível que todas as certezas que eu cultivava por tantos anos desmoronassem assim, de repente? Se desde pequeno eu sonhava em trabalhar na empresa do meu avô? Se eu passara no vestibular e estudava engenharia eletromecânica justamente para projetar elevadores cada vez melhores para a Zenit? Esse sonho, de uma hora para a outra, se esfumaçava no ar?

Não tive alternativa a não ser passar a acompanhar com atenção redobrada as ofertas de estágio no mural da faculdade e também preencher as intermináveis fichas de inscrição.

Um mês depois da conversa com o meu avô no hospital, saltei para fora do ninho. Fora da empresa da minha família, começava a caminhada que me traria onde cheguei. Não tinha conseguido apenas um, mas dois estágios simultâneos, incluindo o primeiro lugar no que era considerado o melhor plano de formação de engenheiros do Brasil na época.

Mas isso veremos mais adiante.

2

DIÁLOGO, LIBERDADE DE ESCOLHA E CONVIVÊNCIA: DO SONHO COMPARTILHADO AO SENSO DE LEGADO

O que você herdou de seus pais, conquiste-o para possuí-lo.

Goethe

Façamos agora uma pequena pausa na minha história para tratar de dois conceitos que podem auxiliar qualquer processo de sucessão. O primeiro deles pode parecer um pouco vago à primeira vista, mas mostra-se perfeitamente palpável e compreensível quando analisado mais de perto. Estamos falando de algo que, em última instância, é a grande matéria-prima a inspirar membros de uma família – e posteriormente de uma empresa – a se engajarem no duro trabalho necessário para construir e manter um negócio, seja ele qual for, em condições operacionais saudáveis. Vamos chamar isso de **sonho compartilhado**.

Em resumo, para que uma empresa familiar consiga se perpetuar e buscar a continuidade, é preciso que antes tenha sido consolidada uma visão coletiva de futuro suficientemente forte para manter fundadores e sucessores juntos até que o processo se complete. É uma percepção, uma ideia do que essa família empresária é, sobre que tipo de negócio quer construir e como deseja ser percebida pelo mundo.

O sonho compartilhado é o que carrega o empreendimento familiar de significado, é a reserva moral de onde seus participantes tiram energia para atingir os grandes feitos, é o que serve de bússola para indicar a direção nos momentos em que a adversidade escurece o caminho.

Dito isso, passemos ao segundo conceito essencial para a sucessão, que se encaixa ao sonho compartilhado: **o senso de legado**. Este é o componente que ajuda a nutrir o sonho conjunto da família empresária. Por vezes é uma percepção que se forma naturalmente, especialmente entre as famílias que têm o hábito de cultivar as próprias tradições. De qualquer forma, o senso de legado é algo que pode – e deve – ser desenvolvido e estimulado entre os membros das próximas gerações familiares.

Para que um negócio se perpetue, é essencial que os sucessores entendam e assumam para si mesmos o significado de legado. Deve ficar claro a eles que a empresa vai além das propriedades que irão herdar. É preciso notar que, além de receber os bens e direitos, ao assumir o comando o sucessor se tornará responsável por algo que foi criado e mantido vivo graças ao trabalho duro de uma ou várias gerações passadas. O objetivo é mostrar a eles a posição em que se encontram: de custodiantes desse legado, cuja obrigação é, a seu tempo, transmitir aos próprios descendentes uma instituição tão ou mais sólida e admirada do que a que lhes foi deixada pelos mais antigos.

O senso de legado é algo tão poderoso que às vezes ganha formas curiosas. A força e o significado que a tradição ocupa em uma organização independem do seu tamanho ou peso no mundo corporativo, seja ela uma empresa de tamanho médio ou grande no Brasil – e até uma das maiores fabricantes de veículos do planeta. A seguir passaremos a alguns exemplos práticos para ilustrar um pouco melhor o que de fato são o senso de legado e o sonho compartilhado.

O peso da tradição

Este primeiro caso deu-se em uma empresa familiar do setor metalúrgico da região sul do Brasil com mais de cinquenta anos de história. Um belo dia, seu presidente, que também é um dos sócios que acompanham a companhia há décadas, chamou dois funcionários para lhes confiar uma missão: a reengenharia de uma peça que perdia mercado com a concorrência de produtos chineses importados ao Brasil.

Não se tratava de uma peça qualquer, mas de um produto que tinha sido um dos primeiros a serem desenvolvidos pela empresa. O presidente queria que os dois funcionários – que vamos chamar aqui de Moacir e Zulmiro, um com quarenta anos e outro com quarenta anos de empresa – montassem um projeto para reduzir o peso da peça, de forma que ela ganhasse eficiência em consumo de matéria-prima e, consequentemente, tivesse condições de combater os competidores chineses.

Essa empresa tinha percorrido um longo caminho em suas mais de cinco décadas de vida e se encontrava em um estágio avançado de governança corporativa, com uma gestão profissionalizada e um Chief Executive Officer (CEO) de mercado no comando da divisão em que Moacir e Zulmiro trabalhavam. Conforme o negócio crescia, a diversidade e a evolução tecnológica dos produtos também tinham sido largamente ampliadas, de forma que a antiga peça tinha agora pouquíssima importância no faturamento da companhia – digamos que menos de 0,01% do total, talvez menos.

Os dois funcionários já tinham assimilado o modelo de governança vigente e sabiam que um pedido daqueles, apesar de ter sido feito diretamente pelo presidente e sócio, teria que ser aprovado pelo gestor da divisão. Os dois chegaram com semblantes preocupados à sala do CEO para revelar a situação e pedir orientação sobre o que fazer. A resposta dele os surpreendeu: "Vocês vão fazer. Façam o melhor projeto possível e o entreguem a mim".

Foi aí que Moacir e Zulmiro revelaram mais um ingrediente do caso: o presidente e sócio havia ordenado que eles mantivessem a questão em sigilo, reportando-se apenas a ele. E agora? O gestor refletiu por alguns instantes e assentiu, a troca de e-mails sobre o projeto deveria ser feita entre os dois e a presidência apenas. Ele só quis saber de onde viriam os recursos. Como a reengenharia da peça não fazia parte do planejamento estratégico da divisão (que havia sido aprovado pelo Conselho de Administração da empresa), não havia dinheiro provisionado para isso no orçamento anual.

Os antigos funcionários o tranquilizaram, explicando que o presidente prometera colocar dinheiro do próprio bolso para bancar o projeto. Dito e feito, ele mandou comprar ferramentaria e máquinas exclusivamente para revolucionar a peça obsoleta e pagou por tudo.

Moacir e Zulmiro empregaram toda sua experiência e por fim conseguiram entregar o que o presidente esperava: o peso da peça foi reduzido em um quarto e ela voltou a ser competitiva no mercado, garantindo sua permanência na linha de produção da empresa. Apesar do ganho em eficiência, o produto não aumentou significativamente sua participação no faturamento da metalúrgica, conservando a modesta fatia de menos de 0,01%. Mas claramente isso não era o mais importante para o presidente – o que ele queria era que a peça continuasse a ser produzida. O produto podia não ser representativo financeiramente, mas valia mais do que o seu peso em ouro na memória afetiva do fundador, por representar uma tradição de cinquenta anos.

No fim do ano, durante o encontro de acionistas, o presidente fez questão de encenar uma entrada triunfal no salão de convenções carregando uma das peças revigoradas. Enquanto a maioria via ali só um produto obsoleto, ele enxergava a materialização do senso de legado.

Resultado e gestão profissional são essenciais em qualquer negócio, mas quando se trata de empresas familiares pode não ser o suficiente. É preciso também ter sensibilidade para entender a história da organização e o peso emocional de cada etapa. Para o presidente e sócio, aquela peça representava uma fase da construção de valor da companhia que ele não estava disposto a deixar desaparecer. O CEO da divisão teve a capacidade de enxergar e respeitar isso.

Pode parecer só outra história excêntrica de uma empresa familiar brasileira, mas o que dizer de um exemplo semelhante em uma companhia do porte da multinacional PSA Peugeot Citroën?

Raladores intocáveis

É verdade que hoje o nome da companhia francesa é sinônimo de tecnologia automotiva, mas a história do que hoje é uma das maiores montadoras do mundo (com vendas na casa dos três milhões de veículos em 2014) começou há mais de duzentos anos com produtos que quase ninguém consegue associar à moderna indústria automobilística: de corpetes femininos com estrutura à base de ossos de baleia a raladores de especiarias. Os corpetes ficaram na história, mas as engenhosas peças que moem sal, pimenta e café sobrevivem até hoje e com estilo.

Esses raladores e moedores são vistos pela família fundadora como uma representação da memória e até mesmo da excelência da Peugeot. Para manter os produtos vivos, em um processo não muito diferente do que se deu com a peça obsoleta no Sul do Brasil, a empresa encarregou o Peugeot Design Lab – a divisão da empresa que funciona como um estúdio global de design de marcas – de redesenhá-los em um formato conceito, no começo do século XXI.

Por quê? Porque a família fundadora entende que a força de uma marca não é medida apenas pelos seus produtos. Nas palavras da companhia, explicitadas em seu site na internet, "tudo o que um cliente vê desempenha um papel determinante na percepção da imagem de uma marca". Foi sob esse paradigma que a maior fabricante de automóveis da França e a segunda maior da Europa, com mais de noventa mil funcionários, decidiu redesenhar e relançar três modelos de raladores culinários: de ervas, café e sal/pimenta.

Os primeiros artigos do gênero que a Peugeot produziu surgiram em 1840. Chamados de Modelo R, eram moedores de café baseados em um corpo de madeira, coroados por uma manivela de metal na parte superior, que podiam ser montados em dez tamanhos diferentes. O moedor de pimenta pioneiro (Modelo Z) apareceria só três décadas depois, em 1874.

Os produtos têm tamanho respeito dentro da montadora que ocupam um lugar de honra entre os trezentos metros quadrados do espaço mais suntuoso da Peugeot na França, um salão de exposições pensado cuidadosamente para representar tudo o que a empresa entende como a quintessência da própria imagem. Esse salão fica no número 136 da Avenue des Champs Elysées, um dos endereços mais prestigiados e caros de Paris.

Ali, no coração da capital francesa, depois de observar a fachada em preto e azul e passar debaixo do reluzente leão prateado que simboliza a marca, o visitante encontrará à sua disposição toda a linha de moedores, na chamada *Boutique*. Para deixar clara a relevância dos produtos em exposição, a montadora faz questão de afirmar que eles "endossam os valores da marca e definem a Peugeot como uma harmonia pura entre excelência e emoção".

A família Peugeot alienou parte de sua participação acionária no grupo para que o governo francês e a chinesa Dongfeng Motor pudessem aumentar seu peso no negócio em junho de 2014, parte de um plano para capitalizar a empresa em quatro bilhões de dólares. Mesmo assim, a família ainda detém 14% da companhia — o suficiente para manter intocável a linha de cozinha.

Neste caso da PSA Peugeot Citroën é possível perceber que o senso de legado tem dupla função: preservar a ligação da companhia com as raízes do início do século XIX e ao mesmo tempo manter viva no mercado uma tradição de excelência centenária, representada por produtos sem nenhuma relação com seu negócio principal.

Em nome do pai

Retornamos ao Brasil para o terceiro caso, que envolve uma pitada generosa dos dois conceitos, tão enraizados que fizeram renascer um negócio já falecido. A história se passou no norte de Santa Catarina e teve início no fim dos anos 1980 quando um senhor resolveu entrar no mercado de modificação de automóveis – mais precisamente de caminhonetes.

Naquele tempo ainda não havia muitos modelos das chamadas picapes de "cabine dupla" disponíveis no mercado nacional de hoje, o que fazia muita gente se interessar por adaptar os veículos comuns, ampliando a área para os passageiros. Em 1986, durante o governo do ex-presidente José Sarney, surgiu um incentivo adicional à prática com a criação de um novo tributo: o "empréstimo compulsório". A medida, complementar ao Programa de Estabilização Econômica, exigia que os proprietários de veículos utilitários passassem a pagar um percentual sobre o valor dos automóveis ao fazer o licenciamento anual nos Departamentos Estaduais de Trânsito (Detrans). Mas logo o poder de improvisação tipicamente brasileiro mostraria sua força mais uma vez. Correu a notícia de que havia uma exceção: ao transformar as caminhonetes em "cabines duplas", o veículo ganhava isenção do novo tributo, porque tecnicamente deixava de ser utilitário.

Esse senhor do norte catarinense passou a suprir esse mercado com um serviço raro e acima da média para o padrão brasileiro da época – ele "estendia" as cabines com uma estrutura de metal quando o comum era usar um material à base de fibra de vidro, muito menos resistente.

O negócio prosperou até o começo dos anos 1990, até que no governo Collor o mercado automotivo brasileiro foi aberto às importações e começaram a chegar as primeiras "cabines duplas" japonesas, que ocuparam rapidamente o espaço das picapes adaptadas. Com isso, ele desistiu da atividade e decidiu se aposentar.

O filho desse senhor, um adolescente no fim da década de 1980, acompanhou toda essa trajetória e maravilhou-se com o mundo da modificação de automóveis. Homem já formado no começo dos anos 2000, preocupava-se ao ver o pai desanimado, enfadado com a ociosidade da aposentadoria. Nesse momento o filho havia aberto uma loja de acessórios automotivos e, vendo o potencial de crescimento desse mercado, resolveu agir: alugou um pequeno galpão de sessenta metros quadrados e chamou o pai para dirigir a operação.

No início todo o trabalho era feito pelo pai, com a ajuda de apenas mais dois funcionários. Aos poucos a empresa foi crescendo, adicionando design e inovação aos produtos, a ponto de quinze anos depois se transformar em fornecedora direta de grandes montadoras no mercado de *Original Equipment Manufacturer* (OEM – em português, Fabricante Original do Equipamento), com clientes do porte de Renault, Ford e Mitsubishi. A companhia conta hoje com cerca de cem funcionários e registra faturamento na casa dos quarenta milhões de reais anuais.

É interessante observar aqui o poder que o sonho compartilhado pode assumir, às vezes até inconscientemente. O sonho de possuir uma empresa que modifica automóveis, nascido com aquele senhor no norte de Santa Catarina, foi tão fortemente compartilhado com o filho que este ressuscitou um negócio já enterrado – e resgatou o pai para levá-lo adiante com ele.

O senso de legado também está presente neste caso. O pai, fundador do negócio original, faleceu. Como a empresa crescia e criava valor, começaram a surgir propostas de aquisição – todas recusadas pelo filho, que faz questão de levar a companhia adiante.

Perguntei a ele por que não se desfez da empresa, tendo em vista as boas propostas financeiras que chegaram. A resposta, nas próprias palavras dele, não poderia ser mais clara: "Porque um sonho não tem preço. Já tivemos a chance de sair de bolso cheio, mas não quisemos".

Nutrir o sonho

Levando em conta o conceito do sonho compartilhado, o que é possível fazer para que fundador e sucessores, pais e filhos, construam e dividam uma visão de futuro comum que justifique e dê força para que o negócio da família siga adiante e seja perpetuado pela geração posterior?

Não parece e de fato não é fácil. Para ilustrar a dificuldade, imaginemos uma situação que acredito quase todo mundo já tenha visto em algum filme: o da família imigrante que muda de país, às vezes até de continente, para fugir das dificuldades na terra natal e perseguir o famoso "sonho americano". Na origem, o chefe desse núcleo familiar sonha construir um negócio de sucesso para oferecer uma vida melhor aos seus filhos. Algumas dessas crianças crescem acompanhando os sacrifícios dos pais, os quais crescem acompanhando os sacrifícios dos pais, com quem compartilham valores de trabalho, perseverança e esforço.

Agora imaginemos os filhos dessa segunda geração, supondo que os primeiros imigrantes conseguiram atingir o objetivo inicial. Os netos provavelmente nasceram cercados dos confortos que começaram a ser conquistados pelos pioneiros, situação que às vezes se antecipa, passando-se até com os filhos dos fundadores. O que fazer para que compreendam o senso de legado? Como compartilhar o sonho dessa família empresária com seus descendentes? Aliás, o sonho a ser compartilhado seria o mesmo?

Ivan Lansberg, psicólogo organizacional norte-americano, desenvolveu uma visão interessante sobre o assunto em um livro que se chama *Succeeding Generations: Realizing the Dream of Families in Business* [Gerações que se sucedem: compreendendo o sonho de famílias nos negócios]. Lansberg afirma que o sonho compartilhado nem sempre é uma ideia clara, ele é formado por uma sobreposição de aspirações e desejos de indivíduos de diferentes gerações que precisam ser nutridos, alimentados e finalmente fundidos na visão coletiva.

Em outras palavras, o que o psicólogo quer dizer é que para que seja possível estabelecer e compartilhar um sonho comum na família, os sonhos particulares de cada membro dela precisam se sobrepor de alguma forma. Na definição dele, para se chegar ao sonho compartilhado não basta simplesmente unir os sonhos individuais. Para se chegar ao resultado final é necessário somar a porção do sonho individual que cada um está disposto a investir no futuro da empresa familiar.

Lansberg afirma que quanto maior é a parcela dos sonhos individuais disponível, mais forte se vê o sonho compartilhado e maior é a probabilidade de colaboração entre fundadores e sucessores. Portanto aumentam, assim, as chances de perpetuação do negócio.

Mas mudemos um pouco de perspectiva, colocando-nos na posição dos sucessores. Em qualquer família que possui um negócio – independentemente do seu tamanho ou sucesso –, verifica-se algum impacto sobre as opções de carreira dos membros mais jovens. Os dois lados da situação precisarão entrar em acordo, em especial quando há o desejo dos pais em ver a futura geração no comando.

Para adicionar uma complicação extra ao assunto, é preciso perceber ainda que os desejos individuais são dinâmicos, mudam tanto em face da realidade quanto de acordo com o momento e o período da vida de cada um. Dessa forma, se os sonhos individuais mudam, é certo que o sonho compartilhado também terá que se adaptar e evoluir a contento.

A solução para essa gênese aparentemente inalcançável envolve três ingredientes de simples definição e complexa administração: conversa, convivência e liberdade.

Diálogo, presença e escolha

O negócio familiar exerce uma influência muito poderosa sobre a formação do senso do que os membros mais jovens da família querem para a própria vida e do que esperam para o futuro. Enfim, do que desejam ser quando crescerem. Por todas as portas que abre e facilidades materiais que oferece, por um lado a empresa da família pode ser um veículo que ajuda a carregar e fazer acontecer os desejos individuais dos filhos, mas, por outro, pode se tornar uma barreira quase instransponível no caminho deles.

Crianças que são inseridas no negócio familiar sem diálogo ou liberdade de escolha podem ter a sensação de que terão de sacrificar muito dos próprios sonhos individuais para se adaptar à vida dentro da empresa, o que facilmente pode torná-las infelizes e frustradas. Subordinar a própria identidade e as aspirações de carreira à expectativa de sucessão dos pais pode fazer se consolidar um sentimento de autotraição, com o que todos sofrem, tanto indivíduos quanto negócios.

Pessoas que se veem nessa situação de sufocar e esconder os próprios sonhos (por considerá-los muito modestos ou grandiosos demais) dificilmente irão se tornar líderes capazes de inspirar e comunicar a gestores e outros funcionários uma visão com poder de motivá-los.

Assim, chegamos a outro conceito fundador na trajetória da boa sucessão empresarial: liberdade de escolha. É absolutamente essencial dar aos jovens a chance de escolher o próprio caminho na carreira, porque isso vai fazer que eles considerem muito mais favoravelmente a possibilidade de trabalhar na empresa da família. Assim, quando entrarem no negócio, estarão nele "por inteiro" e não com a hesitação de quem faz algo de maneira forçada. Isso não quer dizer que a sucessão irá se completar favoravelmente – há muitos outros fatores envolvidos no processo, como veremos mais adiante –, mas as possibilidades aumentam de forma considerável quando o desembarque no negócio da família se dá por escolha própria.

A estratégia para que os filhos sintam a liberdade de escolha preservada e ao mesmo tempo se mantenham próximos ao negócio da família passa por duas práticas que devem ser cotidianas: diálogo e convivência.

No que diz respeito ao primeiro ponto, a recomendação é manter desimpedido o canal de comunicação com os filhos, desde pequenos, sobre quais são seus desejos e aspirações, deixando abertas as possibilidades, ainda que estas levem a uma carreira fora do negócio familiar. É bastante comum em famílias empresárias que o assunto do futuro profissional se transforme em um verdadeiro tabu, evitado tanto por pais quanto por filhos. Por vezes os pais assumem tacitamente como definida e definitiva a entrada dos filhos na empresa – sem, no entanto, perguntar a eles se é isso que de fato desejam. Em outros casos, o conflito assume um caráter mais aberto, acarretando desde terríveis discussões na mesa de jantar ao "suborno" dos sucessores com bens e privilégios em troca da presença na empresa familiar (na forma de carros, viagens ou uma gorda mesada, por exemplo).

Seja como for, a falta de diálogo raramente resulta em algo favorável, porque um desejo sufocado tem o hábito de lutar eternamente para chegar à superfície. Assim, em situações em que faz algo contra a própria vontade, um sucessor pode desistir na véspera de assumir a empresa das mãos do fundador — ou até mesmo abandonar o barco no meio da viagem, depois de já sacramentado no comando. De um jeito ou de outro, os danos pessoais, familiares e ao próprio negócio costumam ser irreversíveis.

A segunda variável da estratégia cotidiana também desempenha papel-chave na construção do sonho compartilhado, tendo o poder de revelar aos olhos do sucessor o que significa o negócio para a família e a importância de preservar o legado recebido dos mais antigos, além de desenvolver nele o desejo de levar a companhia adiante. Trata-se da convivência desde cedo na empresa.

Em paralelo ao diálogo, é essencial trazer a criança para dentro do negócio, para ver e sentir de perto como ele funciona, com todas as responsabilidades e dificuldades do dia a dia. Aqui não preciso me alongar muito sobre meu próprio exemplo, detalhado no capítulo anterior. A vivência dentro da empresa do meu avô fez com que eu percebesse desde pequeno o quanto aquilo significava para ele e para a família.

Além de ajudar a despertar o senso de legado e ajudar a desenvolver o afeto do sucessor pelo empreendimento que um dia será seu, a convivência também colabora para corrigir interpretações equivocadas que as crianças podem ter sobre o que de fato é e o tamanho que tem o negócio dos pais.

Em outras palavras, a convivência aproxima os sucessores da realidade do negócio que podem um dia assumir. Não é incomum que membros jovens das famílias empresárias subestimem — ou superestimem — o tamanho da empresa que herdarão. No primeiro caso, a ignorância sobre o que produz, quanto dinheiro de fato movimenta, quais operações existem e quantas pessoas dependem do empreendimento pode dar a ilusão de que a companhia pode ser administrada com facilidade. No segundo, pais superprotetores que querem sempre o melhor para os filhos por vezes criam herdeiros em uma bolha de conforto que não condiz com a realidade financeira do negócio que controlam.

De uma forma ou de outra, manter os filhos ignorantes sobre o quão lucrativo (ou gerador de prejuízo) é o empreendimento dos pais não costuma ter boas consequências. Assim como aqueles casamentos arranjados do passado em que a noiva era obrigada a se casar sem nunca ter visto o pretendente eram receita certa para a infelicidade conjugal, forçar alguém a assumir um negócio que nem sequer conhece direito costuma arrastar qualquer sucessão para o fracasso.

Liberdade, felicidade e crescimento

O caso a seguir ilustra como aliar conversa, convivência e liberdade de escolha pode ajudar a encaminhar uma sucessão – além de fazer um negócio crescer. Trata-se de mais uma história brasileira que começou no início dos anos 1980, mais exatamente em 1982, em uma pequena cidade do interior do Rio Grande do Sul.

Naquele tempo, Jair Pavinato ganhava a vida como representante comercial de uma empresa fabricante de balas e caramelos e percorria as cidades interioranas do Sul do Brasil em visita aos compradores. Um belo dia, enciumado pelo tamanho da comissão embolsada pelo funcionário, o diretor de Vendas da companhia o demitiu.

Em um primeiro momento Jair ficou chocado com a notícia inesperada, justamente no momento em que esperava ver deslanchar os rendimentos obtidos na carreira de vendedor, mas não titubeou em tomar uma decisão radical. Ele decidiu que não queria mais estar suscetível aos humores de qualquer patrão: montaria seu próprio negócio, ia fabricar sorvete.

Com o apoio da esposa, dona Ivete, Jair sacou o pouco dinheiro obtido com a rescisão trabalhista e abriu uma pequena sorveteria em Getúlio

Vargas, a cidadezinha no norte do Rio Grande do Sul onde morava, que hoje conta pouco mais de 16 mil habitantes.

Em alguns anos a família Pavinato empreenderia mudança, em busca de um mercado mais polpudo: Joinville, o município mais populoso de Santa Catarina. Em 1990, Seu Jair instalou uma sorveteria na cidade, inicialmente batizada de Bariloche, depois transformada em Paviloche, para associar a marca ao sobrenome familiar.

Três anos depois, a empresa dava um grande passo, tornando a produção artesanal em industrial e inaugurando um parque fabril na Zona Norte do município para expandir as vendas a cidades vizinhas da região. Quinze anos depois, a Paviloche fabrica mais de 70 tipos diferentes de sorvetes, tem presença em 120 cidades do Paraná e de Santa Catarina, possui três centros de distribuição (na paranaense São José dos Pinhais e nas catarinenses Palhoça e Mafra) e de quebra encaminhou a sucessão para a segunda geração da família.

Nesse ponto é interessante apontar a presença dos três ingredientes--chave que citamos neste capítulo como auxiliares à passagem do bastão com sucesso: diálogo, convivência e liberdade de escolha.

Seu Jair e dona Ivete tiveram quatro filhos: Douglas, Doriane, Diógenes e Diego. O mais velho, Douglas, acompanhou o negócio dos sorvetes desde os primeiros passos e sempre foi o braço direito do pai — assumiu o posto dele atualmente. Doriane e Diógenes, que chegaram mais tarde, também se incorporaram à empresa e nela trabalham.

A exceção foi Diego, o filho mais novo, que decidiu não tomar parte no dia a dia da Paviloche, o que foi perfeitamente compreendido — e aceito — pelos pais e irmãos. Ele montou outro negócio, sem relação alguma com a fabricação de sorvetes, uma recuperadora e reformadora de automóveis em Santa Catarina.

A Paviloche define como sua missão "proporcionar momentos de felicidade". É difícil imaginar alguém que esteja infeliz sendo capaz de espalhar alegria, e o caso da fabricante de sorvetes é um exemplo raro em que prática e discurso andam lado a lado: todos os filhos tiveram contato desde cedo com o negócio da família, conversavam sobre suas escolhas e puderam decidir o próprio destino. Como resultado, o sonho de Jair e dona Ivete foi compartilhado com sucesso e os sucessores assimilaram a importância de levar adiante o legado do pai.

Incongruências de um sonho

O diálogo aberto entre fundadores e sucessores, pais e filhos, oferece ainda um benefício adicional: trazer à tona e deixar claro a todos os envolvidos quais são as expectativas em relação ao próprio futuro e ao da empresa familiar.

Um exemplo disso? Deixemos de lado por um momento os filhos e imaginemos uma família em que o pai e a mãe têm visões diferentes em relação a como deve ser a sucessão no negócio que construíram juntos. Digamos que o pai quer ver o filho mais velho no controle, enquanto a mãe acha que os outros dois irmãos, ainda que mais novos, devem ter oportunidades iguais em relação ao primogênito para assumir posições de comando. Digamos mais: e se as expectativas tanto do pai quanto da mãe nunca tiverem sido tornadas públicas, mas apesar disso ambos considerarem a própria visão como o caminho óbvio a seguir? Ou seja, nunca se falou sobre o tema e os dois o consideram assunto resolvido. Esse cenário, sem dúvida, reúne ingredientes mais do que suficientes para um conflito familiar desagradável e de consequências imprevisíveis.

Outro exemplo? Imaginemos uma situação também bastante corriqueira no mundo corporativo: um negócio criado por dois sócios se aproxima do momento de sucessão à segunda geração. O que fazer se, nesse período, eles descobrem que têm perspectivas diferentes sobre quem deve assumir a posição de controle da empresa? E se cada um resolver defender com unhas e dentes a consolidação do próprio filho na posição mais alta da empresa? Como resolver isso?

Mais uma situação: e se houver um conflito inconciliável entre as características e propósitos de um negócio e os princípios éticos, morais ou até religiosos do sucessor? Parece uma questão etérea, mas basta passar aos exemplos práticos para compreender o espírito do problema. Um jovem com visão ambientalista poderia assumir uma companhia madeireira? Um sucessor que se dedica aos direitos dos animais teria condições de comandar um frigorífico ou um aviário? Um pacifista se sentiria confortável ao gerir uma indústria armamentista?

Em quaisquer dos casos, o diálogo aberto e honesto entre os envolvidos – sejam eles marido e mulher, pais e filhos ou mesmo sócios – permite identificar com antecedência se há incompatibilidade entre visões e expectativas no processo de sucessão, tornando possível buscar alternativas que solucionem ou ao menos encaminhem os problemas.

A conversa é, em outras palavras, o grande teste de realidade do sonho compartilhado. A troca de ideias permite avaliar se de fato esse sonho conjunto existe e até que ponto os envolvidos compactuam de uma visão comum de futuro, forte o suficiente para mantê-los unidos frente às adversidades que certamente virão.

Em resumo, o diálogo abre a porta para que a família se livre de ilusões que por vezes são carregadas por anos, confrontando-se de forma corajosa com o mundo real, a situação que de fato se impõe a eles.

O diálogo pode ajudar a revelar aos pais que eles simplesmente não têm a família harmoniosa ou os filhos brilhantes que pensam ter. Não é raro que um fundador esteja tão comprometido com o desejo de fazer do filho o sucessor no negócio que construiu ao longo de anos a ponto de isso lhe impedir de enxergar a realidade. Nesse caso se faz necessário que uma pessoa de fora do círculo familiar assuma a função de lhe comunicar a situação real, mostrando que insistir na fantasia coloca o futuro do negócio e até a estabilidade financeira da família em risco.

Voltemos nosso olhar para o lado positivo por um instante. Imaginemos que os pais cumpriram seu dever e conversaram abertamente com os filhos, colocaram esses possíveis sucessores em contato com o negócio próprio desde cedo e lhes deram ampla liberdade de escolha. Cumpridas essas etapas, podemos passar ao próximo passo, tão essencial que talvez seja o ponto central desse livro: a experiência fora da empresa da família.

Para abordar esse tema volto à minha própria história e às consequências da saída precoce da empresa da minha família, a Zenit. Mas disso vamos tratar no próximo capítulo.

O PRIMEIRO MERGULHO NO UNIVERSO AUTOMOTIVO

Se você quer algo novo, você tem que parar de fazer algo velho.
Peter F. Drucker,
escritor considerado um dos pais
da administração moderna

Como contei um pouco antes, depois da conversa com meu avô no quarto de hospital sobre se eu queria ser "Bruninho" ou "Brunão", seguida da confirmação da mensagem por parte da minha mãe, redobrei a atenção aos anúncios de oportunidades no mural de recursos humanos na Zenit. Depois de alguma pesquisa, descobri que o melhor estágio de engenharia do Brasil era oferecido pela Arno. A empresa tinha sido fundada em 1940 por um imigrante do Trieste (hoje parte da Itália) chamado João Arnstein Arno, sob o nome de Construções Eletromecânicas Brasileiras LTDA, com o objetivo de fabricar motores elétricos. Sete anos depois, porém, já desenvolvia peças para automóveis e, em pouco tempo, começou a montar produtos que viriam para revolucionar o país a partir dos anos 1950: enceradeiras, aspiradores de pó, panelas de pressão, batedeiras, liquidificadores, entre outros. Essas novidades logo ficaram conhecidas como eletrodomésticos.

O ano era 1987, e me encaminhava para o penúltimo ano da faculdade de engenharia eletromecânica quando completei o processo de entrevistas e testes para o estágio na sede da Arno, que ficava no bairro da Mooca, no começo da Zona Leste de São Paulo. Havia vinte vagas, e eu passei em primeiro lugar.

Não era à toa que o processo da Arno se tornara referência no mundo da engenharia: oferecia uma formação extremamente completa. O estagiário permanecia na empresa por um período de dois anos e, obrigatoriamente, a cada três meses passava por uma transição. Ao cumprir cada uma dessas fases, ele era entrevistado por um grupo de pessoas para verificar o que havia aprendido. Eu, por exemplo, comecei no Laboratório, depois fui para o setor de Engenharia de Produtos, dali para Engenharia de Processos, Manufatura, Qualidade, Vendas, Marketing e, por fim, Finanças. Consolidou-se no mercado a percepção de que no fim de todo o processo o profissional que deixava o estágio da Arno era praticamente um supervisor de linha formado. Por mais que me empenhasse, dificilmente conseguiria alcançar essa mesma formação na Zenit – olhando para trás é fácil perceber que essa oportunidade só se apresentou para mim ao deixar a empresa da família.

A parte de eletrodomésticos era de longe a mais famosa da Arno, representava 95% do faturamento da empresa. Mas havia também uma divisão automotiva, minoritária, justamente a que fez brilhar os meus olhos. Desde 1971, a Arno tinha um acordo assinado com a gigante norte-americana de autopeças Delco Remy, que lhe garantia a concessão para fabricar diversos tipos de micromotores automotivos usando a marca ACDelco. Isso significava quase tudo o que era elétrico em carros da GM, Volkswagen e Ford (do motor de partida ao alternador, incluindo os limpadores de para-brisas).

Concluído meu período de estágio, depois de passar por todas as divisões da Arno e formado no Mackenzie, em 1988 fui efetivado na empresa como engenheiro de produto com direcionamento para a área de autopeças. Foi nessa época que passei a ter um contato mais intenso com o segmento que nunca mais deixei e que se tornou uma das minhas grandes paixões: a indústria automotiva.

A primeira montadora

Minha primeira visita a uma montadora tinha sido no ano anterior, ainda como estagiário, nada menos do que à Gurgel, uma companhia que tinha por ambição construir o primeiro carro com tecnologia brasileira. Seu fundador, o engenheiro João Augusto Conrado do Amaral Gurgel, sonhava em fabricar um automóvel 100% nacional desde os anos 1950, tempos em que a indústria automobilística brasileira ainda engatinhava.

O presidente Juscelino Kubitschek assumira em 1956 e queria colocar em prática seu Plano de Metas, que distribuía 31 grandes objetivos para o país em seis áreas de atividade: alimentação, educação, energia, indústrias de base, a construção de Brasília e transporte – neste último se inseria o desenvolvimento do setor automotivo.

No ano em que JK tornou-se presidente, a Vemag começou a montar o DKW no Brasil, em sua fábrica na Vila Prudente, Zona Norte da capital paulista, sob licença da Auto Union Alemã (que mais tarde se transformaria na Audi). Também em 1956, as Indústrias Romi, de Santa Bárbara do Oeste (SP), iniciaram a montagem da diminuta Romiseta, um minicarro que tinha pouco mais de dois metros de comprimento, licenciado pela italiana Isetta. A indústria automobilística ganharia mais impulso em 1957 quando a Volkswagen começou a fabricar seu primeiro carro no Brasil – que tinha uma taxa de nacionalização pouco superior a 50% –, a Kombi, na unidade de São Bernardo do Campo. Dois anos depois viria o primeiro Fusca, então chamado pelo pomposo nome de "Sedã 1200".

Um ano antes, em 1958, Gurgel criou a Moplast, um negócio que produzia luminosos de fibra para várias empresas, mas principalmente para as concessionárias da Volkswagen, com a logomarca da companhia. Em paralelo, ele montava karts de competição que levavam um motor desenvolvido pelo próprio Gurgel. Dois anos depois, o engenheiro já tinha criado um minicarro com motor de 3HP (o Gurgel Junior), que exportava para os Estados Unidos e para a Alemanha.

Em meados dos anos 1960, Gurgel se desfez da Moplast e abriu a Macan Veículos, uma concessionária da Volkswagen, e em paralelo fabricava miniMustangs e miniKarmann Ghias com o mesmo motor de 3HP, o sonho de consumo das crianças da época nas promoções do achocolatado Toddy e dos refrigerantes Cerejinha, quando traziam a tampa premiada.

Em 1966, João Gurgel surgiu com o protótipo do seu primeiro carro de verdade, o Ipanema. Tratava-se de um *buggy* utilitário montado sobre o chassi do Fusca, com motor traseiro e carroceria em *fiberglass*. Apresentado no Salão do Automóvel, o carro teve duzentas encomendas, mas não saiu do papel porque não havia dinheiro para viabilizar a produção. A solução encontrada por ele foi simples: vendeu a concessionária e com os cerca de cinquenta mil dólares que conseguiu levantar montou a Gurgel Indústria e Comércio de Veículos Ltda em 1969. Na estrutura montada na Avenida do Cursino, Zona Norte de São Paulo, a empresa mantinha quatro funcionários trabalhando em período integral, que agora produziam quatro Ipanemas por mês.

Gurgel nunca pensou pequeno e, no começo dos anos 1970, elaborou um plano para entrar no negócio de jipes. Estudou cuidadosamente a situação do mercado brasileiro e concluiu que a produção de seu grande concorrente, o jipe Willys, só era viável se superasse a marca de trezentas unidades por mês. A Willys Overland do Brasil tinha sido criada em 1952, em São Bernardo do Campo (SP), mas em 1968 tinha se fundido à Ford do Brasil, com o surgimento da Ford-Willys, que assumiu a produção do jipe no país.

Gurgel descobriu que a Ford estava fabricando 340 jipes Willys por mês e acreditava que se conseguisse abocanhar uma fatia do mercado poderia forçar a concorrente a desistir do negócio. A estratégia foi atacar pelo lado mais fraco do oponente: o conforto. O novo projeto foi pensado com suspensão de mola em espiral e assentos ergonômicos para tornar o modelo menos duro do que o veículo originalmente projetado pelos norte-americanos, que enfrentava qualquer terreno e transportava oficiais na Segunda Guerra Mundial.

Em 1973, Gurgel apresentaria o Xavante, um veículo com estepe sobre o capô dianteiro e um par de pás que vinham encaixadas nas portas para que o motorista pudesse cavar o próprio caminho se tivesse que sair de situações extremas. Nesse mesmo ano ele comprou um terreno de 360 mil metros quadrados às margens da Rodovia Washington Luís, em Rio Claro, no interior de São Paulo, para construir a fábrica que eu visitaria com frequência no fim dos anos 1980. O plano de dividir para conquistar de fato funcionaria: em 1983, quando a Gurgel alcançou a marca de 160 veículos por mês, a Ford desistiu de fabricar jipes no Brasil.

Alternador sem correia

Em 1987, ainda durante meu estágio na Arno, passei um tempo no Laboratório de Testes Automotivos e ali nós testamos o produto desenvolvido pela Gurgel para superar um obstáculo que era recorrente para a empresa. Vista como concorrente pelos demais *players* automotivos, a empresa enfrentava grande dificuldade em conseguir fornecedores de autopeças, que eram amarrados em contratos com as grandes montadoras. Nesse caso específico, tratava-se de um alternador projetado para ser acoplado diretamente ao motor.

Engenheiro, João Gurgel tinha uma preocupação constante com a redução de custos e com algo que se tornou inescapável para qualquer companhia no século XXI: inovação. No meu último ano de estágio na Arno participei do desenvolvimento de um motor revolucionário: o BR-800 (BR vinha de Brasil e o número dos 800 centímetros cúbicos de deslocamento). Era um motor de dois cilindros opostos, quatro tempos e 32 cavalos de potência, refrigerado a água, sem correias ou distribuidor. O alternador, desenvolvido pela Arno especialmente para a Gurgel, era uma espécie de colcha de retalhos de peças da linha Delco Remy.

A preocupação do fundador com inovação vinha de mais de uma década. Em 1974, ele desenvolveu o *Plasteel*, uma estrutura formada por camadas de plástico reforçado com fibra de vidro que envolvia uma armação de tubos de aço de secção quadrada — a tecnologia foi registrada, patenteada e serviu de base para as carrocerias dos veículos da empresa daí em diante.

Eu vi a técnica aperfeiçoada em ação *in loco*, na fábrica de Rio Claro, mais de uma década adiante. A estrutura tubular que fazia o papel de chassi do carro era laminada na piscina de produção da carroceria e depois o reforço de *Plasteel* era colocado em volta, como cobertura. Como sempre gostei muito de acompanhar processos, cheguei a ver a laminação de uns quinze carros.

Carro elétrico nos anos 1970

Ainda em 1974, Gurgel desenvolveu o projeto de um tipo de veículo que alguém só conseguiria viabilizar mais de trinta anos depois: o carro elétrico. Em meados dos anos 1970 ele apresentou o protótipo do Itaipu — que era praticamente um trapézio sobre rodas, com um enorme para-brisas dianteiro e vidro traseiro, capacidade para duas pessoas e baterias recarregáveis em qualquer tomada, como um eletrodoméstico comum.

Um ano depois (1975), Gurgel inaugurava a fábrica de Rio Claro e sonhava com um contrato que sustentasse o crescimento da empresa. Para isso, disponibilizou dois modelos de jipe baseados no Xavante para testes do Exército Brasileiro. Depois de alguns meses, recebeu uma carta dos militares dizendo que o desempenho dos veículos tinha sido aprovado, mas que não poderiam ser adquiridos porque, em caso de explosão em uma situação de combate, os estilhaços de fibra de vidro do *Plasteel* que atingissem combatentes não poderiam ser detectados no corpo humano pelo raio-x, porque não eram metálicos.

Ele não desistiu. Pediu a ajuda de um amigo médico para saber se havia algum produto que pudesse misturar ao composto para tornar o *Plasteel* visível ao aparelho e recebeu a indicação de uma fórmula utilizada em exames do aparelho digestivo. Gurgel misturou-a à fibra e conseguiu a aprovação do Exército – o volume do contrato, porém, acabou sendo decepcionante, vendeu apenas 40 unidades de um jipe de assalto projetado para as polícias militares, o X-15.

Em 1981, o sonho de um carro elétrico comercial de Gurgel se concretizaria no Itaipu E-400, que logo iria evoluir para o modelo seguinte, o E-500. Este último eu vi em produção na fábrica de Rio Claro, durante os anos na Arno. Levava um motor elétrico que alcançava três mil rotações por minuto e chegava a 70 quilômetros por hora de velocidade máxima. Tinha oito baterias de 12 volts cada, recarregáveis em sete horas. O problema era a baixa autonomia, só oitenta quilômetros.

Poucos anos mais adiante, em 1984, a empresa tomou a decisão de abrir o capital na bolsa, com o objetivo de financiar a expansão e um plano que o fundador nutria há tempos: desenvolver um carro popular urbano. O projeto era visionário para o mercado automobilístico brasileiro da época e só seria visto como viável pelas grandes montadoras anos depois, na década de 1990. Ainda assim, em 1985, Gurgel apresentou à Financiadora de Estudos e Projetos (Finep), uma estatal de fomento à ciência e tecnologia) a ideia do Carro Econômico Nacional (Cena).

Mais uma vez o que ele queria era ocupar a faixa de mercado que não interessava às multinacionais, as quais Gurgel comparava a boxeadores pesos pesados que se enfrentavam respeitando as mesmas regras. Ele dizia que à sua empresa, como pequena, restava a estratégia de combater como um faixa-preta de caratê, porque os golpes rápidos e ágeis da arte marcial seriam imprevisíveis aos lutadores de boxe.

O Ministério da Ciência e Tecnologia concedeu à empresa um financiamento para desenvolver e fabricar os protótipos do modelo, tendo em vista uma linha que colocasse duas mil unidades por ano no mercado. Ao mesmo tempo, uma lei que reduzia significativamente os impostos para carros de pequeno porte e baixa cilindrada foi aprovada. Para completar, em 1986 a Volkswagen encerrou no Brasil a produção do que seria seu principal concorrente, o Fusca.

Quando tive o primeiro contato com a Gurgel, ainda como estagiário, em 1987, a companhia crescia a olhos vistos. No ano anterior a produção tinha alcançado 2156 unidades – o recorde até então e mais de 50% acima do número atingido nos doze meses anteriores. Um breve revés para o projeto do carro popular, porém, veio com o processo judicial do piloto Ayrton Senna, exigindo que o veículo fosse rebatizado, alegando "apropriação fonética do seu nome para o marketing da fábrica".

Assim, o Cena passou a se chamar BR-800, mesmo nome do motor para o qual nós desenvolvíamos o alternador com acoplagem direta na Arno. A fábrica de Rio Claro foi ampliada, de quatorze mil metros quadrados para quase vinte mil metros quadrados. O número de funcionários também saltou de setecentos para mil. E na parada militar de Sete de Setembro, em Brasília, o modelo foi oficialmente apresentado ao presidente José Sarney e ao resto do país.

O Brasil vivia um momento de forte instabilidade em que os planos econômicos se sucediam sem resultados duradouros. No ano anterior o governo havia lançado o célebre Plano Cruzado, substituindo a moeda brasileira de cruzeiro para cruzado, além de congelar o câmbio, preços e salários. A inflação acumulada em 1987 ficou em 65% e em abril o Brasil suspendeu os pagamentos da dívida externa. No ano seguinte, porém, os preços voltariam a disparar, marcando inflação de estratosféricos 415% nos doze meses de 1988.

A queda nas vendas de veículos era previsível e para reduzir custos a Volkswagen e a Ford criaram uma operação conjunta no Brasil, a Autolatina. O objetivo era montar alguns modelos na mesma plataforma – Apolo, Logus e Pointer por parte da montadora alemã, e Verona, Royale e Versailles pelo lado da norte-americana.

Enquanto outros se retraíam, a Gurgel pensava em crescer. Em 1988, a empresa voltou à bolsa para emitir dez mil lotes de ações, captando sessenta milhões de dólares para expandir a fábrica de Rio Claro, agora para quarenta mil metros quadrados. O plano era ir na contramão das grandes montadoras, que voltavam a atenção para veículos de maior porte e desempenho e, por consequência, valor agregado mais elevado. Com a disparada da inflação e a perda de poder aquisitivo da classe média, além do fim da produção do Fusca (em 1986), o automóvel zero quilômetro voltava a ser objeto de luxo no Brasil, o que acabou por valorizar o mercado de usados.

A estratégia da Gurgel era ocupar esse espaço com uma linha de veículos populares, econômicos em preço, consumo de combustível e manutenção, para colocar o carro zero ao alcance de uma faixa maior da população – e lucrar com isso. O plano, denominado Projeto Delta, passava por ampliar o acesso a um mercado esquecido no Brasil de então: a região Nordeste. O problema é que levar os automóveis até lá, na boleia de caminhões, encarecia o preço final em cerca de 30%.

Engenheiro no coração da indústria automobilística

A solução começou a ser posta em prática em 1989, ano em que eu já tinha sido efetivado na Arno como engenheiro de desenvolvimento de novos produtos e ia mensalmente a Rio Claro para trabalhar diretamente com a equipe da empresa. Nessa época, João Gurgel deu o passo que acabaria por desequilibrá-lo: comprou à vista um terreno de 650 mil metros quadrados em Eusébio, um município que faz parte da região metropolitana de Fortaleza.

Ele planejava construir sua segunda unidade produtiva no Ceará para fabricar câmbios e diferenciais. A ideia era fincar um pé no Nordeste e ao mesmo tempo criar um sistema logístico e de distribuição que permitisse reduzir o alto custo de levar seus veículos à região. Os caminhões chegariam à fábrica trazendo os carros e voltariam ao Sudeste carregados com as peças e componentes para montar as novas unidades, aproveitando a viagem.

No fim de 1989 vi a fábrica de Rio Claro comemorar a entrega do milésimo BR-800, o carrinho para o qual nossa equipe na Arno ajudara a desenvolver o alternador modificado, que carregava o motor sem a necessidade da correia, portanto mais barato.

Mas além da Gurgel, na Arno tive a oportunidade de entrar em contato com uma segunda montadora, que era a maior cliente da Delco Remy no Brasil, a General Motors. Nessa altura a Arno já tinha percebido que o mercado automotivo era completamente diferente do universo dos eletrodomésticos e decidiu separar as coisas. Para isso, Felipe Arno, filho do fundador e presidente da empresa, optou por montar uma outra fábrica, no bairro da Vila Livieiro, no limite entre São Paulo e São Bernardo do Campo. Da janela dali via a Ford, e uns cinco quilômetros mais adiante ficava a Volkswagen. Em resumo, passei a viver no coração da indústria automotiva brasileira da época, no ABC paulista.

O supervisor mais jovem

Em 1990, menos de dois anos depois de terminar a faculdade, fui promovido na Arno a supervisor do Laboratório de Engenharia de Desenvolvimento de Novos Produtos. Esse cargo normalmente era acessível apenas a funcionários com dez ou mais anos de casa, e eu fui o primeiro engenheiro recém-formado a alcançar essa posição na empresa, além do supervisor mais jovem da história da Arno.

Aqui faço um pequeno parêntese – e uma breve volta no tempo – para destacar outro ponto essencial na experiência fora da empresa da família. Além de descobrir do que gosta, esse é um período em que o possível sucessor consegue identificar o que não lhe agrada na vida profissional.

Por influência do meu pai, durante o processo de formação na Arno, em 1987, fiz um concurso para um estágio na Eletropaulo, a companhia de energia do estado de São Paulo.

Assim, passava as tardes na fábrica da Vila Livieiro, e as manhãs no prédio da Eletropaulo, o belo edifício no Vale do Anhangabaú que tinha sido sede da Light e hoje abriga um shopping center. À noite ainda frequentava a faculdade. A experiência durou todo o ano de 1988 e me serviu para ver que a rotina da esfera pública não era para mim.

Voltando a 1990, o Brasil tinha um novo presidente, Fernando Collor de Mello. Em maio ele baixaria a medida que iria revolucionar a indústria automotiva brasileira pelo lado da concorrência: Collor liberou a importação de veículos produzidos no exterior, que estava proibida desde 1976. Dois meses antes, em março, o Ministério da Fazenda ganhava uma nova titular, em substituição a Maílson da Nóbrega. Zélia Cardoso de Mello assumiu e lançou um dos mais polêmicos planos econômicos da história brasileira, o Plano Collor, que substituiu a moeda novamente (o cruzeiro retornava, no lugar do cruzado novo) e decretou o bloqueio das cadernetas de poupança e contas correntes por 18 meses, além de congelar preços e salários. O objetivo era outra vez tentar domar a inflação, cada vez mais descontrolada, que tinha encerrado o ano anterior em 1,782%.

Abismo tecnológico

Collor comparava os automóveis fabricados no Brasil a "carroças" em razão da distância na tecnologia entre os veículos que saíam das linhas de montagem nacionais e o que era produzido lá fora. Ele tinha alguma razão, e enquanto isso eu também vivia meu dilema tecnológico particular ao ser promovido a supervisor. No novo cargo passei a ter mais proximidade ao principal negócio da Arno, os eletrodomésticos. O problema era que havia um abismo imenso entre esse universo e a indústria automobilística, com que tinha tido contato frequente nos últimos três anos.

Tenho vivo na memória o dia em que cheguei à linha de montagem de liquidificadores, vi o eixo entrando, a montagem do bloco das lâminas do pacote do rotor, a bobinagem... Depois dessa etapa colocava-se aquele plástico na frente e outro atrás. O funcionário dava uma girada – se girou, está pronto. Era simplicidade demais para mim. O próprio Felipe Arno, presidente da empresa, costumava dizer que o segmento automotivo era muito exigente. Em tom de brincadeira, afirmava que, no que diz respeito ao liquidificador, o teste era tão simples quanto uma vitamina. Você coloca banana e leite dentro: se bater, está aprovado. Para as peças automotivas a complexidade era infinitamente maior, era preciso levar em conta impedância, relutância, parasitas de Foucault, tanto teste, tanto requerimento...

Apesar da posição de destaque para a pouca idade e experiência que eu tinha, em poucos meses como supervisor percebi o que de fato queria para a minha carreira – uma descoberta que foi possibilitada a partir daquele estágio na Arno. O contato com a indústria automotiva tinha causado uma impressão forte o suficiente para que eu percebesse que era esse o caminho que desejava seguir.

A oportunidade viria ainda no fim daquele mesmo ano através de um pedido de ajuda de um amigo da faculdade que trabalhava em uma empresa de autopeças recém-chegada ao mercado brasileiro, mas que vinha com fôlego para ocupar espaço e mudar para sempre até mesmo a relação entre montadoras e fornecedores. Essa, porém, é uma história para outro capítulo. Antes, vamos tratar de um tema que também é essencial no que diz respeito à continuidade das empresas familiares: o desenvolvimento do sucessor.

Apenas para não deixá-los curiosos, terminemos o assunto Gurgel resumidamente. A partir de 1991 não tive mais contato direto com a empresa, mas continuei acompanhando as notícias, ainda que de longe. Nesse ano chegaram uma série de máquinas usadas que João Gurgel tinha importado da França para produzir câmbios e diferenciais no Ceará – mas só depois de obter uma licença especial do Ministério da Fazenda, porque esse tipo de importação estava proibido. As obras para a nova planta em Eusébio iam aceleradas, mas o financiamento da unidade dependia de um protocolo de intenções que envolvia o governo do Ceará, o de São Paulo, a Superintendência de Desenvolvimento do Nordeste (Sudene) e o Banco Nacional de Desenvolvimento Econômico e Social (BNDES), que aportariam juntos nada menos do que 185 milhões de dólares à companhia para financiar a divisão cearense.

Gurgel contava com o dinheiro, mas no ano seguinte os dois estados retiraram seu apoio, fazendo que o BNDES também desistisse do projeto. Em 1993, atravessando dificuldades financeiras, a companhia pediu uma concordata preventiva, tentando colocar em prática um plano de salvamento um ano depois. Para isso, planejava pedir 25 milhões de dólares ao governo federal, novamente via BNDES, e oferecer em garantia todas as ações que o fundador detinha na empresa. Um juiz de Rio Claro (SP), porém, decretou a falência da companhia, atrapalhando todo o plano – advogados da companhia até conseguiram devolvê-la à situação de concordata, mas a recuperação não viria. Em 1996, a Gurgel assumiu o estado de falência definitiva, encerrando uma trajetória de 21 anos com a produção de cerca de quarenta mil unidades.

Para mim, o que ficou do contato com a Gurgel foi a experiência única de viver de perto o dia a dia de uma montadora de automóveis, o que despertou um interesse muito maior que os eletrodomésticos e até mesmo os elevadores da empresa da minha família jamais seriam capazes de igualar.

4

DESENVOLVENDO O SUCESSOR

Falhando em se preparar, você estará se preparando para falhar.
Benjamin Franklin

omo vimos no capítulo anterior, a experiência fora da empresa da família tem a capacidade de abrir os olhos do possível sucessor a uma série de possibilidades que ele nem imaginava existir, além de proporcionar experiências inacessíveis no ambiente do próprio negócio. Mas, como a frase acima de um dos "pais fundadores" dos Estados Unidos ilustra bem, preparação é condição básica para que um processo sucessório caminhe a bom termo.

Também mencionamos anteriormente o quanto é benéfico e importante o contato dos membros da família com as atividades da empresa desde cedo para ajudar a cultivar neles o senso de legado e, por fim, consolidar o sonho compartilhado de levar adiante o que seus antecessores construíram. Embora a presença dos jovens no ambiente de trabalho seja salutar, a entrada efetiva na rotina do trabalho, com responsabilidades exageradas, pode ser prematura.

Aqui estou me referindo à prática que muitos fundadores adotam de integrar os filhos às atividades empresariais diretamente em cargos diretivos (ou mesmo gerenciais) sem a devida formação e experiência para isso – usualmente quando ainda estão cursando a faculdade ou recém-saídos dela, entre os 18 e os 20 e poucos anos de idade. O grande problema é que nessa altura da vida a maioria das pessoas ainda enxerga o mundo como um grande parque de diversões, onde podem experimentar todas as atrações sem ter que se comprometer com nenhuma em específico. A necessidade de se fixar a uma determinada função tão cedo pode retardar o desenvolvimento, além de prejudicar a compreensão de como funciona um ambiente de trabalho.

A pressão de ser visto como um membro da família pelos demais funcionários da empresa costuma atrapalhar a evolução profissional desse aspirante a sucessor, podendo até mesmo causar danos à sua autoestima. A pressão de ser o "filho do dono" alia-se à inexperiência e termina por fazer o jovem incorrer em mais erros do que cometeria em uma função semelhante, se estivesse em um ambiente neutro, ou seja, fora do negócio familiar. Sabemos que errar faz parte do aprendizado, mas o "filho do dono" não pode errar. E em uma empresa familiar, falhas dos funcionários que têm ligação de sangue com o clã fundador inevitavelmente se tornam muito mais conhecidas do que os erros dos colaboradores comuns...

Assim, além de danosa à percepção da própria capacidade que o possível sucessor forma de si mesmo, sua entrada precoce e sem a devida preparação na cadeia de comando do negócio da família pode cristalizar uma imagem de inabilidade dele entre os funcionários, fazendo que estes terminem por atribuir ao aspirante a futuro comandante apenas atividades de menor dificuldade e responsabilidade, o que pode alimentar uma profecia autorrealizável de incompetência.

Romper a bolha

Essa é a chamada "redoma protetora" da qual é muito difícil escapar quando se trabalha na empresa da própria família. Experimentei isso no tempo em que trabalhava na fábrica de elevadores do meu avô. Como contei, convivia muito bem com os trabalhadores da Zenit e eles deixavam que eu operasse todas as ferramentas da fábrica, com exceção da serra elétrica.

A preocupação dos marceneiros fazia sentido, afinal eu era só uma criança. Mas e quando a situação envolve um adulto e a atividade em questão não se trata de serrar compensados de madeira, mas de decisões gerenciais decisivas? Aí é que está: se o futuro sucessor permanecer isolado na "bolha" que o protege de cometer erros, também terá limitados seu aprendizado e crescimento.

Assim, a conclusão é que a presença das crianças convivendo com o negócio familiar desde cedo é benéfica e positiva, mas é preciso estabelecer critérios para que membros da família – e, portanto, candidatos a sucessor – comecem a trabalhar de fato na empresa. Para evitar conflitos entre irmãos, primos e afins, o ideal é que essas regras de entrada sejam estabelecidas antes que o primeiro integrante familiar seja incorporado à companhia.

Uma recomendação que faço modestamente, com base em experiência própria, é exigir que membros familiares tenham uma experiência de pelo menos três anos em uma empresa na qual a família não tenha interesses ou mantenha relações diretas.

Um ponto que também merece atenção especial quando se trata de limitar o acesso ao quadro de funcionários de uma empresa familiar é definir quais graus de parentesco devem ter acesso aos cargos mais elevados. Para ilustrar melhor esse tema, trago mais um caso real que se passou em uma indústria metalúrgica de porte médio, fabricante de componentes acessórios para motores automotivos.

Genro não é parente

Fundada por dois irmãos, a empresa surgiu em São Paulo, no início dos anos 1960, e pouco mais de dez anos depois foi transferida para a região sul, em busca de mais espaço e condições produtivas mais favoráveis. Vamos chamar os fundadores aqui de Cláudio e Emerson, apenas para facilitar a narrativa.

Pois bem, Cláudio teve cinco filhos e Emerson três. O plano dos dois era replicar o modelo de sociedade e gestão com que tinham convivido durante décadas – outra falha comum na sucessão à qual retornaremos mais adiante. Ou seja, cada um guindaria um filho para assumir a própria posição quando passassem o bastão e deixassem a gestão do dia a dia.

Cláudio preparou com esmero a filha mais velha para ocupar o seu lugar, enquanto Emerson tentava selecionar seu candidato entre dois dos seus filhos. Nesse meio tempo, a filha de Cláudio casou-se com um funcionário da empresa que trabalhava na linha de produção – ele foi promovido a um cargo gerencial em seguida, é claro.

No fim dos anos 1990, quando os dois fundadores consideraram ter chegado o momento de colocar a sucessão em andamento, a filha de Cláudio apontou um conflito que enfrentaria ao assumir a posição de liderança: ela se tornaria chefe do próprio marido e isso a deixava desconfortável.

A solução encontrada foi a de elevar o genro à posição de liderança sob a supervisão próxima da esposa, que exerceria o poder de fato enquanto o marido mantinha a aparência de estar no comando. O processo já estava em andamento quando um problema extra se fez presente: a filha de Cláudio foi acometida por um câncer e morreu em poucos meses. Ainda envolvido pela tristeza da perda, o fundador chegou à constatação que relatou a mim nas seguintes palavras: "Aí que descobri que genro não é parente".

Cláudio se deparou com a incômoda situação de ver uma pessoa despreparada e ainda por cima não integrante da família na posição mais alta da gestão do negócio familiar – que obviamente precisava ser substituída.

A solução emergencial foi buscar no mercado, às pressas, um profissional que pudesse ocupar a posição com competência, além de chegar a um acordo com o genro para que este deixasse o cargo. O processo todo levou quase um ano e meio, com prejuízos sensíveis para o negócio, além do peso emocional de lidar com o problema que recaiu sobre a família.

Depois de muito custo foi possível convencer o genro a deixar a posição gerencial que ocupava, em troca de um montante nada desprezível de dinheiro, com o que ele adquiriu uma rede de negócios que incluía uma concessionária de automóveis e outros comércios.

Com isso, Cláudio e Emerson foram forçados a permanecer envolvidos diretamente na gestão da empresa por mais tempo do que desejavam, e a companhia continuaria a sofrer na tentativa de levar a cabo a sucessão.

Feedback e o valor do dinheiro

Mas há um problema extra no que diz respeito à entrada precoce de integrantes da família no negócio próprio: o chamado feedback. O Dicionário Houaiss define o termo como sendo a "reação a um estímulo; informação que o emissor obtém da reação do receptor à sua mensagem, e que serve para avaliar os resultados da transmissão".

Em outras palavras, no mundo corporativo o feedback é o que ajuda alguém a medir o próprio desempenho e a perceber como os outros o enxergam na organização, ou seja, é o que permite entender como se está indo no trabalho. O problema é que quando o avaliado é um membro da família proprietária da companhia, seus pares e superiores tendem a assumir posições radicalizadas: ou só elogiam ou só enxergam defeitos nas ações. Portanto, assumir uma função de maior grau de responsabilidade sem a devida experiência externa torna difícil ao possível sucessor saber de fato como ele está evoluindo profissionalmente.

Esta é outra vantagem de trabalhar fora da zona de influência familiar: receber feedbacks adequados e muito mais honestos, que ampliam as possibilidades de perceber e aprender com os erros cometidos.

Por fim, mas não menos importante, a vivência no chamado mundo real oferece ao candidato a sucessor um benefício marginal ao dar a ele uma nova perspectiva em relação ao dinheiro. Quando empregados na empresa da família, é bastante comum que esses jovens recebam salários sensivelmente superiores aos pagos aos seus pares não familiares. Fora dela, em uma situação neutra, eles serão forçados a se deparar com seu real valor no mercado, o que não só os ajudará a compreender a posição de ser um funcionário comum, como também os fará desenvolver expectativas mais realistas em relação a recompensas e remunerações que podem alcançar no negócio familiar.

Performance e transparência

Dito tudo isso a respeito do controle no acesso às posições de gestão da empresa familiar e sobre a experiência fora da redoma protetora do negócio próprio, chegou a hora de falar um pouco sobre o outro lado do processo. Tão importante quanto cumprir os requisitos de formação e vivência externa, é estabelecer regras claras para que o candidato a sucessor saiba o que vai encontrar e quais são os possíveis caminhos que terá à sua disposição dentro da companhia.

Aqui a chave é a transparência. É preciso estabelecer critérios e prazos claros para avaliar o desempenho dos membros familiares que entram no negócio, logo a partir do momento em que são admitidos. Desde o princípio a posição deve ser desafiadora para o possível sucessor, ainda que condizente com as habilidades e o nível de maturidade que o envolvido tenha nesse momento.

O recomendável, especialmente na fase inicial, são posições em que seja possível avaliar os resultados do seu trabalho de forma consistente. E uma vez dentro da empresa da família, os candidatos a sucessor devem ter direito a informações claras sobre o caminho que suas carreiras podem seguir no negócio.

Perguntas básicas devem ser respondidas. Quanto tempo permanecerão na posição inicial? Quais os critérios para definir seus objetivos? Se

Governança em família: da fundação à sucessão   81

atingidas as metas, para onde irão em seguida? Quais serão as chances de ter contato direto com a gestão da empresa? Que oportunidades terão para se familiarizar com as diferentes divisões da companhia?

Trago mais um caso para ilustrar como a clareza no processo de sucessão e o diálogo aberto sobre o assunto na família podem ser determinantes para que o ciclo se complete a contento – e como a ausência das duas premissas prejudica o andamento da passagem de bastão.

Transição no susto

A situação que relato a seguir se deu em uma tradicional empresa brasileira do segmento metal-mecânico, de médio porte e familiar, que foi criada por três sócios ainda nos anos 1930 como uma pequena fundição. A empresa se desenvolveu ao longo das décadas, acompanhando o crescimento brasileiro e diversificando os negócios a ponto de hoje ter três divisões bem-consolidadas.

A passagem de comando dos fundadores para a segunda geração deu-se sem muito trauma. O diretor principal passou a ser um advogado de formação que se casou com a filha de um dos sócios, em um tempo em que a presença de genros nos negócios familiares ainda era absolutamente natural.

Os anos se passaram e chegamos à década de 1990, quando a complexidade das relações econômicas internacionais e até do mercado brasileiro levou a empresa a empreender duas tentativas – frustradas – de profissionalizar a gestão. As duas falharam, em boa parte por causa do espírito centralizador do diretor-proprietário, que fazia questão de manter o controle do negócio sob mão forte.

A companhia até chegou a implantar alguns instrumentos de governança, como um conselho de administração, mas a estrutura não tinha papel muito ativo – até porque o tal diretor acumulava as presidências da companhia e do órgão. O tempo avança para todos e a partir da metade dos anos 2000 esse homem forte foi perdendo o gosto pela empresa. É aí que entra um segundo personagem na história: o filho desse sócio proprietário, que vamos chamar de Bento.

A trajetória profissional de Bento mescla acertos e erros no que diz respeito à formação do sucessor, no caminho empírico que muitas famílias empresárias acabam por seguir. Do lado positivo, ele teve contato desde criança com o negócio próprio, o que claramente o ajudou a desenvolver um senso de legado. Bento começou a trabalhar na companhia "por baixo", como estagiário, passando por várias funções até se consolidar na área comercial. Entre os aspectos negativos da sua formação podemos listar a ausência de experiência fora da empresa familiar e a falta de clareza no processo de sucessão, exatamente o ponto que queremos retratar.

Quando o pai começou a dar sinais da perda de interesse pelas funções que exercia, Bento contava quinze anos de trabalho prestados ao empreendimento familiar, mas nunca havia sido chamado nem sequer para uma conversa a respeito da sucessão – ele não sabia nem se era considerado um candidato a assumir a posição de comando ou não.

Mais alguns anos se passaram e o distanciamento do pai em relação ao negócio só se agravava, o que começou a criar problemas visíveis. Chegando aos 70 anos de idade e ainda ocupando a cadeira principal da gestão, ele não tinha mais paciência para participar das reuniões do conselho. Faltava a reuniões, não ia mais à fábrica, deixou de comparecer a eventos e também não visitava mais os clientes. A situação gerou um desconforto até mesmo entre os funcionários e a circulação de boatos a respeito da passagem de bastão se intensificou. Bento resumia em poucas palavras o que se dizia pelos corredores a respeito da sucessão: "A coisa está de um jeito que não vai ter passagem, alguém vai ter que pegar…".

Em 2012, de surpresa, o sócio-proprietário decidiu deixar o comando, e a presidência da empresa foi assumida por Bento "no susto", como conta. Perguntei a ele se tinha conversas com o pai a respeito da passagem de comando e se alguma vez falaram sobre o planejamento do processo.

Sua reação foi abrir um sorriso tímido, para depois explicar: "Nós não conversávamos sobre essas coisas. Se havia um plano, só ele sabia".

A completa falta de transparência sobre o andamento da sucessão acarretou danos sensíveis ao negócio. Sem clareza sobre a definição de comando, funcionários, fornecedores e clientes assumiram posições defensivas em relação à empresa, o que, junto com outros fatores, aprofundou dificuldades financeiras existentes. Dois anos depois de se tornar presidente, Bento viu o pai se afastar também do conselho de administração.

Atualmente a companhia passa por uma reestruturação e ainda enfrenta problemas. A falta de um planejamento da sucessão – incluindo um diálogo aberto sobre o assunto entre os envolvidos – teve uma consequência negativa adicional ao romper a cadeia do senso de legado, que vinha sendo carregada desde a fundação.

Perguntei a Bento como ele definiria a relação das gerações da família com o negócio criado há mais de oitenta anos. Com precisão, ele me disse que a primeira geração enxergava a então pequena fundição como sustento, "era pão e leite". A linhagem seguinte passou a ver a atividade como um misto de subsistência e empreendedorismo. Ele próprio, integrante da terceira geração e confrontado com o trauma sucessório, define sua visão do empreendimento com a palavra "risco". Sobre a relação da filha de 18 anos com a empresa da família (da quarta geração, portanto), ele mencionou apenas "desconexão".

A elaboração de um planejamento para a sucessão é um tema delicado e voltaremos a ele mais adiante, para tratar do assunto com mais detalhes. Antes, porém, quero voltar ao ponto que talvez seja a mensagem mais valiosa que quero deixar a quem nos lê: explore, experimente e vá conhecer o mundo fora da empresa da sua família. Vejam só, a seguir, a quantidade de oportunidades que essa decisão pode gerar.

5

SEM FORMAÇÃO
NÃO HÁ SOLUÇÃO

Se você acha educação cara, experimente a ignorância.
Derek Bok, ex-presidente da Harvard University

Voltando a 1991, vivia o dilema que mencionei antes, alguns meses depois de ter sido promovido a supervisor do Laboratório de Engenharia de Desenvolvimento de Novos Produtos, na Arno. Por um lado, estava bastante satisfeito por ter conseguido alcançar uma posição que não costumava estar disponível a um recém-formado na faculdade. Por outro, eu me ressentia da limitação tecnológica dos liquidificadores e outros eletrodomésticos que eu ajudava a testar todos os dias, depois de provar um pouco do mundo automotivo na Gurgel e na General Motors. Mas, para minha sorte, o telefonema de um amigo viria me resgatar da dúvida, descortinando à minha frente um leque de formação com que eu nem sonhava naquele tempo, terminando por me empurrar de volta à indústria automobilística, de onde eu não sairia mais.

Esse amigo chama-se Carlos Rotella, hoje ex-presidente da Votorantim Siderurgia e que tinha sido meu companheiro de engenharia no

Mackenzie. Ele havia ingressado recentemente na Valeo, uma empresa francesa que se preparava para revolucionar o mercado de autopeças brasileiro ao perceber a dupla janela de oportunidade que surgia por aqui: o começo da abertura da economia do país ao exterior e a chegada de um novo conceito de fornecimento de peças, que já estava implantado nas montadoras do mundo desenvolvido.

Essa empresa surgiu em 1923, de uma pequena oficina nos arredores de Paris (em Saint-Ouen), onde um representante da inglesa Ferodo começou a fabricar lonas de freio sob licença. Na década seguinte a companhia entrou no negócio de embreagens e nos anos 1960 o grupo já tinha adquirido a Société de Fabrication Industrielle de Chauffage et d'Aération (Sofica) na França, adicionando os segmentos de aquecimento e ar-condicionado às suas atividades, o que consolidou os dois setores em uma divisão de sistemas térmicos para automóveis.

Nos anos seguintes, a Valeo continuou diversificando a linha de produtos e expandindo as operações na Europa, incluindo faróis e limpadores de para-brisas ao portfólio ao comprar a SEV-Marchal (em 1971), a Paris-Rhone e a Cibié (em 1977 e 1978).

A chegada dos franceses ao Brasil havia se dado quatro anos antes, em 1974, quando montou uma fábrica de radiadores da marca Sofica nas proximidades do Aeroporto de Congonhas, em São Paulo, que quatro anos depois seria transferida para Itatiba, no interior paulista. Nos anos 1980, a empresa comprou outras duas companhias que fabricavam radiadores no país, a Bongotti (em 1987) e a Chausson, um ano depois, quando também assumiu o controle da fabricante de faróis Cibié brasileira.

No começo dos anos 1990, a Valeo já se preparava para entrar no mercado de sistemas de climatização no Brasil, o que incluía ventilação, aquecimento e ar-condicionado para veículos. O negócio de autopeças, porém, começava a mudar no mundo automotivo e essa revolução seria introduzida com força no país por um executivo francês que já vivia em solo brasileiro desde a década anterior, expatriado para comandar a divisão de radiadores do grupo: Alain Keruzoré.

A pesquisa

Em 1991, Keruzoré presidia toda a operação da Valeo na América do Sul, e trouxe da Europa um estudo apontando que em poucos anos as montadoras não iriam mais comprar autopeças separadas no Brasil, como faziam até então. Em outras palavras, os grandes fabricantes não queriam mais receber apenas peças, como um radiador, por exemplo, elas estavam interessadas em receber o conjunto completo de arrefecimento de temperatura do motor. A indústria automobilística nos países desenvolvidos (Europa, Estados Unidos e Japão) já fazia isso, exigindo soluções. Estipulavam aos fornecedores de autopeças dados como cilindragem e potência do motor, esperando receber de volta a resposta pronta de como resfriar o sistema, nesse caso.

Com essa tendência clara em vista, Keruzoré pretendia se antecipar aos fatos e preparar-se para a mudança em curso fora do Brasil. O ponto de partida seria conseguir uma análise detalhada de tudo o que se fazia em termos de arrefecimento de motores automotivos no mercado brasileiro, com o objetivo de descobrir quais eram os principais competidores e que empresas valiam o investimento dos franceses em uma eventual aquisição.

Essa tarefa foi encomendada pelo presidente da Valeo na América do Sul a Rotella, que por sua vez lembrou-se de mim. Além dos eletrodomésticos, naquela época a Arno também desenvolvia motores elétricos para veículos no Brasil, sob licença da norte-americana Delco Remy, e ele sabia que eu tinha praticamente todas as informações sobre esse mercado em mãos, porque fornecíamos modelos para as quatro maiores montadoras no Brasil: Ford, Volkswagen, General Motors e Fiat.

No momento em que me contatou para a pesquisa, Rotella estava na Valeo há um ano e meio, chamado para ajudar a introduzir a tecnologia do alumínio brasado no país. Até então, a maioria dos radiadores em uso no Brasil empregava a tecnologia de cobre/latão, com ligas à base de estanho. Além de mais barato, essa forma de arrefecimento do motor era a preferida dos caminhoneiros, porque se o radiador apresentasse um defeito, poderia ser soldado em qualquer oficina na beira da estrada e era possível seguir viagem.

A segunda evolução dos radiadores foi a tecnologia de montagem mecânica, em que as peças do radiador eram unidas, como o próprio nome diz, mecanicamente, sem solda.

A novidade que Rotella ajudou a Valeo a trazer ao Brasil era um avanço considerável. O radiador era introduzido em um forno ajustado para uma temperatura que fundia apenas o chamado CLAD, uma película que existia em volta do alumínio, permitindo a soldagem apenas nos pontos de junção. A performance de troca térmica mostrava-se sensivelmente superior às outras duas tecnologias (algo em torno de 40% melhor) e, além disso, todo o conjunto era bem mais leve.

Quando a Valeo completou essa etapa, Keruzoré decidiu dar o próximo passo: integrar a nova tecnologia de arrefecimento aos módulos. A oportunidade surgiu logo, porque em 1991 a Valeo foi procurada para cotar o fornecimento de peças para a plataforma CE14 da Ford, que incluía veículos como Versalhes, Verona e Escort. Esse foi o primeiro exemplo do "sistemismo" em ação na montadora: a Ford avisou que não queria comprar apenas radiadores, exigia todo o sistema de resfriamento do motor em conjunto.

Foi nesse momento que Keruzoré pediu a Rotella que fosse estudar o mercado dos eletroventiladores automotivos e ele me chamou para ajudar. Mergulhei de cabeça no trabalho e em pouco mais de três meses o estudo estava pronto.

O arrefecimento do motor varia de acordo com a potência e se o veículo tem ou não ar-condicionado (afinal, vivíamos em uma época em que só 15% dos carros no Brasil tinham esse luxo). Assim, quando se desenvolvia um sistema de resfriamento, era preciso fazer as adaptações necessárias: os modelos com ar-condicionado exigiam um condensador e uma troca térmica maior, o que impunha a necessidade de utilizar eletroventiladores diferentes também em potência.

Em resumo, a pesquisa que Rotella me encomendou consistia em avaliar as quatro grandes montadoras e verificar as diferentes aplicações, relacionando os eletroventiladores e os diversos modelos de veículos para mostrar onde eles se encaixavam. Era um estudo para mapear os volumes de peças e o potencial do mercado para cada uma delas, que resultou em um dossiê de umas trinta páginas.

No dia da apresentação, Rotella me levou para acompanhá-lo na reunião e, enquanto ele detalhava o estudo, permaneci aguardando fora da sala. Impressionado com a rapidez com que uma tarefa complexa como aquela tinha sido cumprida, Keruzoré ouviu dele que a fonte das informações e autor do relatório era na verdade um engenheiro recém-formado, que trabalhava como supervisor na Arno – e que estava ali ao lado, se ele quisesse conhecer.

Fui apresentado ao presidente da Valeo na América do Sul e aquele estudo abriu uma das maiores oportunidades que tive na minha carreira, formalizada em um documento que até hoje guardo com carinho. Além de me oferecer um emprego, Keruzoré assinou pessoalmente um adendo ao contrato de trabalho, em que se comprometia a me proporcionar "treinamento específico" para ocupar o cargo de engenheiro de desenvolvimento do Grupo Moto Ventilador para Alumínio Mecânico.

A mim cabia cumprir "todas as etapas do treinamento tanto no Brasil como no exterior", nos locais e períodos "a serem determinados pelo empregador". Também me comprometia a manter o vínculo empregatício com a Valeo por dois anos, estando sujeito a devolver "todo o montante despendido" no treinamento caso não obedecesse à exigência, o que incluía "passagens aéreas, estadias em hotéis e outras despesas para este fim". Além disso, eu teria de respeitar uma quarentena de 24 meses na prestação de serviços a empresas concorrentes, a partir da minha eventual saída da companhia.

O plano de Keruzoré era inicialmente assumir o sistema de arrefecimento da Ford como ele se encontrava: com radiadores da Valeo e módulos de um fornecedor externo. Sua percepção de como funcionaria o "sistemismo" no mercado automotivo brasileiro era tão aguda que ele colocou em prática uma estratégia para assegurar a posição de líder no fornecimento desse módulo à montadora.

Em caso de módulos que levavam peças de diferentes fabricantes, as montadoras escolhiam o comandante do processo pelo valor das partes envolvidas. Nesse momento, a Bosch fornecia motores para a Ford e concorria com a Valeo para liderar a venda do módulo de arrefecimento, ou seja, a companhia queria comprar os radiadores da Valeo e entregar o sistema completo, exatamente o que os franceses queriam fazer, mas adquirindo os motores dos alemães.

A saída encontrada por Keruzoré para resolver o dilema foi prometer à Ford o desenvolvimento de mais duas peças envolvidas no sistema, a hélice e o defletor. Assim, somados os três componentes, a companhia francesa garantiria um conjunto com valor agregado maior que o motor da Bosch e assumiria a liderança do fornecimento.

Finalizada a pesquisa, Kerozuré planejava que Rotella intermediasse a transferência da tecnologia de hélice e defletores da Europa para o Brasil. Mas quem acabou ficando responsável por fazer isso fui eu: com duas semanas de empresa fiz minha primeira viagem para a França.

A partir dali o mundo automotivo se abriria de vez para mim, através de uma oferta de formação profissional que de forma alguma eu conseguiria alcançar na fábrica de elevadores do meu avô.

Autopeças, base para a indústria automotiva

Quando a Valeo chegou ao Brasil em 1974, a indústria de autopeças nacional já estava consolidada, resultado de uma caminhada árdua que começou mais de vinte anos antes de se fabricar o primeiro veículo no país, em 1957. Quando se fala na história da indústria automobilística brasileira, a maioria das pessoas imagina que o segmento deu os primeiros passos na segunda metade dos anos 1950, com a instalação no

Brasil das grandes montadoras estrangeiras. A realidade, porém, é que os pequenos fabricantes de autopeças, suporte para o grande salto, já contavam duas décadas de funcionamento. Em boa parte, graças a eles é que foi possível, em apenas cinco anos, sair do zero e chegar a onze fábricas de automóveis e caminhões em operação no país, no início da década de 1960.

Faço essa ressalva e faço questão de contar um pouco da história do segmento de que me orgulho em fazer parte porque, sem ele, não teríamos hoje mais de sessenta milhões de veículos em circulação no Brasil. Esses pioneiros começaram fabricando peças apenas para o mercado de reposição, nos anos 1930, depois que a Crise de 1929 praticamente interrompeu as importações que abasteciam os proprietários de carros e caminhões que rodavam por aqui.

No início eram fundições, forjarias, estamparias e até oficinas mecânicas produzindo principalmente peças de desgaste forçado, como suportes de mola, acumuladores elétricos, tambores de freio, cubos de roda, polias, coroas, pinhões, semieixos e alguns componentes de motor (como pistões, camisas, retentores e bronzinas).

Mal tinha sido superada a grande crise, veio a Segunda Guerra Mundial e os fabricantes de peças estrangeiros simplesmente não tinham como atender o mercado brasileiro – não só porque as indústrias dos dois lados do conflito agora se dedicavam ao esforço de guerra, como o próprio comércio internacional havia ficado bastante limitado pela guerra. Além disso, o governo brasileiro impunha uma série de restrições às importações, temeroso de que divisas preciosas fossem gastas sem controle, em um momento em que o país não tinha como equilibrar o balanço de pagamentos com as exportações.

Assim, se em 1941 tínhamos doze empresas dedicadas a produzir para o mercado automotivo de reposição no Brasil, em 1946 já havia 39. Finda a guerra, o governo Dutra restabeleceu a liberdade cambial para importar, mas os fabricantes europeus e americanos levariam anos até conseguir reconverter suas linhas de produção aos tempos de paz, transformadas que tinham sido em indústrias bélicas, sem falar que havia uma enorme demanda interna reprimida nesses países, que precisava ser atendida antes que sobrasse algo para exportar aos mercados da América do Sul.

O número de fabricantes nacionais só aumentava, ampliando-se de 66, em 1948, para 106, três anos depois. No ano de sua fundação (1952), o Sindicato Nacional da Indústria de Componentes para Veículos Automotores (Sindipeças), órgão que representa o setor até hoje, fez um levantamento e contou 257 empresas no segmento em solo brasileiro, sendo 142 delas dedicadas exclusivamente a fornecer peças para a indústria automobilística.

Em busca de alguma proteção

Nesse mesmo ano, o Sindipeças começou a se movimentar para tentar garantir alguma proteção ao setor que ganhava corpo no país, embora fosse virtualmente desconhecido por parte do brasileiro comum e até mesmo pelo governo. Por incrível que pareça, os primeiros fabricantes tinham dificuldade em convencer as autoridades nacionais de que existiam.

Naqueles anos 1950, o Banco do Brasil ainda centralizava todas as transações comerciais internacionais do país através da sua poderosa Carteira de Exportação e Importação (Cexim), que definia as regras sobre o que se podia ou não importar em condições cambiais vantajosas. O câmbio não era livre como nos dias de hoje. Para fazer uma importação naquela época, era preciso comprar dólares nos leilões realizados pelo Banco do Brasil, que praticava preços diferentes para a divisa dependendo do produto envolvido na transação.

Em uma visita ao banco federal, em 1951, quatro pioneiros da indústria de autopeças levaram uma pilha de processos com as especificações de uma série de itens fabricados pelas empresas brasileiras, com o intuito de tentar mostrar à Cexim que mereciam alguma proteção. O que eles queriam era excluir esses produtos da lista que permitia aos importadores comprar dólares a um câmbio subsidiado no Banco do Brasil, situação que valia para itens não produzidos no país ou de primeira necessidade, como trigo e petróleo.

Os quatro (Alberto de Mello, Ramiz Gattás, Vicente Mammana Netto e João Reinholz) foram recebidos por um assessor da Cexim, Eros Orozco, em um episódio que Gattás relata saborosamente no livro *A indústria automobilística e a Segunda Revolução Industrial no Brasil*. Ele conta que no encontro, realizado em janeiro de 1952, Orozco simplesmente não se convencia de que aquilo era possível, incrédulo diante do relatório enviado ao banco dias antes, comprovando a existência de 257 empresas no ramo de autopeças em funcionamento no Brasil. Dessas, 142 eram especializadas e havia outras 115 que forneciam componentes para o segmento, nas áreas de metalurgia (74), tintas e derivados de petróleo (quinze), fibras e plásticos (oito), vidros (oito), couro (cinco) e madeira (5).

"Estou cansado de receber gente que diz fabricar isto ou aquilo e, ao examinar o caso, tudo não passa de intenções, tentativas, aventuras, nada mais. Não fabricam coisa alguma. Às vezes, são pessoas bem-intencionadas; talvez seja o seu caso...", disse a eles o assessor da Cexim.

Pacientemente, os quatro explicaram em detalhes a situação, mostrando novamente os processos que atestavam os itens fabricados, e aos poucos Orozco foi se interessando pelo assunto. Ao fim da reunião, o assessor parecia convencido de que conferir alguma proteção à recém-nascida indústria nacional de autopeças merecia pelo menos uma análise e sugeriu que eles prosseguissem com os levantamentos, com uma ressalva: "Não afirmem nada que não possa ser comprovado. E acelerem o trabalho".

Na despedida, João Reinholz ofereceu a ele, como presente, um objeto que serviria de peso para prender papéis sobre a mesa. Orozco abriu a caixinha e encontrou uma tampa de tanque de gasolina, cromada e com fechadura. Examinou a peça com cuidado, até dar com a marca e a origem – a própria empresa de Reinholz (a Irlemp), além da inscrição "Indústria

Brasileira". As palavras dele atestam como foram penosos os primeiros passos da indústria de autopeças no país: "Aqui está escrito 'Indústria Brasileira', mas essa peça está muito bem-feita para ser nacional, deve ser importada!".

Reinholz explicou que não, que o artigo era de fato fabricado pela empresa dele. Orozco então perguntou se a fechadura não era fornecida por outra fábrica, ao que o empresário rebateu novamente, informando-o que produzia o item completo e em grande escala.

Meses depois, o Sindipeças entregou ao Banco do Brasil uma relação que comprovava a fabricação por empresas brasileiras de nada menos que oito mil peças e acessórios diferentes, divididos em 162 grupos. Como resultado, quando a Cexim reabriu o licenciamento para importar autopeças, em agosto de 1952, fez isso apenas para os itens que ainda não eram produzidos internamente. Dessa forma, uma lista de 104 grupos de produtos ganhou alguma proteção contra a importação, excluídos dos leilões cambiais subsidiados.

A situação parece surreal aos olhos contemporâneos, mas estamos falando de uma época em que praticamente não havia proteção alfandegária para quem produzia no Brasil. A última alteração nas tarifas de importação tinha sido feita quase vinte anos antes, em 1934. Para piorar, os impostos de importação vigentes nos anos 1950 eram cobrados de forma específica e não *ad valoren*, como hoje, em que a taxa incide sobre o valor do produto. Em outras palavras, naquela época cobravam-se alguns cruzeiros por quilo ou volume da mercadoria, resultando em tarifas que giravam entre 3% e 5% do que valia o item, no máximo.

JK, o Geia e o pontapé inicial

Um dos grandes desafios do Brasil no início dos anos 1950 era superar um déficit crônico de veículos. Basta dizer que a frota do país somava meras 565 mil unidades licenciadas, sendo trezentos mil carros de passageiros, 245 mil caminhões e vinte mil ônibus – para uma população de 57 milhões de habitantes. A grande razão disso era a dificuldade de acesso a esses bens, todos importados, o que não só os tornava caros como obrigava o governo a restringir as compras do exterior, porque não havia divisas (isso é, dólares) suficientes para pagar por eles.

Para se ter uma ideia da carga que a importação de veículos e peças exercia sobre a economia brasileira, entre 1951 e 1952 gastou-se, em média, 4,6 bilhões de cruzeiros por ano para importar material automobilístico. Isso representava mais do que o país dispendia para comprar do exterior petróleo e derivados (3,6 bilhões de cruzeiros) ou trigo (2,5 bilhões de cruzeiros), também em média anual no mesmo período, por exemplo.

Com isso, não parecia haver solução à vista para abastecer o mercado brasileiro de veículos através da importação, algo que transparecia nos números. Em 1951, o país importou cem mil automóveis – o número despencou para 20,2 mil, em 1953, teve um repique no ano seguinte, para 42,7 mil, e cairia outra vez em 1955, para 17,4 mil.

Juscelino Kubitschek assumiu em janeiro de 1956, e no seu programa de governo constava o desenvolvimento da indústria automobilística (em forma da Meta 27). Em junho ele criou por decreto o Grupo Executivo da Indústria Automobilística (Geia), um órgão ligado diretamente à Presidência da República, que reunia do Ministério da Viação e Obras Públicas ao Ministério da Guerra, incluindo o Banco Nacional de Desenvolvimento Econômico (BNDE), ainda sem o "S" e a Superintendência da Moeda e do Crédito (Sumoc, embrião do Banco Central, que só seria criado em 1965).

O Geia surgia com poderes para "examinar, aprovar e rejeitar os projetos industriais apresentados ao governo", além de "propor ao presidente da República planos nacionais automobilísticos, relativos à industrialização de cada tipo de veículo".

Depois de criar o órgão, JK assinou três decretos, instituindo planos nacionais da indústria automobilística para os grandes grupos de veículos: caminhões, jipes, caminhonetes, caminhões leves e furgões.

A estratégia era criar condições para atrair investimentos externos, em particular de empresas que já se dedicassem a fabricar veículos, encorajando projetos de integração horizontal. Em outras palavras, o que Juscelino queria era trazer ao Brasil montadoras que se dedicassem a produzir as partes essenciais (cabines, carrocerias e motores), com as demais peças cabendo às fábricas nacionais.

Havia prazos limites e metas para a nacionalização dos projetos — para os caminhões, por exemplo, a taxa exigida começava em 35% de peças nacionais e deveria evoluir ano a ano, atingindo 90% em 1960.

Para evitar monopólio ou oligopólio, o Geia decidiu aprovar projetos de origens e matrizes diferentes, incluindo cinco países: Estados Unidos, Alemanha, França, Suécia e Japão. Como estímulos adicionais, o governo garantiu acesso a um câmbio subsidiado para importação de máquinas e equipamentos (para empresas nacionais e de capital estrangeiro) e alguns benefícios fiscais, como isenção de taxas aduaneiras e do imposto sobre o consumo para importar máquinas, equipamentos e partes complementares.

Quando o plano teve início, as fábricas nacionais de autopeças já tinham alcançado uma participação razoável na indústria automobilística, mesmo com os veículos sendo importados. Em 1955, a porcentagem de itens produzidos por aqui nas unidades que rodavam em estradas brasileiras já era de 30%, em peso. No ano da criação do Geia (1956), funcionavam no país cerca de setecentas empresas dedicadas ao ramo.

Também havia metas fixadas para a produção, claro, e no ano seguinte ao lançamento do plano já tinham sido produzidas 30,7 mil unidades no Brasil, sendo 18,8 mil caminhões, 9300 jipes e 2600 veículos utilitários. Para os cinco anos do Governo JK, o objetivo era chegar a 347 mil unidades — o programa de industrialização acelerada chegou bem perto disso, cumprindo 92% da meta, ao atingir 321,1 mil veículos.

Como resultado, o Brasil entrava na década de 1960 com um parque industrial automobilístico constituído por onze grandes fabricantes, concentrado principalmente em volta da cidade de São Paulo, no chamado

ABC Paulista – a maior exceção era a Fábrica Nacional de Motores, que fabricava caminhões em Duque de Caxias (RJ). A relação incluía General Motors do Brasil (São Caetano do Sul e São José dos Campos), Volkswagen do Brasil (São Bernardo do Campo), Ford Motor do Brasil (São Paulo), Willys Overland do Brasil (São Bernardo do Campo e Taubaté), Simca do Brasil (São Bernardo do Campo, em São Paulo, e Santa Luzia, em Minas Gerais), Vemag (São Paulo), Mercedes-Benz do Brasil (São Bernardo do Campo), Scania-Vabis do Brasil, (São Paulo), Toyota do Brasil (São Paulo) e International Harvester Máquinas S.A. (Santo André).

As fábricas de autopeças também se multiplicaram – a essa altura já havia 1200 delas, funcionando como satélites das grandes montadoras.

A frota do país deu um salto, atingindo quase 1,3 milhão de unidades em 1961, mais do que dobrando no período de dez anos. Desse total, mais de um terço (427 mil unidades) tinham sido fabricados por aqui. Pouco depois, em 1965, 60% dos automóveis, caminhões e ônibus rodando pelas estradas brasileiras já eram nacionais.

Acordos na Câmara Setorial da Indústria Automotiva e a retomada

Quando a Valeo desembarcou no Brasil através da Sofica, em 1974, os tempos do pioneirismo já tinham ficado para trás. Ainda assim, o caráter do segmento de autopeças permanecia majoritariamente nacional. Um levantamento feito no ano seguinte pela Câmara Teuto-Brasileira de Comércio e Indústria (a antecessora da atual Câmara de Comércio e Indústria Brasil-Alemanha) apontava que 67,7% das fábricas de peças para a indústria automotiva eram controladas por brasileiros, mas isso iria mudar.

Depois de sofrer pesadamente nas duas crises do petróleo da década de 1970, o Brasil entrou nos anos 1980 em estagnação econômica, o que incluía o mundo automotivo. Com isso, a participação do faturamento líquido do setor no PIB caiu de 15%, em 1975, quando somava vinte bilhões de dólares, para 7,8% em 1990, totalizando 15,3 bilhões de dólares – os dados são da Associação Nacional dos Fabricantes de Veículos Automotores (Anfavea).

Na década seguinte (a partir de 1991, o ano posterior à abertura do mercado pelo Governo Collor), porém, o setor começou a retomar a marcha de crescimento com vontade. A tendência ganhou força nos dois anos seguintes, impulsionada por grandes acordos envolvendo o governo, montadoras, indústrias de autopeças e sindicatos na Câmara Setorial da Indústria Automotiva.

O entendimento partiu de três conclusões simples, levantadas por cinco grupos de trabalho que durante dois meses se debruçaram sobre o assunto. O diagnóstico se resumia a três pontos: 1) o setor automotivo tinha apresentado forte tendência de queda na produção e nas vendas durante toda a década de 1980; 2) as relações entre empresários, trabalhadores e governo eram cronicamente negativas; 3) todos perdiam com isso. A conclusão final era que, dada a rápida modernização das indústrias japonesa e coreana, se não fossem adotadas providências para modernizar e reestruturar o setor no Brasil, ele seria sucateado.

Assim, fechou-se em março de 1992 o primeiro acordo, que conseguiu reduzir os preços dos veículos no Brasil em 22% através de renúncias de todas as partes. Os governos federal e estaduais reduziram as alíquotas do Imposto sobre Produtos Industrializados (IPI) e do Imposto sobre a Circulação de Mercadorias (ICMS) em 12%. As montadoras cortaram suas margens em 4,5%, os fornecedores de autopeças em 3% e as concessionárias em 2,5%. Os trabalhadores aceitaram prorrogar a data-base do acordo salarial em três meses e haveria um programa de incentivo às exportações. A redução de preços seria válida por noventa dias, mas o acordo foi prorrogado até o fim do ano.

O segundo acordo foi firmado em fevereiro de 1993, já no governo Itamar Franco. Esse era mais amplo, incluindo até metas de produção – que partiam de 1,2 milhão de unidades no primeiro ano e atingiam dois milhões de veículos em 2000 – além de compromissos de investimento. Seriam vinte bilhões de dólares para ampliar a capacidade produtiva e modernizar o setor até a virada do milênio, sendo dez bilhões de dólares por parte das montadoras, seis bilhões de dólares das indústrias de autopeças, 1 bilhão de dólares dos fabricantes de pneus e três bilhões de dólares repartidos pelos segmentos de fundição, forjaria, matérias-primas e pelas concessionárias. O compromisso era baixar os preços dos veículos em 10%.

A parte mais revolucionária do acordo, porém, surgiu de um protocolo de intenções assinado entre o presidente da República e as montadoras no mês seguinte, fora do âmbito da Câmara Setorial, que previa a produção de modelos com motores até mil cilindradas, os chamados "carros populares", com alíquota do IPI de apenas 0,1%.

Com essa medida, ampliou-se significativamente a diferença de preços entre os veículos mais potentes e os 1.0, fazendo explodir a demanda pelos automóveis mais simples – algo que as montadoras não conseguiriam atender. Em 1992, o ano anterior ao acerto, foram vendidos no Brasil 83,3 mil "carros populares", o que representava 14,4% do total. Três anos depois, a fatia dos modelos de mil cilindradas já ocupava mais da metade (53,8%) de todo o mercado brasileiro de automóveis, totalizando 595,8 mil unidades.

Se por um lado o resultado da redução abrupta do IPI para os carros 1.0 desequilibrou o *mix* das montadoras, também puxou para cima – e com força – a produção total. Em 1992, foram 1,07 milhão de veículos, subindo para 1,35 milhão no ano seguinte e atingindo 1,58 milhão em 1994, quase 50% maior que a produção de dois anos atrás. Esses números (da Anfavea) incluem automóveis, comerciais leves, caminhões e ônibus. A alíquota do imposto para os "populares" seria elevada novamente em 1995, para 8%.

O avanço da produção de veículos, é claro, puxou consigo o setor de autopeças. O faturamento das fábricas do segmento saltou 67% em cinco anos, de 9,85 bilhões de dólares, em 1991, antes do primeiro acordo na

Câmara Setorial da Indústria Automotiva, para 15,5 bilhões de dólares em 1995, de acordo com o Sindipeças.

Esse era o cenário com o qual me deparei nos meus primeiros anos na Valeo, uma retomada de crescimento que resgatava o otimismo do setor. A grande revolução no segmento de autopeças, porém, estava se desenrolando em paralelo a esse turbilhão de acontecimentos — justamente o que me proporcionaria a experiência de formação profissional única que quero relatar aqui. É claro que as condições variam para cada tipo de negócio, mas acredito que uma vivência como a que tive, fora do negócio da família, é indispensável para o desenvolvimento adequado de um sucessor.

Os "sistemistas" estão chegando

A combinação da retomada na produção e nas vendas com a abertura do mercado brasileiro traria uma consequência pesada e definitiva para a indústria nacional de autopeças, materializada no aumento da presença estrangeira no país. A conjunção de fatores presentes no Brasil do começo dos anos 1990 era momentânea, mas acabou abrindo caminho para que se aprofundasse por aqui uma tendência já concretizada lá fora, da qual permanecíamos um tanto protegidos. Na Europa, nos Estados Unidos e no Japão, a palavra que só agora começávamos a ouvir por aqui já ditava as regras: globalização.

A revolução tecnológica nas áreas da informática e telecomunicações agora tornava muito mais factível às empresas pensar em estruturas globais de produção. A novidade não escapou à atenção das grandes montadoras, que para se manterem competitivas passaram a estabelecer padrões mundiais de qualidade e preço, sempre de olho na redução de custos. Antes da abertura do mercado automotivo brasileiro, o país esteve relativamente à margem desse processo, simplesmente porque havia barreiras para importar veículos e autopeças.

Agora, com os estímulos à produção e às vendas, além do fim das limitações ao comércio exterior, o setor automotivo era forçado a se adaptar com rapidez. O que se viveu naqueles anos foi o início de um novo padrão de relacionamento entre as montadoras e os fabricantes de autopeças, que ficou conhecido como "reestruturação produtiva".

As montadoras pretendiam implantar uma nova filosofia de compras – razão pela qual o comandante da Valeo na América do Sul se interessou por mim. Como comecei a explicar antes, elas não queriam mais receber peças separadas e ter que criar sistemas para cumprir as diversas competências que existem em um automóvel, como frear, dar a partida no motor, iluminar a estrada ou limpar o para-brisa em caso de chuva. Os fabricantes de veículos passavam a exigir que os fornecedores lhes entregassem módulos completos de componentes, prontos para instalar na carroceria em linha de produção.

Em outras palavras, agora as montadoras queriam consumir soluções, não mais componentes separados, que sozinhos não eram capazes de cumprir a função completa. Do ponto de vista deles, a mudança só trazia vantagens: conseguiam uma redução drástica nos estoques e não precisavam mais desenvolver diretamente os sistemas.

Para a indústria de autopeças, porém, havia vantagens e desvantagens no processo. Do lado bom, elas conseguiam se aproximar mais das montadoras, agregando uma *expertise* industrial antes fora do seu alcance. Além disso, se o sistema desenvolvido fosse aprovado e caísse nas graças dos gigantes, a empresa poderia alcançar o status de fornecedor global de conglomerados como General Motors ou Fiat, passando a fornecer para plantas no mundo todo.

Pelo lado negativo, um desafio tecnológico gigantesco se materializou quase do dia para a noite à frente de negócios que na maioria das vezes eram pequenos, de gestão familiar, descapitalizados e sem acesso ao mercado de crédito internacional. A nova prática das montadoras de entregar ao fornecedor as especificações técnicas de uma função e receber o conjunto de peças pronto tinha um agravante: o sistema teria de ser desenvolvido.

A decisão de terceirizar o desenvolvimento de partes do produto final não foi tomada por capricho das montadoras. Durante décadas elas centralizaram nas próprias instalações a criação de peças complexas e a busca por inovação. Para isso, valiam-se de amplas equipes com conhecimento e *know-how* sobre todos os processos de fabricação automotiva (motor, embreagem, transmissão, suspensão, direção, estrutura e elétrica). Mas a concorrência aumentou, encurtando os prazos de lançamento entre cada novo modelo de veículo, o que tornou inviável o custo de manter quadros técnicos de engenheiros especialistas em cada componente automotivo. Assim, elas desistiram de manter a *expertise* internamente e repassaram a tarefa a terceiros.

Dessa filosofia surgiu uma palavra para definir o que se esperava desses novos fornecedores, que se popularizou rápido no meio: "sistemista". No comando da Valeo na América do Sul, Keruzoré compartilhava dessa visão e estava prestes a colocá-la em prática no recém-aberto mercado automotivo brasileiro.

A tarefa, porém, não era simples. As montadoras queriam terceirizar a criação dos produtos que iriam equipar seus veículos, mas nem por isso reduziram as exigências de qualidade. Assim, os fornecedores de autopeças em sistemas integrados precisariam investir pesado em pesquisa e desenvolvimento para conseguir atingir o padrão esperado. Em última instância, só seria possível fazer isso com uma equipe do mais alto nível de formação – algo que tinha sido perfeitamente compreendido pela Valeo, vide o contrato que seu principal executivo por aqui fez questão de assinar comigo, garantindo por escrito todo o meu treinamento.

A visão da Valeo era a de se consolidar como uma grande "sistemista" internacional, com um pé fincado no cada vez mais relevante mercado brasileiro. No fim das contas, para fazer compensar a aposta, a empresa teria que conseguir diluir o investimento entre vários clientes (montadoras) no Brasil e no mundo. A expectativa era, na verdade, desenvolver o próprio negócio em uma pequena montadora, só que especializada em produzir os diversos sistemas que integram um veículo, não um modelo completo.

Mas e os pequenos fabricantes de autopeças, como ficavam nisso tudo? A receita de sobrevivência e lucratividade estava clara: era preciso assimilar a capacidade de fabricar componentes ou montá-los em módulos, a custo baixo, mostrar-se eficiente em desenvolver sistemas e, para conseguir isso tudo, garantir a propriedade da tecnologia desenvolvida.

Dadas as condições em que essas empresas pequenas, médias e familiares viviam, o que se viu foi uma consolidação no segmento de autopeças com a participação ativa dos estrangeiros. Em outras palavras, para se estabelecer como "sistemistas", as empresas que chegavam ao Brasil avaliavam os fabricantes existentes e adquiriam os que pareciam promissores.

O resultado desse cenário, ao longo de pouco mais de duas décadas, foi tanto a redução no número de empresas que produziam autopeças no Brasil como a mudança do perfil societário. Assim, se em 1992 havia no país cerca de 1500 empresas no segmento, dentro de três anos eram 1300. Em 2013, a quantidade se reduzira a menos da metade, somando 698 companhias, segundo o Sindipeças.

No que diz respeito ao capital, a balança inverteu de lado. Em 1975, duas em cada três empresas que fabricavam autopeças em solo brasileiro eram de capital nacional. Em 2016, o capital estrangeiro controlava 75% dos negócios e só 25% estavam em mãos brasileiras.

Quando ingressei na Valeo, era exatamente essa a estratégia que Keruzoré estava colocando em andamento: perscrutar o mercado e aproveitar as oportunidades. Em ordem de perseguir esse objetivo, ele não economizava em formação e intercâmbio internacional para sua equipe, e isso eu pude aproveitar por inteiro.

A primeira câmara de vazão

Um exemplo disso se deu em uma das primeiras visitas que fiz à França, ao centro de formação que a Valeo mantém até hoje em La Verrière, cerca de quarenta quilômetros a sudoeste de Paris. Chegando lá me deparei com uma máquina que me deixou curioso, e, quando comecei a fazer perguntas, o encarregado do equipamento avisou logo de cara: "Vocês vão precisar ter um desses".

Verifiquei na etiqueta que a máquina era fabricada por uma empresa norte-americana e, ao retornar ao Brasil, fui falar com Keruzoré a respeito – em poucas semanas, com a aprovação direta dele, viajei a Detroit para adquirir um daqueles equipamentos, que seria a primeira câmara de vazão do Brasil.

Em resumo, a máquina servia para medir a velocidade com que o ar entra na área de arrefecimento do motor de um veículo, com a vantagem de não exigir que se usasse um carro inteiro para isso, bastava pendurar o eletroventilador sozinho na câmara de vazão. Assim, era possível calcular a resistência à passagem do ar que o conjunto todo de resfriamento oferecia. Seguindo os princípios do "sistemismo" em vigência através dos cálculos fornecidos pelos testes, a Valeo informava quantos milímetros quadrados de área aberta seriam necessários para que o módulo esfriasse o motor, e a montadora desenhava a frente do carro com base nisso.

Depois de comprado o equipamento e instalado em Itatiba, em pouco tempo todas a montadoras do Brasil começaram a fazer testes de resfriamento dentro da Valeo, mesmo as que não tinham relação comercial com a empresa francesa.

Os primeiros passos

Um dos principais objetivos de Keruzoré naquele começo dos anos 1990 era provar ao mercado que nós tínhamos capacidade para trabalhar com eletroventiladores e que não éramos mais um mero fornecedor de radiadores. Um dia-chave para isso foi uma reunião agendada com Herbert Demel, o presidente da Volkswagen no Brasil, na sede da empresa, em São Bernardo do Campo, nos idos de 1993.

O encontro foi preparado em detalhes por nós e aconteceu na garagem do edifício executivo da montadora, para onde levamos dois carros:

um Gol original e outro equipado com o sistema de refrigeração da Valeo. Estavam presentes, além de Demel e Keruzoré, o gerente de engenharia da Valeo, Éder Nomoto, e eu.

Especialmente para a reunião, eu tinha montado um controle com um cabo de alimentação ligado às duas baterias dos veículos, uma sofisticação para a época. Keruzoré pediu que eu ligasse o Gol original e eu acionei meu botão – aquilo fazia um barulho terrível, que era causado pela vibração do ventilador de metal estampado, que funcionava acoplado ao radiador. O presidente da Valeo fez questão de garantir a Demel que o modelo não tinha sido mexido, tratava-se de um carro alugado apenas para o teste.

Em seguida recebi o comando para ligar o outro Gol, com o nosso sistema – era um módulo em fibra de vidro que incluía um ventilador com anel de proteção ao redor das pás. Colocamos um decibelímetro ao lado dos dois carros e o nível de ruído do equipamento da Valeo não chegava a um quarto do registrado para o sistema original.

Em seguida, Keruzoré convidou o presidente da Volkswagen a entrar primeiro no Gol alugado e segurar o volante, para depois experimentar o conforto do modelo com o eletroventilador Valeo.

Nessa época a Volkswagen ainda estampava as pás do ventilador e comprava o motor elétrico da Wapsa, montando o sistema por conta própria. O resultado da reunião foi que ganhamos o contrato e nos tornamos o fornecedor de todo o sistema de arrefecimento para a montadora.

A Univel e o sistemismo

Uma aquisição naquela primeira década de consolidação de tendência no Brasil retrata a visão da Valeo sobre o "sistemismo". A Univel, empresa em questão, contava mais de três décadas de fundação nos meados dos anos 1990 e era um negócio familiar consolidado na fabricação de fechaduras e miolos de chave que equipavam a Kombi, o Fusca e a Brasília como originais de fábrica da Volkswagen.

Àquela altura, a Valeo já tinha percebido que o segmento de *Securite Habitacle* (como os franceses se referiam ao chamado *cockpit*, a área interna do veículo ocupada pelos passageiros) iria se tornar um dos segmentos líderes na inovação automotiva mundial. As especialidades da Univel inseriam-se nesse setor, mas tudo o que a companhia produzia era de funcionamento mecânico. Eram produtos interessantes, com boa penetração de mercado, mas que precisavam de um banho de inovação.

Para efeito interno, a Valeo classificava seus projetos em P1, P2, P3 e P4. Nas duas primeiras categorias entrava tudo o que havia de tecnologia disponível, sistemas de prateleira que os engenheiros de produto podiam aplicar imediatamente a uma parte do veículo. Já entre os projetos P3 e P4 incluíam-se as tecnologias em desenvolvimento – naquela época, vinte anos atrás, a empresa já tinha protótipos de sistemas de ignição sem chave e de um radiador de plástico, por exemplo.

A oportunidade que a Valeo enxergou na aquisição da Univel era agregar suas linhas de projeto P3 e P4 ao negócio, investindo em pesquisa e desenvolvimento. O desafio era integrar a empresa brasileira no circuito automotivo mundial, porque naquele momento a Univel só tinha relação com os projetos nacionais da Volkswagen. Com a abertura do mercado, a companhia tendia a se distanciar das montadoras no segmento OEM, porque os fabricantes de veículos começavam a optar por plataformas globais de projetos.

Em 1997, a Univel foi de fato adquirida e a operação brasileira acabou servindo de base para o início do desenvolvimento da divisão de *Securite Habitacle* da Valeo no mundo todo, hoje uma das áreas mais valiosas da companhia. Mas não foi um caminho sem obstáculos.

Na época havia quatro grandes montadoras no Brasil (Ford, GM, Volkswagen e Fiat) e novos participantes começavam a chegar, como as francesas Renault, Peugeot e Citroën. De olho no fornecimento para essas companhias, logo após a aquisição, nós levamos uma amostra de fechadura do Renault Clio para a Univel. Ao ver a peça, o diretor de engenharia da companhia logo disse que eles não tinham como fabricar o produto, porque não era uma peça metálica, tratava-se de um material termoplástico.

O maior trunfo da Univel era seu processo de cromação. O proprietário se orgulhava de ter o melhor desempenho do mercado brasileiro nesse quesito e gostava de dizer que essa era a grande razão pela qual a empresa sempre teria espaço garantido. Ele só se esqueceu de um detalhe: isso dependia de as montadoras continuarem a usar peças de metal cromado nas fechaduras.

Para atender à nova demanda, fui mais uma vez enviado à França por Keruzoré, dessa vez para o *Tecnocentre* da Renault, em Guyancourt, trinta quilômetros a oeste de Paris. Minha missão era descobrir quem eram os fornecedores da empresa para aquele tipo de fechadura (de matriz termoplástica), na tentativa de replicar o modelo no Brasil. No fim, a Valeo teve que adquirir outra companhia ligada ao mecanismo, em solo francês, para fazer a transferência de tecnologia para a Univel no Brasil, porque a empresa tinha mesmo ficado para trás em inovação.

O episódio ilustra uma das maiores e mais comuns ameaças às empresas familiares: a falta de atualização. Ao envelhecer, muitas vezes o fundador se desliga da evolução tecnológica e mesmo dos avanços em gestão, convencido de que uma posição de mercado confortável é eterna. Um projeto de perpetuação de determinado negócio depende diretamente de mapear os cenários futuros que serão enfrentados pela empresa – no caso de uma companhia familiar, isso deve estar previsto até no perfil de sucessor e as habilidades que ele precisa desenvolver para um desempenho satisfatório nos anos que virão. Voltaremos a esse assunto um pouco mais adiante, porém.

Estratégia matricial e os Golden Boys

O que foi muito valioso para minha formação na Valeo, especialmente nos primeiros anos, é que a empresa não tinha um *account manager* para cada divisão. O responsável por essa função, que gerenciava as vendas e o relacionamento com determinado cliente, respondia por todas as áreas da empresa no Brasil, e essa posição foi ocupada por mim durante algum tempo – primeiro com a Volkswagen, depois com a Fiat, seguida da Renault, Peugeot-Citroën e por fim na Audi.

Na prática, a atividade era exercida por um engenheiro-residente em cada montadora, responsável por representar todo o guarda-chuva Valeo. Isso mudaria mais à frente, consequência do crescimento da companhia francesa no Brasil, quando os comandantes de cada *branche* passaram a encarar com desconforto as sugestões vindas das outras divisões.

Na primeira década da Valeo no Brasil, porém, isso ainda não tinha acontecido. A empresa estava começando por aqui e se beneficiava de uma estrutura de gestão matricial, desenvolvida diretamente por Alain Keruzoré. Pouco antes de eu começar a trabalhar como engenheiro-residente na Volkswagen, ele me chamou à sua sala e me disse claramente: eu não estava indo lá para cuidar apenas dos eletroventiladores (minha área de atuação), a missão era detectar tudo o que a Valeo podia oferecer para a Volks, em qualquer segmento. Keruzoré tinha profunda aversão a organogramas e costumava repetir uma frase de que me lembro até hoje, sempre em francês: "Não é possível trabalhar dentro da caixa".

Hoje percebo que ele tinha uma habilidade fora do comum em identificar, formar e reter talentos – acredito que naquela época ele conseguiu reunir as melhores cabeças do segmento automotivo brasileiro. E na montagem da sua estrutura gerencial, Keruzoré cunhou uma expressão para definir esses jovens promissores desenvolvidos por ele: *Golden Boys*.

Apesar de estar no comando de uma multinacional europeia, o executivo notou logo que seria difícil competir no Brasil sem fazer uso de uma boa dose de experiência local. Assim, na primeira leva chegaram meu amigo Carlos Rotella, Marcelo Pugliesi e eu. Depois vieram Fausto Bigi, Guilherme Venanzi e outros. Em resumo, cada um de nós tinha uma área de especialização e respondia por um grande cliente específico, mas sem perder de vista as oportunidades que poderiam se abrir para o Grupo, mesmo que fora da própria área e cliente.

A parte comercial mais forte na Valeo sempre foi a do segmento de radiadores, onde eu atuava. Quando a empresa encampava outras unidades de negócio, essa era a que mais criava oportunidades para as demais nos clientes. O modelo criado por Keruzoré era muito inteligente – ele montou uma *holding* com todas as operações e entre elas havia uma divisão denominada Marketing & Comercial. Durante uns três anos eu liderava essa área e cada novo negócio agregado passava a contar com a assistência e a expertise comercial de todo o grupo.

Ele gostava de dizer que nós tínhamos sido contratados para desbravar o mercado nacional. A responsabilidade vinha acompanhada do melhor suporte disponível em termos de formação e educação, o que estava claro desde o contrato que ele assinou comigo quando ingressei na Valeo, o qual seria cumprido à risca.

Formação na teoria e na prática

Logo no meu primeiro ano na empresa fui enviado ao Instituto Politécnico de Turim, na Itália, para uma pós-graduação em engenharia automotiva. O curso funcionava quase como um laboratório de desenvolvimento automotivo da Fiat, tamanha era a ligação entre a instituição de ensino e a empresa italiana (a Valeo também tinha um acordo de cooperação com o Instituto). Assim, durante um ano, tempo que durou o curso, nós acompanhamos no dia a dia como eram equacionados os problemas teóricos da maior montadora da Itália.

Já no ano seguinte, comecei a fazer cursos também no centro de desenvolvimento da Valeo que citei antes, em La Verrière – acho que ainda tenho guardados mais de cinquenta diplomas de formação que fiz por lá. Três anos depois, incentivado por Keruzoré, tive a oportunidade de cursar a École de Gestion, no Institut Européen d'Administration des Affaires (Insead), em Fontainebleau. O curso era organizado em módulos de dez dias cada, que cumpri em um ano e meio, período em que pude tomar contato com o que havia de mais avançado em termos de gestão no mundo.

Fazia parte da estratégia formativa da Valeo acompanhar a teoria com a prática. Para isso, a empresa mantinha um site em que listava o que chamava de "oportunidades de negócio". Os executivos que completassem três anos em determinada posição, no mesmo país, atingiam um nível de graduação. Com essa pontuação, era possível entrar no sistema e se candidatar a qualquer vaga que a companhia oferecia no mundo.

Em 1998, por exemplo, a Valeo ficou responsável por um projeto ligado ao lançamento da picape Dakota no Brasil, que seria produzida na fábrica construída pela Chrysler em Campo Largo, no Paraná. Para acompanhar o assunto, fui deslocado para Detroit, onde permaneci por seis meses.

Dois anos depois (em 2000), o grupo se envolveu no projeto do Ford Fiesta. Eu assessorava diretamente o líder do projeto mundial na Inglaterra, visitando todos os meses o centro de desenvolvimento da empresa em Dunton, a cinquenta quilômetros a leste de Londres, também durante seis meses.

A experiência mais marcante do meu período na Valeo, porém, eu viveria com menos de quatro anos de empresa, em 1994, quando a Fiat estava no meio do desenvolvimento do chamado Projeto 178.

Palio resfriado à brasileira

Os italianos também estavam comprometidos com a estratégia de globalizar sua produção e desde 1992 trabalhavam em um plano acompanhado com carinho por Paolo Cantarella, principal executivo da empresa. O objetivo era desenvolver um projeto capaz de servir de base para cinco versões de um veículo compacto, em uma única plataforma e igual no mundo inteiro, que depois foi batizado de Palio.

Nesse período em que eu estava alocado como engenheiro residente na Fiat representando a Valeo, a montadora ainda trabalhava paralelamente em duas versões no instituto I.D.E.A., na Itália: uma para o mercado brasileiro e outra para o resto do mundo. A situação durou até os projetistas receberem uma visita de Giovanni Agnelli, presidente e fundador da Fiat.

Agnelli pediu para ver os *mockups* (protótipos de madeira) dos dois modelos e quis saber os detalhes de cada um. Ao ser informado que uma versão era para o mercado brasileiro e a outra para os demais, ele gostou muito mais do módulo brasileiro e exigiu que esse se tornasse global.

A Valeo respondia por toda a parte de resfriamento do motor do Palio, já no *modus operandi* "sistemista", ou seja, cada vez que se alterava o *design* da frente do carro, por um milímetro que fosse, éramos nós que tínhamos que adaptar as peças para que a troca térmica funcionasse a contento. Fornecíamos o modelo completo: o radiador, o condensador (do ar-condicionado), o defletor, o motor, a hélice e as mangueiras. Bastava encaixar e ligar no motor.

Ao ver que o Palio brasileiro ganhava importância, os comandantes da Valeo na França exigiram que eu fosse substituído na liderança do projeto por um executivo da matriz. Nesse momento Keruzoré bateu o pé e não abriu mão de que minha presença fosse mantida, mostrando que ele acreditava nos profissionais que selecionava e ajudava a desenvolver.

Assim mantive a responsabilidade de gerenciar o processo de desenvolvimento simultaneamente com engenheiros de seis países (além do Brasil e da Itália, havia profissionais da Argentina, do Marrocos, da Turquia e da Polônia).

No fim do projeto, quando o Pálio enfim foi lançado mundialmente em 1996, a Fiat premiou os três melhores fornecedores de toda a sua cadeia. A Valeo estava na lista e Keruzoré fez questão de me levar com ele para receber a homenagem na Itália.

Conclusão

O relato da minha passagem por uma multinacional de autopeças francesa no momento em que o mercado automotivo mudava decisivamente de fase só faz parte desse livro por uma razão simples: é a descrição, na prática, das oportunidades, das experiências e dos desafios que um profissional de gestão enfrenta ao trabalhar do lado de fora da bolha protetora do negócio familiar.

Quando finalmente deixei a Valeo, em 2003, depois de doze anos intensos, estava infinitamente mais bem formado do que se tivesse permanecido na empresa do meu avô. Mais do que isso, descobri uma atração pelo universo automotivo que jamais conheceria se tivesse ficado.

Não há nada de errado se depois de experimentar a vida no mercado e aproveitar ao máximo seu poder formador o sucessor tiver vontade de retornar à empresa da família. O importante é que ele tenha pleno direito a essa escolha e que essa trajetória seja pensada e planejada com cuidado. É desse planejamento que iremos tratar no próximo capítulo.

6

ESCOLHENDO O SUCESSOR

*O que será esperado dos gestores no futuro? Amplitude intelectual,
capacidade estratégica, sensibilidade social, sofisticação política, visão
global, e, acima de tudo, a capacidade de manter o seu equilíbrio em meio
às correntes cruzadas da mudança.*
Reginald Jones, ex-presidente e CEO da General Electric

Winston Churchill, o primeiro-ministro que comandou a Inglaterra durante a maior parte da Segunda Guerra Mundial, é considerado um dos maiores exemplos modernos de resiliência. Em meio à decisiva batalha aérea da segunda metade de 1940 quando do os aviões alemães despejavam bombas diariamente sobre Londres, Churchill era forçado a permanecer por horas escondido em um *bunker* quase indestrutível, construído no subsolo, a poucas quadras do Big Ben. Mesmo nesses momentos, enquanto ouvia os estrondos intermitentes das explosões e o desastre parecia irreversível, ele costumava confrontar os que se desesperavam com uma frase: "Planos são de pouca importância, mas planejar é essencial".

O processo de sucessão em uma empresa familiar pode provocar sensações tão intensas nos envolvidos quanto estar sob bombardeio, ao fazer aflorar sentimentos complexos que permaneceram ocultos durante anos tanto no âmbito do negócio quanto no plano pessoal. Questões não resolvidas ou submersas nas teias de relações entre pessoas que conviveram por décadas, sem dúvida, têm esse potencial. Por isso mesmo, planejar é essencial.

Para funcionar, o planejamento estratégico de um processo de sucessão não pode levar em conta apenas a situação presente da empresa. É essencial olhar para frente, tendo em vista o horizonte de longo prazo. O primeiro passo desse planejamento deve ser uma entrega sincera ao exercício de projeção do cenário estratégico a ser enfrentado pelo negócio no futuro, incluindo um diagnóstico da situação competitiva em que a empresa se encontrará quando o fundador ou atual líder não estiver mais presente, seja como gestor, seja como acionista.

É claro que não se trata de uma tarefa fácil. Qualquer previsão está sujeita a erros, mas nem por isso é menos importante fazer o exercício. A situação futura a ser enfrentada pelo negócio da família pode ser diametralmente oposta à do presente, o que pode fazer que uma empresa eficiente e lucrativa nos dias de hoje seja absorvida por um concorrente em poucos anos ou mesmo desapareça. No capítulo anterior citamos o exemplo dos fabricantes brasileiros de autopeças que, de uma hora para outra, se viram forçados a competir com multinacionais poderosas e revolucionar a própria tecnologia por causa da mudança repentina das políticas tarifária e comercial brasileiras no Governo Collor.

Assim como os negócios devem ter em vista o cenário à frente, a seleção do líder futuro também precisa levar em conta as condições previsíveis do amanhã. É muito comum que se busque no sucessor as características e habilidades que tornaram o fundador bem-sucedido na construção da sua companhia, mas isso não é garantia de que essas qualidades serão suficientes (e eficientes) dali em diante. O resumo é simples: ainda que tenha sido extremamente bem-sucedido, um líder do passado (ou mesmo do presente) pode não reunir as condições necessárias para liderar no futuro.

Assim, depois de completo o exercício de futurologia para o negócio, o segundo passo de um plano de sucessão é identificar os perfis específicos dos líderes que serão necessários em cada cenário projetado. Primeiramente se deve elencar as habilidades e qualificações que serão exigidas do sucessor para responder com efetividade às oportunidades e desafios que vão confrontar a organização no futuro.

Uma lista básica de competências inclui capacidade de liderança, potencial de planejamento, habilidade de comunicação, aptidão no inter-relacionamento com pessoas, conhecimento do setor em que o negócio da família está inserido, know-how dos processos e atividades operacionais, entre outras. Essas são apenas algumas opções, cada empresa pode criar sua própria relação de capacidades, inclusive aferindo pesos diferentes a cada uma delas, de acordo com suas necessidades e condições específicas, percebidas ao traçar o cenário futuro previsto para a companhia.

Perguntas-guia

O caminho para auxiliar na definição dos perfis estratégicos de liderança é levantar questionamentos a respeito das situações futuras. Como exemplo, apenas para fazer pensar nas possibilidades, elaboramos uma relação simples de dez perguntas que podem ser aplicadas:

1. Quais são os desafios estratégicos que o sucessor terá que enfrentar nos âmbitos da família, no controle da empresa e na gestão do negócio nos próximos seis meses? E dentro de um ano? E em dois ou três anos?

2. Quais são as pessoas e os cargos com quem esse futuro líder terá de interagir? O que, basicamente, essas pessoas esperam desse novo líder? Que conflitos podem surgir entre elas e o sucessor?

3. Quais comportamentos, atitudes e habilidades são necessárias para que esse sucessor se relacione com os principais grupos de *stakeholders* (família, acionistas, gestores-sênior, conselho de administração, clientes, fornecedores e comunidade financeira)?

4. Quais são as tarefas e as responsabilidades que esse sucessor terá no dia a dia?
5. Quais são as atividades típicas da posição, em base diária, semanal, mensal e anual?
6. Que habilidades específicas adicionariam valor à posição? Quais dessas devem ser consideradas essenciais?
7. Quais habilidades e experiências anteriores são indispensáveis para que esse novo líder consiga conduzir o negócio com eficiência?

Superada essa rodada inicial de sete questionamentos, podemos avançar às últimas três perguntas, que ajudam a sintetizar as anteriores:

8. Quais são os dez adjetivos-chave para descrever o candidato ideal a sucessor?
9. Se fosse preciso escolher apenas cinco desses adjetivos para capturar as qualidades essenciais dessa pessoa, quais seriam?
10. Qual a estratégia para saber (ou pelo menos começar a suspeitar) se a escolha do sucessor está no caminho correto, nos primeiros três meses após ele assumir a posição de liderança? Quais serão os indicadores para monitorar isso?

Respondidas essas perguntas e definido o perfil do sucessor que se busca, uma opção interessante a seguir é estabelecer um Programa de Desenvolvimento Acelerado de Liderança. Como o próprio nome diz, o objetivo é orientar e acelerar a formação dos candidatos a futuros líderes dentro da empresa familiar, oferecendo oportunidades para que eles adquiram e desenvolvam as habilidades necessárias de forma a atingir seu potencial máximo.

Para começar, é preciso primeiro estabelecer critérios claros para definir quais candidatos teriam acesso ao programa – de preferência antes do ingresso do primeiro membro familiar, para manter a equidade. Podem ser estabelecidas como regras a exigência de ter completado curso superior ou

Governança em família: da fundação à sucessão 117

um Master of Business Administration (MBA), por exemplo. Aqui também se pode estabelecer como pré-requisito mínimo um período de experiência fora do negócio familiar, de dois a cinco anos, para agregar todos os benefícios dessa vivência de que tratamos anteriormente.

Cumpridas as exigências, um modelo clássico desse tipo de programa estabelece um plano de experiência de trabalho na empresa da família, expondo os candidatos a todas as fases da operação, das tarefas físicas no chamado "chão de fábrica" a deveres de escritório, durante três anos. Nesse período os possíveis sucessores assinam um contrato temporário com a companhia e supervisores devem ser definidos para servir como guias em cada fase. A passagem dos indivíduos em cada etapa deve ser documentada e critérios claros de avaliação precisam ser estabelecidos para que depois eles possam ser comparados de forma adequada.

Esse modelo de programa é especialmente útil para as famílias numerosas, em que a sucessão envolve vários primos. Nesse tipo de situação é comum que regras extremas de acesso acabem sendo definidas para evitar conflitos. Assim, enquanto algumas empresas proíbem totalmente que integrantes familiares trabalhem no negócio, outras abrem caminho a qualquer um dos seus membros. Nenhuma das duas soluções é eficiente. No primeiro caso, porque a alienação forçada pode ter o efeito de desconectar completamente os futuros sócios do empreendimento familiar, além de desperdiçar possíveis talentos. No segundo, porque empregar qualquer descendente sem critério de seleção tende a minar o negócio, não só pela grande possibilidade de manter profissionais não qualificados em posições importantes, mas também por disseminar entre os funcionários não familiares a noção de que o sangue sempre estará acima dos méritos na organização.

Plano na prática

Pensar a sucessão através de um modelo estratégico a fim de ajudar a formar o sucessor e fornecer a ele as ferramentas para entender o negócio da família em todos os seus aspectos, à primeira vista, pode parecer algo acessível apenas a grandes empresas. O exemplo que trazemos a seguir mostra que não. Uma empresa familiar média, que atua na área de segurança privada no estado de Santa Catarina, criou e colocou em prática seu plano de sucessão com ótimos resultados.

A companhia deu os primeiros passos no fim dos anos 1970, com a montagem e a venda de alarmes para residências desenvolvidos pelo próprio fundador, que chamaremos aqui de Osvaldo. O negócio cresceu e na década de 1990 passou a agregar serviços às suas atividades, como o monitoramento de casas e salas comerciais através de uma central própria.

A essa altura, Osvaldo tinha um casal de filhos. A menina optou por trilhar um caminho sem ligação com a empresa familiar e formou-se psicóloga, enquanto o menino (a quem daqui em diante chamaremos de Geraldo) convivia de perto com o negócio desde criança. Já no fim da adolescência, Geraldo foi aprovado em dois vestibulares, ambos em Curitiba, e passou a estudar administração de manhã e informática à noite. Nas férias da faculdade, quando voltava para casa, o pai costumava confiar ao filho alguma função para desempenhar na empresa, algo de que Geraldo sempre gostou.

No último ano da faculdade, depois de Geraldo cumprir um estágio de um ano em uma empresa de Curitiba, surgiu a oportunidade para um intercâmbio na região de Munique, no sul da Alemanha, onde ele moraria na casa de um amigo da família. O pai mais uma vez se manteve à margem da decisão – consciente da importância da liberdade de escolha e também dos benefícios que a experiência traria ao filho, então com 24 anos.

Depois de passar um ano na Europa, Geraldo voltou ao Brasil em 2008 e começou imediatamente a procurar emprego. Enquanto buscava uma vaga no mercado, acabou por se envolver mais com a empresa da família. Mesmo sem interferir para que isso acontecesse, o pai percebeu o brilho nos olhos do filho enquanto acompanhava o dia a dia dele no negócio, que claramente também já via como seu.

Nesse momento, Osvaldo chamou o filho para uma conversa e perguntou a ele o que pensava para o futuro. O que o pai queria mesmo saber era se Geraldo se enxergava dentro da empresa da família. A resposta foi positiva e então Osvaldo explicou a ele o caminho que teria de seguir. A partir daquele dia, seria colocado em prática um plano de sucessão com prazo de duração previsto para dez anos. O filho teria que passar por todas as áreas da empresa, de forma a adquirir a experiência e a formação necessárias para habilitá-lo a se tornar o condutor da companhia no lugar do pai.

No início, Geraldo permaneceu no setor que dominava, a área financeira do negócio. Dali ele foi integrado à área operacional e depois foi destacado para coordenar equipes de TI diretamente na central de monitoramento de alarmes.

O maior desafio, que indica o acerto do pai no processo e sinaliza que o plano estava de fato funcionando, surgiria em 2012. Uma vendedora que trabalhava para um concorrente da companhia da família havia montado um novo negócio, que projetava sistemas de segurança para condomínios, e procurou Osvaldo para oferecer a ele sua carteira de clientes. Era uma empresa pequena, que àquela altura cuidava de dezessete condomínios, com faturamento de quinze mil reais por mês.

Osvaldo não se interessou por adquirir a carteira, mas viu ali uma oportunidade e se propôs a investir na empresa, formando uma nova companhia, onde teria participação de 50%. Coube a Geraldo participar também da gestão desse novo ramo de atividades, que se apresentava com um viés de complexidade maior do que as funções a que estava habituado no dia a dia do varejo no segmento de venda de alarmes. Agora era preciso desenvolver todo um projeto de segurança e monitoramento para fechar uma venda, não se tratava mais de apenas vender um produto pronto.

No primeiro ano, Geraldo dividia suas atenções entre as duas empresas, dedicando dois dias da semana ao novo negócio e três à companhia matriz. Em 2013, porém, o pai notou que o filho mostrava mais interesse pelo segmento recém-adquirido do que pelo original e o liberou para trabalhar integralmente nele.

A prova de fogo veio em 2014. Ao se submeter a uma cirurgia estética, a sócia sofreu complicações e veio a falecer. Ela era responsável por toda a área comercial da empresa e Geraldo teve que assumir essas funções da noite para o dia. A isso, adicionou-se um problema extra: os 50% do negócio que pertenciam à sócia ficaram para seus três filhos. Dois eram crianças e o terceiro (um jovem de 20 anos) trabalhava no negócio da mãe, porém não tinha formação para assumir uma posição gerencial.

Geraldo teve de negociar a compra da participação dos filhos menores com o pai deles, além de encontrar uma forma de se relacionar a contento com o herdeiro maior de idade.

Por fim, conseguiu superar esses obstáculos e consolidou um crescimento expressivo da empresa. Em 2015, o negócio faturou dois milhões de reais, diversificando as atividades entre monitoramento, projetos e instalação de sistemas de segurança em condomínios. Geraldo está se aproximando da reta final do plano de sucessão de dez anos elaborado pelo pai, e, aos 70 anos, Osvaldo já programa seu afastamento do comando para abrir espaço definitivamente para o filho.

Respeito ao Triângulo de Ouro

Osvaldo montou seu próprio plano de sucessão, mas é cada vez mais comum que empresas familiares recorram a consultorias externas para auxiliá-las no processo. O mercado está bem servido de profissionais corretos e éticos atuando na área, mas infelizmente há também um número significativo de consultores menos preocupados com a continuidade dos negócios que assessoram do que com os próprios interesses. Em razão disso, creio que vale a pena dedicar algumas linhas ao tema.

É inegável que consultores externos podem ser extremamente úteis às empresas, especialmente quando aportam conhecimentos que

Governança em família: da fundação à sucessão   121

não estão acessíveis a elas internamente ou que custariam muito mais caro para internalizar via contratação de um profissional específico, por exemplo. Muitos anos de experiência com diferentes tipos de consultorias, porém, permitiram que eu estabelecesse uma regra bastante simples e efetiva para que esse relacionamento se desenvolva de forma positiva: é preciso garantir que os consultores respeitem o que eu chamo de Triângulo de Ouro das empresas.

O Triângulo de Ouro reúne três competências que não podem de maneira alguma ser delegadas às consultorias, ainda mais quando se trata de um processo de sucessão: liderança, conhecimento técnico e metodologia.

Por liderança me refiro a cargos e posições-chave na hierarquia de comando da companhia. Por conhecimento técnico entendo o know-how da empresa, o "saber fazer" em si que gera valor ao negócio. Em metodologia enquadram-se os processos, técnicas e procedimentos que regem as operações. Nesse último caso acredito ser admissível que consultores externos tenham alguma participação aportando conhecimento, mas sempre por projeto. Ou seja, é preciso definir cuidadosamente prazos e metas para essa participação, para que ela tenha começo, meio e fim bem-definidos.

Falando assim, o assunto parece teórico demais. Mais uma vez, vamos aos exemplos práticos para deixar tudo mais claro. Para começar, voltemos ao caso daquela indústria metalúrgica de porte médio, fabricante de componentes automotivos de que falamos um pouco no Capítulo 4.

Como dissemos antes, a empresa passava pelo seu primeiro processo de sucessão, em que os dois fundadores (que chamamos de Cláudio e Emerson) buscavam replicar seu modelo de sociedade, destacando um filho de cada lado em cargos de gestão. No final dos anos 1990, os dois sócios já tinham passado dos 70 anos de idade.

Relatamos que Cláudio, o presidente da companhia, tinha preparado durante anos a filha mais velha para assumir seu lugar e que ao longo desse período ela casou-se com um operador de máquinas, que a essa altura já trabalhava na empresa da família em posição gerencial. Quando finalmente chegou o momento de assumir a gestão, ela disse ao pai que via um conflito entre a posição de liderança que ocuparia e o emprego do marido. Em resumo, a filha enxergava um problema em tê-lo como subordinado. A solução sugerida por ela (e aceita por Cláudio) foi a de colocar o marido oficialmente como CEO da empresa. A filha permaneceria na retaguarda e ofereceria todo suporte a ele, inicialmente sob a supervisão do pai.

O genro assumiu, mas logo em seguida a filha adoeceu de um câncer e morreu poucos meses depois. Ainda abalado pela morte, Cláudio se deparou com a seguinte situação: havia no comando da sua empresa uma pessoa sem a preparação adequada e de fora da família, que precisava ser substituída.

A alternativa foi buscar no mercado um profissional para substituir o genro e assumir o cargo de CEO. Em 2000, um *headhunter* foi contratado para encontrar esse profissional. Um ano e meio depois da morte da filha, chegou-se a um acordo com o genro, que terminou por aceitar se afastar da empresa em 2001 em troca de um bom valor em dinheiro. Com o revés sucessório, os dois fundadores viram-se obrigados a voltar a se envolver diretamente com a gestão.

Contratado em 2001, o executivo profissional se deparou com um cenário que incluía os dois fundadores da empresa inseridos novamente no dia a dia da companhia, ansiosos por concretizar a sucessão e finalmente se afastar da gestão. O problema é que nenhum dos dois tinha filhos em condições de assumir o negócio, uma vez que a única pessoa que fora preparada para isso (a filha mais velha de Cláudio) tinha falecido.

A princípio, a tarefa para a qual o executivo havia sito trazido era estruturar a gestão da empresa. A radiografia que ele encontrou era de um negócio eficiente em termos técnicos, mas com uma equipe de gestão desestruturada e sem a proteção de uma estrutura de governança que servisse como filtro entre essa esfera e os fundadores.

Nesse momento entrou em ação um segundo fator complicador: uma consultoria foi contratada para ajudar a consolidar o conselho de administração (que já existia, mas de forma incipiente), além de auxiliar no processo de sucessão.

Cláudio já tinha um outro filho envolvido na gestão, enquanto o grande sonho de Emerson era também introduzir um herdeiro seu no negócio. Percebendo isso, a consultoria propôs uma solução que à primeira vista parecia salomônica: foram criadas duas vice-presidências, uma para a área financeira e outra para o setor industrial. As posições foram ocupadas pelos dois filhos dos fundadores e eles trocariam de cadeira ano a ano.

A regra do Triângulo de Ouro seria quebrada logo em seguida. A consultoria informou os fundadores que identificava um "hiato" na formação dos seus dois filhos e novos vice-presidentes e, claro, colocou-se à disposição para um "trabalho de preparação" de ambos, até que eles estivessem prontos para assumir o comando de fato, sem um prazo definido para isso.

Nesse meio tempo, o CEO profissional permaneceu à frente da empresa. Nos primeiros seis anos, o sistema até funcionou a contento. O executivo levou a companhia a abrir novos mercados e colocou em prática um programa de exportação, fazendo que o faturamento mais que dobrasse, atingindo a casa dos 120 milhões de reais por ano.

Em 2007, os consultores finalmente avaliaram que chegara o momento de completar a sucessão. Eles sugeriram que o CEO profissional fosse demitido, juntamente com um membro externo do conselho de administração que se mostrava bastante questionador dos métodos da consultoria. A partir daí os consultores propuseram que os dois filhos de Cláudio e Emerson trabalhassem em um sistema de "cogestão" — um assumiria a presidência da empresa durante um ano, enquanto o outro permaneceria como vice-presidente, invertendo-se as posições no período seguinte. Aqui seria rompida a regra do Triângulo de Ouro: a solução envolvia ainda a presença de um membro da consultoria como CEO, para "auxiliar" os sucessores no processo, interferindo diretamente na liderança da companhia.

Na prática, o que era para ser uma "cogestão" causou uma congestão, porque o modelo engessou o sistema decisório da empresa. O irmão que ocupava o cargo de presidente sentia-se na obrigação de consultar o outro no caso de qualquer decisão mais relevante. O que estava como vice-presidente, por sua vez, acabava por levar o assunto ao conselho de administração, tornando as decisões gerenciais realmente importantes lentas e confusas.

O modelo não funcionou. Descontente, o filho de Emerson deixou a empresa depois de pouco mais de um ano, enquanto o de Cláudio retraiu-se à posição que de fato desejava ocupar desde o início, a diretoria financeira. Do ponto de vista do negócio, a companhia também andou para trás. O faturamento, que em 2007 batia nos 120 milhões de reais anuais, encerrou 2015 na casa dos cem milhões de reais, 15% abaixo do alcançado sete anos antes.

Nesse exemplo é possível enxergar o mal que pode ser causado a uma empresa quando ela abre mão do controle de um dos três componentes do Triângulo de Ouro – a liderança, no caso. A seguir veremos mais uma situação prática e real, dessa vez em que uma consultoria ameaça interferir na área de conhecimento técnico de um negócio.

O caso se deu em uma grande companhia de entretenimento brasileira, com mais de mil funcionários, criada por um homem nascido em família humilde, no interior do estado de São Paulo. A própria história do fundador daria um livro – ele foi carroceiro, corretor de anúncios de jornal, publicitário de sucesso e produtor de televisão, tudo isso antes de começar a construir seu próprio negócio no segmento da diversão, no início dos anos 1990.

Como seria de se esperar, uma pessoa com tal histórico tinha perfil bastante centralizador e administrava a empresa praticamente sozinho, com métodos próprios, baseados mais na intuição do que em técnicas profissionais de gestão. Tudo caminhava a contento enquanto ele esteve presente, mas em 2008 o fundador faleceu e não havia qualquer planejamento de sucessão nem mesmo em discussão.

Na partilha do patrimônio, 75% das ações da companhia couberam à sua viúva e os outros 25% a um dos três filhos, de 35 anos de idade. Até então ele vivia na sombra do pai, mas mesmo assim foi colocado na posição de presidente do grupo. A visão interna desse processo nos é revelada por um executivo trazido para ajudar a estruturar as operações com base em padrões modernos de gestão – vamos chamá-lo de Roberto.

Roberto, que não fazia parte da família, passou a ocupar uma vice-presidência a partir de 2009. Já era sua segunda passagem pela empresa, depois de um período de dois anos na primeira metade dos anos 2000, quando foi contratado pelo fundador para auxiliar com um problema gerado pelos métodos pouco ortodoxos de administração dele – a missão era equacionar uma dívida tributária que passava dos cem milhões de reais, no que foi bem-sucedido.

Depois de ajudar a criar um método mais profissional para a operação, Roberto deixou o grupo em pouco tempo. No ano seguinte, já começaram as dificuldades, causadas em parte pela chegada de uma consultoria contratada para auxiliar na gestão. Aqui a regra do Triângulo de Ouro foi quebrada duplamente – no quesito liderança, que o herdeiro do fundador entregou aos consultores, e no item conhecimento técnico.

Um dos grandes diferenciais do negócio de entretenimento criado pelo ex-carroceiro do interior de São Paulo estava na sua capacidade de encantar os clientes e consumidores, envolvendo-os no ambiente de magia que ele imprimia às operações. Na posição de liderança delegada pelo sucessor, uma consultoria atrás da outra ignorava esse diferencial, transformando processos, mudando práticas e aos poucos minando a mágica criada pelo fundador, ou seja, colocando em risco o conhecimento técnico construído ao longo de anos. Como falhavam, os consultores passaram a ser substituídos com frequência.

Mesmo fora da empresa, Roberto acompanhava a situação com interesse e via que os consultores iam e vinham, sem apresentar conexão com a companhia, que por consequência também ia perdendo as características e qualidades que tinham sido estabelecidas intuitivamente pelo seu criador. Nas palavras dele: "Sem identidade, a empresa foi ficando sem alma".

As consultorias tomavam conta das principais posições executivas, sob a promessa personificada de gestores que prometiam: "Eu resolvo o problema". O descaminho na gestão acabou por se refletir nos resultados, que não cresciam tão solidamente como se esperava.

Em maio de 2014, Roberto foi convidado a participar do conselho consultivo da empresa, que se reunia mensalmente, e seis meses depois foi escolhido para assumir a presidência do grupo. Uma de suas primeiras iniciativas foi limitar a atuação das consultorias à esfera que deve lhes caber, ou seja, a de aportar metodologia e conhecimento, mas sem ingerência na liderança ou conhecimento técnico.

Ao mesmo tempo o executivo lançou uma série de esforços para resgatar os valores do fundador que estavam se perdendo. "A matéria-prima do nosso dia a dia é alimentar os sonhos das pessoas, o sonho da diversão e de viver um momento inesquecível. Se isso não estiver claro para cada pessoa que trabalha aqui, não chegaremos a lugar nenhum", explica Roberto.

Os efeitos do resgate tornaram-se visíveis rapidamente nos resultados. Nos anos em que as consultorias dominavam a cena, o Ebitda (lucro antes de juros, impostos, depreciação e amortização) da empresa oscilava na casa dos 20% do faturamento. Em 2015, o mesmo indicador saltou para 43%. A receita do negócio aumentou a uma média de 14% entre 2010 e 2014, quando os consultores davam as cartas nas principais posições executivas, contra uma alta de 31% em 2015, pouco mais de um ano depois de Roberto assumir o comando.

Técnica do avião que cai

Feita a ressalva sobre o Triângulo de Ouro e as consultorias, quero apresentar uma técnica curiosa de seleção de candidatos à sucessão que foi utilizada na promoção de um dos executivos mais bem-sucedidos do século XX. Essa estratégia foi criada no começo dos anos 1980 por Reginald Jones, então presidente e CEO da General Electric (GE), e pode se mostrar especialmente útil às empresas familiares que precisam selecionar sucessores entre pares iguais, como irmãos ou primos.

Produto do seu tempo, Jones tinha trabalhado a vida inteira na GE, desde que ingressara na empresa como trainee em 1939. Entre 1972 e 1981, acumulou os dois cargos de comando na instituição, para os quais agora precisava encontrar um substituto.

Ele tinha em mãos uma lista com sete nomes de executivos da GE, todos altamente qualificados, dos quais pretendia selecionar um grupo de três para uma equipe de gestão. Desses três sairia o novo líder da companhia.

Jones chamou um por um dos sete candidatos para uma conversa particular, sempre de surpresa. Quando estavam a sós, propunha o seguinte dilema: "Você e eu estamos em um avião. Ele cai e nenhum de nós dois sobrevive. Quem deve ser o novo comandante da GE?".

Como esperado, a pergunta pegava todos de surpresa e Jones aproveitava para avaliar a química existente entre os sete candidatos enquanto um falava sobre os outros.

Três meses depois, ele os convocou para outra rodada de conversas individuais, mas dessa vez os executivos foram avisados com antecedência. Rindo por dentro, viu todos se apresentarem com pilhas de anotações enquanto ele se preparava para expor um dilema diferente, que começava a bordo da mesma aeronave: "O avião cai e eu não sobrevivo, mas você sim. Quem você escolheria para a sua equipe de gestão?".

Com base nas conversas, Jones enfim selecionou três entre os sete. Para eleger seu sucessor, o presidente e CEO da GE levou em consideração dois critérios específicos: escolher alguém diferente dele mesmo e capacitado a lidar com as demandas do ambiente futuro de negócios. Quatorze meses mais tarde, tinha o nome que assumiria seu lugar na liderança: Jack Welch.

Depois de assumir a cadeira de Jones, Welch revolucionou a maneira de um conglomerado gigante como a GE fazer negócios. Processos burocráticos foram deixados de lado e os gestores ganharam liberdade para trabalhar como achassem melhor, desde que respeitassem dois valores essenciais: era preciso se adaptar à mudança constante e buscar fazer as coisas sempre de uma forma melhor.

A filosofia de Welch era administrar uma estrutura enorme como a da GE como se fosse uma empresa pequena e dinâmica, atenta tanto às oportunidades que surgiam como também às operações que deixavam de ser rentáveis. Como resultado, a companhia se expandiu dramaticamente durante os vinte anos em que ele permaneceu como presidente e CEO (de 1981 até se aposentar, em 2001).

Em 1980, um ano antes do sucessor de Jones assumir, a receita da GE somou aproximadamente 27 bilhões de dólares. No ano anterior à sua saída, em 2000, o faturamento atingiu 130 bilhões de dólares. Durante a gestão de Welch, o valor de mercado da companhia saltou de quatorze bilhões de dólares para 410 bilhões de dólares.

No mundo das empresas familiares, a técnica aplicada por Jones pode ajudar a legitimar a decisão de um fundador quando ele precisa escolher quem de seus filhos será seu sucessor no comando do negócio, por exemplo. Pensemos no caso em que haja quatro irmãos, todos com participações societárias iguais e ocupando posições gerenciais na companhia familiar. O simples fato de colocá-los para falar uns sobre os outros, como o executivo da GE fez com os sete candidatos iniciais, pode ajudar a formar consenso ao fazer que os irmãos percebam as qualidades e os defeitos dos demais, o que certamente tenderá a esvaziar o potencial de conflito na sucessão.

7

O ORIENTADOR

A mente não é um vaso que precisa ser preenchido, mas madeira que precisa ser acesa.
Plutarco

Como vimos até agora, o processo de sucessão em empresas familiares tem várias fases críticas. Começa na infância, quando o contato inicial com o negócio de onde os pais tiram o sustento é fundamental para desenvolver o senso de legado e compartilhar o sonho de uma visão comum com os herdeiros. Passa por dar ampla liberdade de escolha aos filhos e depois, se eles de fato decidirem conectar suas vidas profissionais ao empreendimento da família, pela enriquecedora vivência fora da "bolha protetora" do próprio ambiente corporativo. Ao retornar desse período formador, se atender aos pré-requisitos do Programa de Desenvolvimento Acelerado de Liderança, o jovem sucessor será submetido à etapa de experiência nas diferentes funções da operação. Cumprido o programa, se sua performance for satisfatória, o candidato a futuro líder finalmente se verá integrado ao negócio da família. Parafraseando Churchil mais uma vez: "Isso não é o fim. Não é nem o começo do fim. Mas é, talvez, o fim do começo".

É nessa nova fase crítica da transição profissional do sucessor que deve ser acrescentado um novo fator ao processo: a mentorização. A origem do termo mentor vem de longe, foi apropriado de um poema da antiguidade grega, a *Odisseia*, de Homero. Esse poema conta a história de Ulisses, descrito como o herói de mil estratagemas que tanto vagueou, depois de ter destruído a cidadela sagrada de Troia, que viu cidades e conheceu costumes de muitos homens e que no mar padeceu mil tormentos, enquanto lutava pela vida e pelo regresso dos seus companheiros (HOMERO, 1994).

Antes de partir para a Guerra de Troia e começar a perseguir suas aventuras, Ulisses deixou um amigo, já em idade avançada, responsável por seu filho Telêmaco. O nome desse amigo era Mentor. Ele tinha tanta influência sobre Telêmaco que Atena, a deusa grega da sabedoria, disfarçou-se de Mentor para fazer uma aparição ao filho de Ulisses e convencê-lo a ir atrás dos passos do pai, há anos desaparecido.

Pensando bem, a descrição que Homero faz de Ulisses não se distancia muito da visão épica do empresário, por anos absorvido nas próprias batalhas para construir e desenvolver o negócio que criou. A orientação do seu filho por um amigo (Mentor), estimulando-o a seguir o mesmo caminho do pai, também serve de representação do que se costuma ver na sucessão de uma empresa familiar.

Isso tudo é história, mas voltando ao que nos diz respeito, o processo de mentorização pode ser descrito como um esforço sistemático, envolvendo executivos experientes e até membros do conselho de administração, para expor jovens sucessores a experiências que desenvolvam neles as habilidades necessárias para assumir a liderança no futuro.

No momento em que vê um filho integrado ao dia a dia da empresa familiar, ainda mais depois de tantas provações, alguns pais sentem a necessidade de se aproximar para acompanhar de perto a evolução desse herdeiro em que estão apostadas todas as fichas da continuidade do negócio. Existem casos em que esse modelo funciona com o pai cumprindo a função de mentor. Há muitos outros, porém, em que apenas essa aproximação não é suficiente — e efeitos colaterais indesejados podem surgir.

Construída durante anos, a relação entre pais e filhos é uma das mais delicadas com que nos deparamos durante a vida, seja de que lado dela estejamos nós. Ao ser transplantado para o ambiente profissional, essa categoria de relacionamento tem suas fragilidades amplificadas.

A formação de um gestor, especialmente se está sendo preparado para liderar, não é uma trajetória sempre linear e ascendente. Esse sucessor vai se deparar com uma série de obstáculos, incluindo falhas graves e fracassos, tudo parte do processo de aprendizado. Durante essa caminhada, é essencial que ele seja confrontado por verdades duras e avaliações honestas sobre suas ações e decisões. Um pai e fundador costuma ter dificuldade em fornecer esse feedback – seja por não querer desagradar um filho, para não prejudicar o relacionamento familiar, seja até mesmo por medo de vê-lo desistir ao ser confrontado com a pressão, colocando em risco a sonhada continuidade do negócio.

Pelo lado do sucessor, o impasse pode se estabelecer de outra maneira. Em casos de pais centralizadores e rígidos demais, esse filho pode se retrair e, com medo extremo de errar, permanecer estagnado, sem coragem para arriscar e aprender durante a trajetória.

Essa relação é tão delicada que um dos processos de aprendizagem mais ancestrais da humanidade impunha limites a ela. As guildas, associações de profissionais que regulavam uma série de atividades qualificadas durante a Idade Média na Europa, fixavam prazos mínimos de experiência que um aprendiz teria que cumprir antes de ser considerado apto a desempenhar a função. Assim, para se tornar um carpinteiro, padeiro ou até comerciante acreditado pela guilda correspondente, esse jovem passava anos ao lado de um "mestre", que direcionava o aprendizado do pupilo enquanto os dois trabalhavam juntos. Muitas dessas guildas proibiam que seus aprendizes cumprissem esse período experimental sob a orientação dos próprios pais.

Há uma série de ameaças ao bom andamento da sucessão quando a função do mentor fica apenas a cargo do pai. Já vi casos em que o fundador prefere até mesmo se autoenganar em relação à capacidade do filho. Para não se decepcionar, esse pai prefere nem testar os limites do herdeiro, acreditando que quando o momento de passar o bastão chegar ele estará preparado, como que por milagre.

Na outra ponta, existem filhos que optam por simplesmente obedecer, baixando a cabeça para tudo que o fundador diz às vezes por medo, às vezes por amor, ao se sentirem incapazes de contrariar a voz do seu herói de infância. De qualquer maneira, o resultado final não é o desejado. No processo de mentorização, não se trata de encher o vaso, mas de prender fogo à lenha, como ilustra a frase de Plutarco no início do capítulo.

Papel de executivos não familiares

Dito tudo isso, não pretendemos de maneira nenhuma diminuir a importância da relação entre pais e filhos (fundadores e sucessores) durante o período formador ou na fase de integração ao negócio familiar. Acreditamos, porém, ser indispensável a entrada em cena de executivos experientes, que não tenham relação de sangue com o líder em preparação, para desempenhar a função de mentor.

A ausência de laços familiares não só colabora para que os envolvidos usufruam dos benefícios da experiência de forma mais efetiva, mas afasta um problema adicional. O mentor usualmente cumpre um papel de transição na vida do pupilo, em que oferece a ele as condições para ampliar a confiança em si mesmo e desenvolver suas potencialidades até estar preparado para ingressar no "mundo dos sênior" como adulto formado. Se essa função é desempenhada por um parente surge um complicador, pois naturalmente se espera que a ligação entre pai e filho tenha caráter permanente, sem risco de desviar para o transitório.

Também é importante notar as grandes diferenças entre educar um filho e o processo de ser mentor de alguém. Relações de paternidade ou maternidade envolvem desde o início uma enorme carga emocional, enquanto a mentorização deve ser muito mais instrumental, concentrada no objetivo de desenvolver um conjunto de habilidades e expertises no pupilo. Para que isso aconteça, é preciso que os dois lados envolvidos tenham respeito pela competência um do outro, mas mantenham certa distância psicológica.

O relacionamento deve ser de interdependência. O mentor não pode entregar tudo mastigado ao pupilo, este precisa participar ativamente no desenvolvimento do próprio processo de aprendizagem. A função do orientador é, em última instância, criar as condições para que o orientado possa aprender, mas no fim é ele que precisa tomar as decisões e arcar com as suas consequências.

Qualquer processo de mentorização precisa ser adaptado ao indivíduo e não pode ser visto como um simples treinamento. Mais do que apenas ensinar habilidades técnicas, o mentor tem que buscar ampliar a forma como o sucessor pensa para estimular nele a maturidade gerencial e uma visão para o negócio que é indispensável àqueles que por fim terão de liderar a empresa. É também o teste final de todo o processo de sucessão, conferindo aos aprovados o direito último de assumir o comando.

Estabelecer a conexão entre profissionais experientes e o novo herdeiro, porém, não é tarefa simples e exige cuidado para ser executada. Executivos em posição de destaque costumam ter um vínculo especial com os proprietários das empresas onde trabalham, usualmente construído durante anos de confiança mútua e trabalho conjunto. A chegada de um membro da nova geração da família ao dia a dia do negócio, no mínimo, adiciona um fator novo ao ambiente e pode ser encarada como uma ameaça a esse vínculo.

Ainda que não possuam participações acionárias significativas, esses profissionais acabam por se sentir um pouco "donos" do negócio ao qual se dedicaram durante tanto tempo. Para alguns, a integração do sucessor à empresa funciona como um lembrete, criando a percepção (real ou imaginária) de que, no longo prazo, os membros da família receberão tratamento especial no que diz respeito à definição de quem será elegível para os cargos mais elevados da companhia.

É verdade que, em alguns casos, a chegada do sucessor pode ser vista por esses gestores-sênior como um sinal positivo e estabilizador, capaz de assegurar a continuidade e a sustentabilidade do negócio familiar, o que inclui o emprego deles próprios. Em outras situações que presenciei, a entrada do filho do fundador provoca uma debandada imediata de executivos.

Processos de sucessão eficientes podem selecionar um único profissional experiente para funcionar como mentor do recém-chegado, mas também é possível formar um grupo de pessoas para se encarregar da tarefa. O mais importante, porém, é que o fundador adote uma posição transparente e objetiva em relação a esses executivos, deixando claro o que se espera deles.

O mentor selecionado deve entender que a formação do integrante mais jovem da família proprietária é parte importante de suas responsabilidades, que o futuro do negócio em si depende dele e de quão eficiente essa preparação for. O ideal é que esses profissionais destacados para a orientação sejam avaliados – e até remunerados – de acordo com a sua performance no cumprimento desse objetivo.

Por outro lado, o fundador precisa criar um clima positivo ao redor da relação mentor-pupilo, de forma que o executivo se sinta à vontade para dizer a verdade aos jovens, ainda que se trate de verdades desagradáveis. Tudo o que é preciso para pôr o processo a perder é um pai começar a criticar o orientador quando ele faz uma avaliação honesta sobre o filho.

Convencer o mentor

Formar os próprios sucessores é parte das atividades de qualquer gestor em posição de destaque nas empresas, portanto o pedido de um fundador para que um executivo experiente assuma o papel de orientador do seu filho não tem por que ser encarado como algo além do natural.

Governança em família: da fundação à sucessão   135

A maior parte dessas pessoas tende a receber a incumbência de forma positiva. Um mentor não é escolhido apenas por suas habilidades técnicas e experiência, mas também por contar com a confiança do fundador. Assim, eles costumam enxergar a tarefa como uma honra, um indicativo de que ocupam um lugar de destaque no imaginário do patrão e até como sinal de que estão seguros na função que desempenham.

Porém, se o senso de responsabilidade não for suficiente, sempre é possível adicionar uma boa dose de sinceridade à situação. O exemplo a seguir se passou com um fundador de uma empresa familiar que me contou seu método para "convencer" seus executivos mais experientes a colaborar no processo de mentorização do filho e futuro sucessor.

Ele reuniu os cinco ocupantes das posições máximas da companhia em uma sala e foi direto ao ponto: "Tenho um problema para vocês. Se eu não for capaz de preparar o meu filho de forma que ele esteja pronto para assumir a empresa, a continuidade do meu negócio é incerta. Se eu não tiver sucessão, provavelmente vou vender a companhia – e vocês sabem o que costuma acontecer com funcionários antigos de empresas que são vendidas, não?".

Enquanto observava os cinco senhores buscarem uma posição mais confortável nas cadeiras, o fundador continuou: "Mas eu também tenho um problema para mim mesmo. Se eu não for capaz de conquistar a colaboração de vocês para me ajudar a prepará-lo, tenho boas chances de perder meus executivos mais competentes. Então, o que devemos fazer?".

O tratamento de choque parece ter funcionado, porque o filho dele seguiu na trilha da sucessão e nenhum dos cinco executivos deixou a empresa.

Esse exemplo serve também para mostrar que é preciso estabelecer regras claras desde o início do processo tanto para o mentor como para o pupilo. É nessa trajetória que o sucessor vai adquirir habilidades gerenciais em áreas como planejamento estratégico, marketing, elaboração de orçamentos consistentes, além de aprender a lidar com uma variedade de pessoas em diferentes papéis.

Como já destacamos anteriormente, algum grau de liberdade de escolha deve ser observado também nesse momento. Assim como não é indicado empurrar a missão de preparar o sucessor aos executivos-sênior como algo obrigatório, impor um determinado mentor ao pupilo tampouco funciona. O ideal é que, sempre que possível, seja oferecida a esse jovem a possibilidade de escolher entre uma lista prévia de nomes, para que ele possa optar por alguém com quem tenha mais afinidade.

É nesse momento da definição do mentor que entra mais um fator de risco a ser observado com atenção: a diferença de idade entre orientador e orientado. Se por um lado o ancestral conflito de gerações pode atrapalhar bastante o entendimento entre as partes, a definição de um mentor com idade muito próxima à do pupilo é um complicador, porque a relação entre eles pode se tornar de competição.

É comum que os sucessores ingressem nessa etapa do processo por volta dos 30 anos, enquanto os executivos em posições mais avançadas da companhia com quem terão de interagir estejam entre os 60 e 70 anos. Nessa situação, o mais adequado é que o mentor designado funcione como uma ponte entre as gerações, devendo estar na casa dos 50 anos portanto. Nessa altura da vida esse profissional não familiar normalmente está no auge da carreira e em contato com o que há de melhor em termos de gestão e tecnologia, ainda carregados do entusiasmo e ânimo que os capacita a desempenhar a função de preparação e estabelecer uma relação de "irmão mais velho" com o pupilo. Ao mesmo tempo, nessa faixa etária o executivo normalmente está seguro o suficiente na sua posição a ponto de conseguir se relacionar com o herdeiro sem encará-lo como um concorrente imediato.

A seguir vamos abordar um pouco o tema das gerações à luz de conceitos formatados por uma profissional por quem tenho grande admiração, a psicóloga Luiza Ghisi. Incluímos esse assunto no livro, de forma resumida, por entender que as faixas etárias dos envolvidos têm impacto direto em qualquer relação entre pessoas. Logo, é no mínimo útil conhecer um pouco do assunto.

Retrato das gerações

Os primeiros estudos sobre gerações foram desenvolvidos nos Estados Unidos, ainda no século passado, com uma série de pesquisas que tinham o objetivo de buscar padrões de comportamento entre pessoas que pertenciam à mesma faixa de idade. Depois de anos de trabalho, atualmente há cinco grandes grupos definidos, levando em conta o período em que nasceram. São eles: Veteranos (nascidos entre 1922 e 1945), Baby Boomers (de 1946 e 1964), Geração X (de 1965 a 1979), Geração Y ou Millenial (de 1980 a 2000) e Geração Z (de 2000 em diante).

Essa classificação não deve ser encarada de forma rígida, ou seja, ela vale para a maioria, mas não significa que uma pessoa nascida nos anos da Geração X não possa ter características e atitudes da Geração Y, por exemplo. Isso é comum, em especial entre os que nascem nos anos de transição entre duas gerações.

Vamos nos ater aqui aos quatro últimos grupos, porque os chamados Veteranos respondem por números cada vez menores nas organizações.

Baby Boomers

Nascidos entre 1946 e 1964, os Baby Boomers são resultado da onda de otimismo que tomou conta do mundo logo após a Segunda Guerra Mundial. Para comemorar o simples fato de terem sobrevivido e as possibilidades que se abriam com o fim do conflito, os Veteranos começaram a ter filhos, o que deu origem à expressão em inglês "Baby Boom" (algo como explosão de bebês, em uma tradução livre).

Esses pais tinham vivas na memória as dificuldades dos tempos da guerra e fizeram de tudo para criar filhos preparados para se virar em qualquer crise, agindo de forma severa e controlada especialmente no aspecto econômico. A ordem era não desperdiçar nada e o consumismo não era bem-visto por eles.

Esses filhos se tornaram adolescentes nas décadas de 1960 e 1970 e viram de perto as mudanças culturais e sociais da época, em um rompimento brusco com a mentalidade da geração anterior. Eram jovens que viveram o início da revolução sexual e o avanço do feminismo, além de presenciar o surgimento de movimentos em defesa de minorias, como os homossexuais.

No Brasil, a época ficou marcada pelo Golpe Militar e pela censura aos meios de comunicação. Era um período em que nem todas as famílias possuíam televisão em casa – quando estavam presentes, os aparelhos transmitiam imagens em preto e branco e não tinham controle remoto. O telefone era caro e para poucos, e as máquinas fotográficas tinham filme que precisava ser revelado. Para ouvir música, a tecnologia da vez era o vinil, e os computadores eram uma realidade distante, só à disposição das grandes empresas norte-americanas, os quais ocupavam salas inteiras e pesavam toneladas. A grande conquista tecnológica vista por essa geração foi a chegada do homem à Lua.

Nem todos os Baby Boomers brasileiros se tornaram rebeldes no entanto. Por aqui, muitas famílias dessa geração seguiram o modelo dos pais, com o marido trabalhando fora e a mãe ficando em casa para cuidar dos filhos.

A grande marca dos Baby Boomers como profissionais é o comprometimento e a dedicação ao trabalho. Nesse perfil, também são fortes incentivadores de seus filhos, estimulando-os a perseguir o sucesso na profissão.

As principais características dessa geração podem ser descritas como:

- Valorização do núcleo familiar;
- Busca pela segurança financeira a longo prazo;
- Procura pela estabilidade no emprego (fiel à empresa em que trabalha);

Governança em família: da fundação à sucessão   139

- Educação conservadora dos filhos;
- Não se deixa influenciar facilmente por outras pessoas;
- Autoconfiança;
- Firmeza e maturidade nas decisões;
- Prefere qualidade à quantidade.

Geração X

Em geral, os membros da Geração X são filhos dos Baby Boomers, nascidos entre 1965 e 1979. Como regra, enquanto cresciam, viram os pais trabalhar durante anos na mesma empresa, no esforço de construir patrimônio com paciência e esforço. As meninas acompanharam a dedicação das suas mães ao lar – e logo se questionaram se era isso mesmo que queriam para o próprio futuro.

Em geral, a Geração X foi criada por pais conservadores e cheios de regras para guiar suas trajetórias. Os Baby Boomers os incentivaram a estudar com afinco, porque só assim conseguiriam ter uma profissão e alcançar independência financeira.

Os jovens da Geração X ouviam música de maneira não tão diferente dos seus pais, embora de forma um pouco mais pessoal e compacta – a fita K7 e o CD se disseminavam e agora eles podiam carregar suas músicas para onde quisessem, primeiro com o Walkman e depois através dos CD Players compactos. A grande inovação da época eram os videoclipes, que atingiam níveis de superproduções, como os de Madonna ou Michael Jackson.

O telefone ainda era fixo e o videogame disponível era o bidimensional Atari. Surgiam os primeiros computadores pessoais, os caríssimos IBM ou Macintosh – pelo menos para os brasileiros. A internet começava a se incorporar à realidade do dia a dia, ainda via conexão telefônica discada.

Esses jovens cresceram envoltos em preocupações que adicionariam peso à forma como enxergavam o mundo. A descoberta da AIDS impôs limites à revolução sexual. Temia-se uma catástrofe a qualquer momento com o envolvimento de Estados Unidos e União Soviética em uma possível terceira e definitiva guerra mundial, que poria fim à vida no planeta em uma hecatombe nuclear. A poluição e o desmatamento da Amazônia eram temas corriqueiros e o Brasil viveu em uma sequência acelerada os protestos das Diretas Já, a volta da democracia e o impeachment do presidente Collor.

Como resultado disso tudo, os adultos da Geração X não queriam dar aos filhos a mesma educação rígida que receberam dos pais Baby Boomers, mas ainda esperavam que eles avisassem quando iriam chegar tarde em casa e exigiam boas notas na escola. O que esses pais mais desejavam, porém, era se tornar amigos dos próprios filhos.

A Geração X viu uma mudança marcante de comportamento entre as mulheres, agora também motivadas pela realização profissional e independência financeira. Muitas delas queriam seguir carreira e acabaram deixando para ter filhos mais tarde.

Em resumo, a Geração X deseja equilibrar trabalho, vida pessoal e família. Eles gostam de dizer que "trabalham para viver" e não que "vivem para trabalhar", como seus pais. Assim, esses profissionais não se prendem tanto a uma só empresa e têm mais espírito empreendedor, sem medo de abrir o próprio negócio.

Os traços mais marcantes dessa geração são:

- Trabalham com mais liberdade;
- Têm flexibilidade e criatividade;
- Rompem com as gerações anteriores;
- São pais e mães mais próximos dos filhos;
- Valorizam mais os indivíduos do sexo oposto;
- Buscam a individualidade sem perder a convivência em grupo;
- Planejam e controlam o que fazem;
- Buscam equilíbrio entre a vida pessoal e o trabalho.

Geração Y

Também conhecida como Millenial e até "mimada", a Geração Y reúne os nascidos entre 1980 e 2000. Sejam filhos de Baby Boomers ou da Geração X, muitos cresceram com o pai e a mãe trabalhando fora ao mesmo tempo. Também é bastante frequente que os Y sejam fruto de novas configurações familiares – convivendo com pais separados, tiveram madrastas, padrastos e meios-irmãos adicionados ao seu círculo.

Nesse contexto, é comum que tenham sido criados com mais flexibilidade e com menos limites, porque seus pais não queriam de forma alguma serem vistos como repressores, o que por vezes levou a um certo exagero na realização dos desejos das suas crianças.

Essa geração tem uma proximidade muito maior com a tecnologia. Telefones celulares, a internet e as redes sociais revolucionaram de tal forma as comunicações do seu tempo que eles podem ser considerados "nativos digitais". Os Y têm uma necessidade de estar sempre conectados em uma relação de dependência tecnológica que ainda não tinha sido vista até então.

Criados no ambiente digital, não têm dificuldade de enxergar todo o potencial da rede mundial de computadores e alguns deles se tornaram milionários aos 20 e poucos anos. Enriquecer ainda jovem, aliás, pode ser definido como um sonho comum dessa geração.

Muitos conviveram desde pequenos com videogames de última geração, o que desenvolveu neles habilidades motoras e rapidez de raciocínio. Ao mesmo tempo, isso os acostumou a um modelo de ação pautado por tentativa e erro, baseado na confiança de quem tem muitas vidas para jogar e a garantia de receber um bônus cada vez que avançam de fase, como nos jogos eletrônicos. Como consequência, ao se tornarem adultos estes não temem mudar de emprego várias vezes durante a trajetória profissional.

Os Y começam a chegar em volumes cada vez maiores ao mercado de trabalho, carregados de ambição e ansiedade. Fruto do meio em que cresceram, querem avançar rápido e esperam gratificações instantâneas.

Essa expectativa, porém, acaba por se revelar pouco realista, causando frustrações. Além disso, os profissionais dessa geração apresentam alguma dificuldade em receber críticas.

O trabalho formal e com horários rígidos não atrai o típico representante da Geração Y, que quer liberdade para aproveitar a vida agora e não depois da aposentadoria. São consumistas, mas também mostram consciência social, especialmente em relação ao meio ambiente.

As principais características dessa geração se resumem assim:

- Criativos;
- Inovadores;
- Ousados;
- Impulsivos, impacientes e ansiosos;
- Avessos a críticas;
- Multitarefas;
- Informais;
- Conectados;
- Tolerantes (menos preconceituosos);
- Colaborativos.

Geração Z

Se os Y cresceram cercados pela tecnologia, os membros da Geração Z já vieram ao mundo mergulhados nela, reunindo os nascidos depois do ano 2000. Foram crianças que tiveram contato com o universo digital antes mesmo de serem alfabetizadas.

Eles se sentem absolutamente à vontade com as telas que respondem ao toque e não querem mais apenas se conectar, velocidade de acesso e mobilidade são essenciais aos jovens Z, que trocam de celulares ou tablets com a frequência que podem, sempre em busca do produto mais avançado e rápido.

Essa geração já começa a chegar ao mercado de trabalho e com certeza trará inovações que ainda não podemos nem sequer imaginar.

Relações de trabalho

Agora que apresentamos um apanhado das gerações, vejamos a seguir o resumo de como os três extratos mais representativos nas empresas se relacionam com o trabalho, que é o tema que mais nos interessa aqui:

Geração Baby Boomer

- O trabalho é sua vida;
- Valoriza a fidelidade corporativa;
- É tradicional, preza a hierarquia e a formalidade;
- Gosta de exercer autoridade, de criar e seguir regras;
- Acredita que tempo de casa e bom desempenho são sinais de competência;
- Foca na construção da carreira e na aposentadoria;
- Separa questões pessoais das profissionais;
- Prefere menos quantidade e mais profundidade;
- Gosta da conversa presencial com as pessoas.

Geração X

- O trabalho é uma forma de conquistar a independência financeira futura;
- Tem comprometimento com a empresa, mas também prioriza o aprendizado e a qualidade de vida;
- Segue regras claras e processos estabelecidos, mas é autoconfiante e age por conta própria quando necessário;
- Planeja e só arrisca de maneira calculada;

- Tem estilo gerencial mais empreendedor;
- Valoriza experiências profissionais e de vida;
- Utiliza meios eletrônicos para comunicação, mas também gosta de conversar pessoalmente ou por telefone.

Geração Y

- O trabalho é uma parte da sua vida;
- É aberta a novos desafios;
- Valoriza experiências diversificadas para ser mais qualificado e competente;
- Gosta de expor novas ideias e espera um feedback sobre elas;
- Aprecia participar dos processos e tem facilidade para trabalhar em equipe;
- Tem muita energia para inovação e facilidade nos meios digitais;
- Preza a informalidade e não valoriza a hierarquia;
- Integra assuntos pessoais com profissionais;
- Prefere a comunicação pelos meios eletrônicos.

O mediador

Nosso objetivo ao expor esses conceitos sobre as gerações é ajudar a tornar um pouco mais clara a importância de escolher um mentor na faixa etária adequada nessa etapa do processo de sucessão, capaz de fazer a ponte entre o pupilo e os extratos mais elevados da empresa, o que por vezes inclui até mesmo o próprio fundador.

Também através de Luiza Ghisi entrei em contato com uma teoria que explica o quanto é benéfico ter um mediador para equilibrar as relações entre gerações de profissionais com formações, maneiras de pensar e agir tão diferentes, como os Baby Boomers e os Y, especialmente agora que um número crescente de integrantes desse último grupo se apresenta aos ambientes corporativos.

A presença do mediador vale tanto para os processos de mentorização como para os casos em que um executivo profissional e não familiar precisa balancear as relações entre a equipe de gestores e os acionistas do negócio, como veremos detalhadamente mais adiante.

Esse mediador é definido por Luiza, de forma singela, como o "X Competente". Em poucas palavras, é o elemento que, além de contar com a indispensável formação profissional, é capaz de comparecer às reuniões presenciais ou falar com a frequência esperada ao telefone com o Baby Boomer e também se mostrar disponível para se comunicar através dos aplicativos de texto atuais com o Y. Esse "X Competente" consegue conviver com o desejo de preservar a autoridade e seguir regras estabelecidas tão relevantes para a geração anterior ao mesmo tempo que trabalha eficientemente em equipe e se integra ao ambiente informal que agrada à geração posterior.

Medir a evolução

Dito tudo isso a respeito das gerações, voltemos ao processo de mentorização em si. Como dissemos antes, é preciso que haja um acompanhamento da performance e o contato com tarefas reais para que o pupilo fique responsável por decisões concretas, em que suas ações estejam sujeitas a riscos e possíveis falhas.

Em empresas familiares, por vezes é difícil encaixar o sucessor inexperiente em posições "de verdade", até porque elas costumam estar ocupadas por executivos-sênior com anos de serviços prestados. Uma alternativa é fazer uso dos chamados projetos especiais, nos moldes do que vimos acontecer no exemplo da empresa de alarmes que descrevemos no Capítulo 6. Uma das grandes vantagens de delegar tarefas reais é o fato de poder utilizar indicadores palpáveis como parâmetros de desempenho, margens de lucro, índices de produtividade, metas de vendas e custos ou níveis de estoque, por exemplo.

Como vimos no capítulo anterior, é primordial pensar e conceber a formação do sucessor com base na conjuntura de competição e realidade econômica com que o negócio vai se defrontar no futuro. Assim sendo, o processo de orientação do pupilo também deve ser desenvolvido sob essa lógica. O desafio não é pequeno: estabelecer as condições para desenvolver habilidades que serão úteis no amanhã fazendo uso das circunstâncias disponíveis hoje.

No fim, por mais que o caminho trilhado pelo candidato a sucessor tenha sido longo e a dedicação adequada, é preciso deixar sempre aberta a possibilidade de que ele não reúna as qualidades para se tornar o líder da organização. Embora a sucessão seja a solução perseguida (e a mais desejada), veremos um pouco mais à frente que há outras opções tão ou mais eficientes para assegurar o mais importante de tudo: a continuidade do negócio familiar.

8

GOVERNANÇA, BASE E APOIO PARA A SUCESSÃO

Um homem perfeitamente saudável pode contrair muitas doenças se ele começar a sofrer de diabetes. Má governança é pior do que diabetes.
Narendra Modi, primeiro-ministro indiano

Até aqui fizemos uma análise do caminho para a sucessão com o propósito de indicar a rota mais segura e menos acidentada possível a fim de assegurar a continuidade do empreendimento familiar. Não temos a menor pretensão de dizer que conhecemos a receita mágica para fazer o sucessor. Ainda assim, anos de experiência vividos dentro da empresa da minha família e em outras tantas companhias familiares em que convivi me permitem enxergar a direção a seguir. Além dos cuidados de que já tratamos para formar, educar, preparar e conectar o futuro líder ao negócio dos fundadores, existe um modelo de regras e procedimentos que podem ajudar em muito no processo, resumido em duas palavras: governança corporativa.

Muitos empresários ainda se sentem intimidados pelo tema, tomado por algo distante e até inacessível, mais próximo da realidade das grandes companhias com ações listadas em bolsas de valores do que do dia a dia de um negócio familiar. É um engano comum e até certo ponto justificável, porque o histórico da governança corporativa no Brasil é bastante recente, já que os primeiros passos foram dados há menos de vinte anos, no fim da década de 1990. Ainda assim, é um erro que precisa ser reparado. Os procedimentos, atitudes e estruturas estabelecidos através de suas boas práticas têm a capacidade de fortalecer qualquer organização, mesmo as de pequeno porte, além de estabelecer uma base sólida que serve de apoio para o processo de sucessão.

A governança é mais do que um conjunto de normas e princípios. Seus efeitos práticos e positivos sobre o desempenho das empresas é consenso entre analistas financeiros e economistas, que atribuem maior valor de mercado às companhias que a implementaram. Como exemplo, cito um estudo publicado pelo site de investimentos Infomoney. Ao fazer um levantamento da evolução da Bolsa de Valores de São Paulo, a pesquisa em questão descobriu um grupo de ações que em um período de dez anos (entre os meses de agosto de 2003 e 2013) tinham rendido entre dez e trinta vezes mais do que o Ibovespa, o índice que serve de referência para o mercado acionário brasileiro. Eram papéis de negócios completamente distintos entre si, de distribuidoras de medicamentos a hotéis, passando por companhias de energia e fabricantes de máquinas, roupas e até sapatos. Todas essas empresas, porém, tinham uma característica em comum: eram boas praticantes da governança corporativa.

Do escândalo à regulação

O tema só chegou ao Brasil no fim dos anos 1990, mas o conceito de governança já vinha sendo discutido nos Estados Unidos desde a década anterior, motivado pelos dois fatores que continuaram a alimentar as conversas pelas décadas seguintes: escândalos e crises.

Um dos maiores motivadores da busca por regras que pudessem evitar esses percalços do capitalismo se deu em 1984, conhecido como o caso Texaco. Naquela época havia um acionista minoritário na empresa petrolífera que alguns diretores da companhia viam como um incômodo por fazer uma série de questionamentos que colocavam em risco as posições executivas deles. Os dirigentes queriam evitar que esse acionista aumentasse sua participação na companhia e para isso resolveram lançar uma operação de recompra das ações da Texaco por um valor superior ao praticado no mercado, inflando artificialmente os preços. O plano conseguiu cumprir o objetivo de barrar as compras do minoritário, mas teve como consequência adicional um prejuízo de quase 130 milhões de dólares ao caixa da empresa, tudo dentro do que até então permitiam as leis norte-americanas.

A recompra inflada dos papéis da Texaco realizada pelos diretores, porém, teve outro efeito colateral. Um dos maiores fundos de pensão norte-americanos também era acionista da gigante petrolífera e se irritou bastante com as perdas causadas pela operação. Dali em diante, o California Public Employees Retirement System (CalPERS) decidiu que não aceitaria comportamento semelhante de nenhuma empresa em que tivesse participação, o que deflagrou uma onda de atitudes semelhantes por todo o mercado acionário dos Estados Unidos.

O segundo escândalo a alimentar o movimento por regras claras e boas práticas veio no começo dos anos 2000, quando uma companhia de energia com sede no Texas, com valor de mercado superior a cem bilhões de dólares, decretou a maior falência do país até aquele momento. Aproveitando-se de brechas contábeis e financeiras, a Enron escondeu durante anos um volume bilionário de dívidas, resultado de projetos malsucedidos. Quando a situação veio a público, as ações da empresa despencaram de noventa dólares para menos de um dólar no período de um ano e meio, até que a companhia decretou a própria falência em dezembro de 2001.

O agravante do caso é que a Enron pressionava seus auditores externos a ignorar as fraudes. Como consequência do escândalo, no ano seguinte a Arthur Andersen, então uma das cinco maiores consultorias do ramo no mundo e que auditava a companhia, voluntariamente devolveu às autoridades americanas suas licenças para prestar serviços de consultoria contábil depois de ser considerada culpada na questão.

No rescaldo do episódio Enron, em 2002 foi criada nos Estados Unidos a Lei Sarbanes-Oxley, a maior reforma no mercado de capitais americano desde a quebra da Bolsa de Nova York em 1929. Dividida em onze capítulos, a nova lei obrigava as empresas que tinham ações negociadas em bolsa a aumentar os controles e a transparência na forma como conduziam os seus negócios, da administração financeira às escriturações contábeis, incluindo até a forma como divulgavam informações ao público. Muitas dessas práticas já eram seguidas por um bom número de empresas pelo mundo, mas a lei agora as tornava obrigatórias.

Alguns anos depois, infelizmente, nós veríamos que a regulação do mercado financeiro é matéria inesgotável e obra para sempre inacabada. O terremoto com epicentro em Nova York lançou suas primeiras ondas sísmicas em março de 2008, depois do colapso do banco de investimentos Bearn Stearns, e logo decretaria um novo recorde na lista das maiores falências da história americana (com o banco Lehman Brothers, em outubro), arrastando também para o buraco gigantes financeiros do porte de Merrill Lynch, Citigroup e AIG.

Hoje sabemos que o que provocou a maior depressão econômica mundial desde os anos 1930 foi a combinação de uma bolha imobiliária nos Estados Unidos com uma enxurrada de empréstimos feitos sem levar em conta as devidas garantias, além da irresponsabilidade dos bancos – e das agências de risco – em relação aos derivativos negociados com base nesses títulos de dívida hipotecária.

Mas onde entra a falha de governança nisso? Entra na relação próxima e imprópria que havia entre os bancos e as agências de risco. Ávidas por se tornarem as "donas das contas" das grandes instituições financeiras, elas classificavam fundos e aplicações como se fossem de baixo risco, quando na verdade estavam carregados de ativos "tóxicos" que acabaram por levar à lona não só os investidores que inadvertidamente colocaram dinheiro neles, mas os próprios bancos.

Definições e princípios

O assunto pode continuar parecendo distante e ligado demais ao universo da bolsa de valores e do mercado financeiro, justamente porque foi nesse ambiente que a governança surgiu. Suas definições e princípios, porém, são tão sensatas quanto aplicáveis a qualquer negócio.

A principal autoridade no tema no Brasil, o Instituto Brasileiro de Governança Corporativa (IBGC), define a governança como: "O sistema pelo qual as empresas e demais organizações são dirigidas, monitoradas e incentivadas, envolvendo os relacionamentos entre sócios, conselhos de administração, diretoria, órgãos de fiscalização e controle e demais partes interessadas".

O conceito se apoia em quatro pilares que funcionam como seus princípios básicos, suportando tudo o que se deposita sobre eles: transparência, equidade, prestação de contas e responsabilidade corporativa. Suas definições, simples e no ponto, fazem parte da 5ª edição do Código das Melhores Práticas de Governança Corporativa, a versão mais atualizada publicada pelo IBGC. Vamos a elas, então.

Transparência "consiste no desejo de disponibilizar para as partes interessadas as informações que sejam de seu interesse e não apenas aquelas impostas por disposições de leis ou regulamentos. Não deve se restringir ao desempenho econômico-financeiro, contemplando também os demais fatores (inclusive intangíveis) que norteiam a ação gerencial e que conduzem à preservação e à otimização do valor da organização".

A **equidade** se caracteriza "pelo tratamento justo e isonômico de todos os sócios e demais partes interessadas (*stakeholders*), levando em consideração seus direitos, deveres, necessidades, interesses e expectativas".

Sobre a **prestação de contas**, a cartilha recomenda que os agentes de governança devem dar satisfações "de sua atuação de modo claro, conciso, compreensível e tempestivo, assumindo integralmente as consequências de seus atos e omissões e atuando com diligência e responsabilidade no âmbito dos seus papéis".

Por fim, a respeito da **responsabilidade corporativa**, o IBGC ensina que os agentes "devem zelar pela viabilidade econômico-financeira das organizações, reduzir as externalidades negativas de seus negócios e suas operações e aumentar as positivas, levando em consideração, no seu modelo de negócios, os diversos capitais (financeiro, manufaturado, intelectual, humano, social, ambiental, reputacional etc.) no curto, médio e longo prazos".

Muito teórico? Logo vamos voltar aos exemplos práticos para tornar tudo mais claro, mas essas definições são importantes, porque servem de apoio para o que vem depois.

Como nosso ponto central de interesse está nas empresas familiares, vamos aproximar o foco e descomplicar um pouco a discussão para adaptá-la à realidade que nos interessa. Nos negócios de família, em última análise, a estrutura de governança serve para proteger os interesses dos acionistas e o legado da empresa no longo prazo, de forma a promover o seu crescimento e garantir a sua continuidade, preservando os interesses das partes diretamente dependentes dela (funcionários, clientes, comunidade etc.) e também a harmonia e o bem-estar da família proprietária.

Isso dito, vejamos quais são as estruturas de governança que podem ajudar neste objetivo. Para facilitar o entendimento e nos mantermos mais próximos do âmbito das empresas familiares, vamos fazer uso de um modelo simplificado para observar como o sistema funciona na prática, aplicado à cadeia de comando de um negócio. Para isso, deixamos de lado as estruturas mais complexas, que podem ser introduzidas conforme a empresa avance na governança, como o conselho fiscal, a secretaria de governança e a interação entre comitês dentro do conselho de administração. O diagrama simplificado fica concebido assim:

Fonte: O autor.

Como podemos ver, o modelo tem a forma de duas pirâmides invertidas, com o CEO ou presidente posicionado bem no meio delas. A superior agrupa os sócios (os donos do negócio), além do conselho de administração, enquanto a de baixo abrange os administradores do empreendimento e demais funcionários da organização.

Nesta seção vamos tratar especialmente da pirâmide superior. A função desempenhada pelo indivíduo que ocupa o centro do desenho, porém, é tão importante que reservamos um capítulo apenas para tratar dela.

Ainda que simplificado, o modelo é válido para empresas de qualquer tamanho. Excluído o conselho de administração, até uma pequena padaria pode ser enquadrada nele. Certamente ela tem seus sócios (ou pelo menos um proprietário), um administrador (normalmente o próprio dono) e um ou mais funcionários que podem ser qualificados como parte da equipe de gestão (nem que seja um supervisor ou gerente encarregado de acompanhar as etapas de produção). E diria mais: não há razão para que até uma padaria não tenha um pequeno conselho de administração, com funções consultivas, para ajudar o dono a planejar e pensar seu negócio.

Em empresas familiares não é incomum que uma pessoa esteja presente em mais de uma posição do diagrama. Um sócio pode ocupar uma cadeira de diretoria, por exemplo. A questão é que para o bom funcionamento do negócio – e da governança – é essencial que cada parte respeite os limites e atribuições das outras. O caminho para alcançar esse equilíbrio é educar os membros da família desde cedo sobre o tema.

Contei um pouco da convivência que tive com o meu avô. É provável que ele nunca tenha escutado a palavra governança – e com certeza nunca se deparou com o diagrama que vimos acima, desenvolvido anos depois de ele já ter morrido. Ainda assim, olhando para trás vejo que ele fazia uso dos quatro princípios básicos e sabia respeitar os limites das esferas de atuação do sistema.

O velho Bruno gostava de estar sempre presente no chão de fábrica para ver de perto como os funcionários de cada setor estavam trabalhando. Ele tinha o costume de dar várias voltas pela Zenit ao longo do dia e às vezes me chamava para acompanhá-lo. Meu avô tinha amplo conhecimento do que cada operário fazia, porque durante anos ele tinha consertado, revisado e até montado elevadores, primeiro na Itália e depois no Brasil. Algumas vezes meu avô via um ou outro trabalhador fazendo alguma coisa de forma imprópria, mas nunca vi ele interferir diretamente. O que fazia era procurar o supervisor responsável pelo setor e chamá-lo à sua sala, para só ali apontar ao encarregado o que estava errado e precisava ser emendado.

Na minha ansiedade adolescente, pensava que aquilo era uma grande perda de tempo. Se meu avô sabia o que o operário estava fazendo de errado e podia até mesmo corrigi-lo no ato, por que perder tempo para chamar o supervisor e levá-lo até a sala da diretoria? Um dia resolvi perguntar isso a ele, crente que iria surpreendê-lo com a minha perspicácia. Mas, enquanto explicava meu ponto, o velho Bruno balançava a cabeça negativamente, de um lado para o outro.

Quando terminei, ele me deu uma explicação bastante simples de por que agia daquela maneira: "Bruno, você acha que eu consigo estar em todos os lugares da fábrica, o tempo todo?".

Respondi que não, obviamente.

"Bom, é por isso que eu contrato os supervisores, para que eles façam o que eu não consigo fazer sozinho", ele continuou. "Agora, se eu começar a corrigir os operários lá no meio da fábrica, passando por cima da autoridade que eu mesmo dei a eles, o que você acha que vai acontecer?".

Eu não sabia o que responder e continuei escutando, calado.

"De duas, uma. O supervisor pode ficar com raiva de mim por eu ter interferido na autoridade dele na frente de todos os empregados e isso fará que ele se sinta desmotivado. Minha interferência também pode causar outra reação: os funcionários podem ficar com medo de mim. Desse jeito, a cada vez que eles me virem andando pela fábrica, vão se aprumar o máximo que puderem e eu não vou mais conseguir ver o que eles estão fazendo de errado para poder corrigir depois. De uma forma ou de outra, quem sai perdendo sou eu...".

Para terminar a explicação, meu avô me disse uma frase que considero a melhor definição do respeito que um acionista deve conservar em relação às esferas da governança.

"Bruno, a melhor forma de agir aqui é simples: nariz em tudo e mãos para trás."

Mesmo sem fazer ideia do que era governança corporativa, ele tinha perfeito entendimento dos limites de cada função no próprio negócio. Além de proprietário, ele era também o presidente da Zenit, mas isso não lhe dava autoridade para interferir em qualquer processo ou cobrar um funcionário em público. Havia uma escala de comando a ser respeitada até mesmo – e eu diria principalmente – por ele.

Não é difícil identificar os sintomas da falta de compreensão de que há limites a serem respeitados entre as esferas, principalmente nas empresas familiares, em que muitas vezes o patrimônio da família ainda se confunde com o negócio. O exemplo clássico é o do acionista interferindo excessivamente no dia a dia da equipe de gestão, mas há também casos em que os gestores trabalham sem a orientação adequada do conselho de administração, ou agem como se não tivessem de responder a ele – o que é bastante comum quando esses gestores são da família.

Outras vezes, questões que não fazem parte da alçada do conselho acabam sendo levadas recorrentemente às suas reuniões, do desejo em empregar um familiar no negócio às preocupações com comportamentos de membros da família na vida pessoal, quando na verdade esses assuntos não cabem ali. Na outra ponta, também é imprópria a presença de assuntos corporativos em encontros familiares, como o tradicional almoço de domingo. Isso pode causar desconforto aos integrantes da família que não têm ligação direta com o negócio, que se sentem deixados à margem.

Cada um na sua esfera

Para que as esferas da governança sejam respeitadas, antes de mais nada é preciso entender o que é esperado de cada um. Quais são as responsabilidades e direitos dos envolvidos no negócio? Comecemos pelos acionistas.

O que se espera de alguém que tem participação em uma empresa? Em resumo, a atenção do acionista deve estar na visão de longo prazo, nas estratégias que indicam o norte a seguir e principalmente na sustentabilidade do negócio. Há uma série de grandes questões que esse acionista pode – e deve – se fazer periodicamente. Selecionamos dez delas:

1. A empresa está tomando riscos excessivos, a ponto de colocar o capital dos acionistas em risco?
2. A companhia está crescendo suficientemente rápido, de forma a garantir que os acionistas obtenham um retorno sobre seu investimento superior ao que poderiam ter de outra forma?

3. As posições mais elevadas de gestão estão nas mãos das pessoas mais competentes?
4. O conselho de administração está fazendo um bom trabalho na supervisão da gestão e protegendo os interesses dos acionistas?
5. A política de dividendos deveria ser mais conservadora? Ou mais ousada?
6. Quais os planos dos gestores para tratar das necessidades de liquidez dos acionistas?
7. Que sacrifícios os acionistas serão convidados a fazer no próximo ano? E na próxima década?
8. A companhia será capaz de desenvolver um mercado interno para as ações dos sócios ou criar um fundo de recompra, no caso de um deles desejar se desfazer da sua participação?
9. A gestão considera alguma aquisição, fusão ou venda importante de ativos no futuro próximo?
10. Há algum plano de reestruturação acionária sendo planejado?

Para que esse acionista seja capaz de fazer as perguntas e principalmente saiba o que fazer com as respostas, ele precisa de formação. Se a governança é o maquinário, o conjunto de mecanismos que ajudam a manter o negócio familiar em movimento e assegurar sua continuidade, a educação dos acionistas para fazer uso e respeitar essa estrutura é o óleo sem o qual a máquina não pode funcionar.

Existe um instrumento bastante útil à disposição das empresas familiares para auxiliar nesse processo educativo: o conselho de família. Afinal, se os assuntos familiares não devem ser levados para dentro do negócio, a família precisa de uma esfera própria para lidar com suas tensões e aprender a administrá-las.

O conselho de família é o fórum adequado para tratar não só das questões dos sócios, mas também de pessoas que fazem parte do círculo familiar e não estão ligadas diretamente à companhia, como genros, noras, pais, mães e avós. Essa esfera existe justamente para evitar que assuntos relacionados ao bem-estar desses integrantes cheguem ao conselho de administração e até ao dia a dia da gestão.

Esse órgão deve ser encarregado de discutir e elaborar as regras para a família resolver conflitos, como as condições para a contratação de parentes, por exemplo. Mas a função mais relevante do conselho de família talvez seja a de educar seus integrantes sobre os direitos e responsabilidades que estes têm em relação ao negócio, ensinando desde cedo o respeito aos limites da governança.

Uma alternativa para financiar a formação dos membros da família empresária é estabelecer um **Fundo de Educação**. Essa reserva financeira, que pode ser alimentada por uma porcentagem dos dividendos pagos aos acionistas, serve para oferecer condições financeiras que permitam pagar por educação de alta qualidade. A prática mais comum é disponibilizar os recursos aos membros familiares interessados, que devem se candidatar e ser examinados de acordo com critérios pré-estabelecidos no conselho de família. É uma opção interessante para ajudar a formar não só possíveis sucessores, como também sócios capazes de pensar o negócio da família no longo prazo.

Outro instrumento disponível para amenizar o conflito entre os membros que não terão espaço para trabalhar na empresa familiar, especialmente em clãs mais numerosos, é estabelecer um **Fundo de Venture Capital**. O objetivo, nesse caso, é financiar a criação de novos negócios de integrantes da família, deixando o caminho da sucessão aberto para os candidatos com perfil adequado e verdadeiramente comprometidos com a continuidade do empreendimento. É evidente que essa opção deve ser administrada com todo o cuidado, com a definição de critérios adequados para a concessão dos recursos – além de ser indispensável uma atenção extra em preservar a equidade no acesso ao dinheiro, em especial quando envolver candidatos de ramos diferentes da família.

Em famílias com maior poder financeiro, torna-se cada vez mais comum o estabelecimento do chamado **Family Office**, uma instância que fica responsável por administrar o portfólio de investimentos, patrimônio

Governança em família: da fundação à sucessão   159

e bens que não estão relacionados com o negócio principal. Há famílias que contratam um ou mais profissionais e montam uma estrutura exclusiva para esse fim, mas hoje já existem empresas especializadas em oferecer os serviços relacionados ao tema de forma terceirizada – como planejamento patrimonial, gestão de ativos, monitoramento da performance de investimentos, assessoria fiscal e jurídica, gestão de riscos e até serviços de caridade.

Para que a relação entre os acionistas funcione a contento, porém, antes de mais nada é preciso pensar em um fundamento que só é lembrado nos momentos de conflito: o **Acordo entre os Sócios**. Muitas empresas familiares funcionam durante anos, às vezes até décadas, sem que ninguém se lembre desse detalhe – até surgir um desentendimento de maior importância entre os acionistas ou dentro da família. É comum que só nesse momento se vá discutir os termos do tal acordo e formulá-lo de fato. O problema é que estabelecer regras no meio do conflito é sempre mais difícil. Ânimos exacerbados em uma negociação quase sempre acarretam prejuízos para as duas (ou mais) partes envolvidas, sem falar na própria empresa.

Parece um assunto árido, de advogados, mas é esse contrato que rege questões elementares, entre as quais os mecanismos que definem como deve se proceder a compra e a venda de ações entre os sócios, preferências para adquirir participações dos demais acionistas, exercício do direito de voto por ação e o poder de controle durante as assembleias de acionistas.

Definir as regras e princípios para esse acordo deve ser o ponto de partida da abertura de qualquer negócio, mas mesmo que a empresa já exista, é sempre melhor tratar da questão nos tempos de bonança do que durante uma crise. No caso de um empreendimento familiar, o Acordo entre os Sócios pode ser a chave para manter o controle do negócio nas mãos da família e evitar a diluição das posições acionárias.

Para assegurar a continuidade da companhia como legado familiar, é interessante que o Acordo defina um mecanismo para dar preferência de compra aos membros da família, desencorajando a venda de participações acionárias a elementos externos. Uma possibilidade simples é incluir no contrato entre os sócios a obrigação de o vendedor oferecer as ações a pessoas da família antes de buscar um comprador de fora do círculo.

Por outro lado, para assegurar a liquidez dessas participações aos acionistas familiares, é recomendável incluir no Acordo uma fórmula para estabelecer o preço dos papéis, além de definir métodos para arbitrar desentendimentos que possam surgir com a aplicação dessa fórmula.

Outra possibilidade é estabelecer um **Fundo de Recompra**, que pode ser alimentado aos poucos, com o provisionamento de parte dos lucros da empresa. Assim, caso um acionista deseje se retirar e não haja um integrante da família interessado ou com dinheiro suficiente para comprar suas ações, recursos desse fundo podem ser usados para garantir a liquidez dos papéis e ao mesmo tempo preservar o controle familiar.

Acionista e dentista

Façamos uma nova pausa na teoria e voltemos aos exemplos práticos, para entender melhor a importância de formar o acionista na empresa familiar. O caso que relato a seguir é de um empreendimento de família, na área têxtil, fundado em uma cidade no interior do Brasil, nos anos 1950. Seu atual comandante (que vamos chamar de Auro) herdou a administração do pai no começo da década de 1980, com o negócio em uma situação pré-falimentar. Com muito esforço e dificuldade, ele conseguiu reerguer a companhia, que hoje em dia está em uma situação favorável e é lucrativa.

Auro teve duas filhas, a quem vamos nos referir por Nívea (a mais velha) e Lara (a caçula). Ambas conviveram desde pequenas com o ambiente da fábrica, mas essa proximidade causou efeitos diferentes sobre elas. Nívea sempre mostrou inclinação para os negócios e, quando chegou a hora de escolher uma faculdade, resolveu estudar administração, fora da sua cidade. Já perto de conquistar o diploma, ela fazia estágio em uma grande fabricante de eletrodomésticos, na capital do estado, e foi confrontada pelo dilema: permanecer onde estava e fazer carreira em uma multinacional, ou voltar para trabalhar na empresa da família depois da experiência inicial?

Nívea foi consultar primeiro o pai, que manteve uma posição de neutralidade, resumida em uma singela frase: "Você que sabe". A filha mais velha, então, levou o conflito para um amigo da família, um executivo experiente que há anos era dono do próprio negócio. Uma imagem usada pelo empresário foi decisiva para que ela tomasse a decisão. "A escolha é sua", disse ele. "Você pode ser o rabo de um tubarão ou a cabeça de uma sardinha...".

Nívea optou pelo peixe menor e depois de terminar o curso na faculdade voltou para sua cidade e se engajou definitivamente no negócio familiar, com toda a energia que o senso de legado e o sonho compartilhado pelo pai tinham potencializado. A experiência na multinacional e a formação universitária renderam frutos, Nívea trouxe consigo uma série de novas técnicas e processos que ajudaram a profissionalizar a gestão do empreendimento da família. Aos poucos, o pai foi delegando poder à sucessora – hoje Auro dedica apenas meio período à empresa e gradualmente o comando está sendo assumido pela filha.

Enquanto isso, Lara seguiu um caminho diferente do trilhado pela irmã. No momento de ingressar na faculdade, optou por uma área que não tinha nada a ver com os negócios da família: odontologia. A filha mais nova se formou e poucos anos depois estava estabelecida como uma das melhores dentistas da sua cidade.

Lara nunca sofreu pressão dos pais para se direcionar ao negócio da família. "Eles sempre me estimularam a estudar e a me dedicar ao que eu fosse fazer, mas com total liberdade para escolher o meu caminho. Minha decisão sempre foi totalmente respeitada, nunca houve cobrança nenhuma para eu trabalhar na empresa", conta.

Nem por isso, porém, sua ligação com o empreendimento familiar é menor do que o da irmã mais velha. As duas acompanharam de perto a luta do pai para reerguer a pequena indústria têxtil nos tempos de dificuldade, e houve mais de uma ocasião em que se discutia em família se valia a pena continuar com aquilo.

Lara lembra que o argumento de Auro era quase sempre o de que seguia na batalha para levar a empresa adiante porque "não sabia fazer outra coisa na vida". Por trás disso, porém, as duas filhas enxergavam a disposição do pai de dar continuidade ao empreendimento que herdara dos antecessores.

"Eu me lembro que minha mãe costumava brincar, dizendo que meu pai tinha uma 'amante argentina'. Isso porque houve uma época em que ele comprou uma caldeira usada, que veio da Argentina, e em mais de uma madrugada a máquina explodiu. Ele saía de casa no meio da noite e só voltava na manhã seguinte, todo sujo de graxa", Lara explica, divertida.

A filha mais nova nunca trabalhou na empresa familiar, mas permaneceu conectada e atenta ao que acontece com o negócio no papel de acionista. Lara participa regularmente das reuniões do conselho de administração, por enquanto no papel de ouvinte, preparando-se para o dia em que terá de exercer as responsabilidades de ser sócia de fato do empreendimento.

A filha mais nova de Auro desenvolveu um senso de legado semelhante ao da irmã mais velha, mesmo seguindo um caminho diferente, sem ter envolvimento direto no dia a dia da gestão. "Acho que se um dia vendessem a empresa eu iria chorar", resume Lara.

O caso serve de exemplo para a importância que a formação do acionista assume no processo de sucessão. Se não há espaço para acomodar todos os integrantes da família no negócio, sem dúvida é possível – e desejável – formá-los para se tornarem acionistas eficientes, capazes de preservar a continuidade da instituição com o olhar de longo prazo.

Conselho

Retornando à análise do nosso modelo de governança ideal, abaixo dos acionistas aparece o conselho de administração. Em qualquer empresa, o conselho é o órgão colegiado encarregado de decidir sobre o direcionamento estratégico da companhia. Na definição do Código de Melhores Práticas do IBGC, é quem "exerce o papel de guardião dos princípios, valores, objeto social e sistema de governança da organização, sendo seu principal componente".

Além de decidir sobre a estratégia, o conselho de administração funciona como o elo entre a equipe de gestão e os sócios. Apesar de ter seus membros eleitos pelos acionistas, o conselho deve desempenhar suas funções considerando sempre os interesses da empresa, atento à sua viabilidade no longo prazo e buscando o equilíbrio entre todas as partes interessadas.

Para isso, o conselho deve criar maneiras de monitorar de forma permanente as decisões e ações dos gestores, levando em conta seus impactos diretos e indiretos. Se encontrar falhas, é preciso que aponte os erros e proponha correções e até punições, dependendo da gravidade do engano.

Para manter os pés no chão, vamos listar algumas das obrigações práticas que cabem ao conselho:

- Revisar periodicamente os objetivos da empresa;
- Monitorar a performance do negócio;
- Aprovar fusões, aquisições, compra ou venda de ativos de maior importância;
- Aprovar o plano estratégico e os orçamentos operacionais;
- Aconselhar o CEO e sua equipe de gestão;
- Avaliar e aprovar a relação entre o endividamento e o volume de ativos;
- Orientar e guiar o plano de sucessão.

Dissemos que se trata de um órgão colegiado. Então quantas pessoas devem compor o conselho de administração? As boas práticas recomendam que exista sempre um número ímpar para facilitar o desempate nas votações. A quantidade pode variar de acordo com o tamanho e a complexidade da companhia em questão, mas o número ótimo fica entre cinco e onze conselheiros.

Existem três classes de conselheiros: internos, externos e independentes. Os internos são aqueles que, além de participar do conselho, trabalham de fato na empresa (um diretor, por exemplo). Os externos são pessoas que, apesar de não possuírem um vínculo empregatício, têm alguma ligação presente ou passada com o negócio – nos referimos aqui a ex-diretores, empregados de companhias controladas pelo mesmo grupo, advogados ou consultores que prestam serviço à empresa. Os independentes, por fim, são os que não têm ligação alguma com a instituição, seja através de laços familiares ou de relações econômicas de qualquer tipo.

No seu Código de Melhores Práticas, o IBGC afirma que a indicação de conselheiros internos para compor o conselho deve ser evitada, com o objetivo de assegurar a independência de julgamento dos demais membros. No caso de empresas familiares de menor porte, porém, sabemos que isso pode ser um pouco mais difícil de cumprir. Nossa recomendação, portanto, é para que pelo menos se mantenha uma massa crítica de apoio às opiniões diferentes, com os integrantes externos e independentes ocupando a maioria das cadeiras.

Esse balanço é mais importante do que parece. Se os conselheiros internos estiverem em maior número, não é difícil cair na armadilha de abandonar o olhar estratégico e colocar o conselho a serviço de decisões do dia a dia, especialmente em situações de crise, em vez de se ater à visão de longo prazo. Por outro lado, também é essencial saber escolher os membros externos com cuidado, para que as reuniões não se tornem exercícios excessivamente teóricos, sem contato com a realidade do negócio.

Quais são as habilidades desejáveis em um conselheiro? Já mencionamos a necessidade de visão estratégica e é claro que ele deve ter a capacidade técnica de interpretar relatórios gerenciais, financeiros ou não. Boa comunicação, disposição para trabalhar em equipe e para defender seus pontos de vista também são indispensáveis. Conexões no mesmo segmento econômico e na esfera pública sempre ajudam, mas destacamos também que o escolhido deve ser alguém disposto a oferecer uma contribuição à instituição, com interesses mais amplos do que apenas acumular dinheiro ou prestígio.

No caso de empresas familiares, há duas características relevantes adicionais: ser capaz de conquistar a confiança da família proprietária, com habilidade para tratar com os membros mais velhos e mais novos, e ter tido alguma vivência em processos de sucessão, de preferência em companhias no mesmo estágio de desenvolvimento.

Como em qualquer atividade humana colegiada, é preciso haver alternância. Assim, os conselheiros precisam ter um mandato definido que o Código de Melhores Práticas do IBGC aconselha não ser maior do que dois anos. A renovação do mandato pode ser permitida, mas essa decisão deve levar em conta o resultado de uma avaliação anual do conselho e as regras para isso precisam estar claras no regimento interno do órgão, com o estabelecimento de um limite de anos pelos quais um membro pode permanecer na posição. A experiência mostra que a contribuição de um conselheiro para a organização se mantém em bom nível por um período de cinco a sete anos – depois disso, tende a decrescer e se faz necessária a substituição.

É preciso também fazer uma avaliação da atuação tanto do conselho quanto dos conselheiros pelo menos uma vez ao ano, algo que sempre ajuda o órgão a se tornar mais efetivo. Os próprios conselheiros devem oferecer uma autoavaliação, uma análise de seus pares e da performance do órgão colegiado em si. Uma opção auxiliar de avaliação é pedir que os ocupantes dos principais postos da equipe de gestão também ofereçam seus pareceres sobre o conselho.

No que toca à agenda, cabe ao presidente do conselho propor um cronograma com as datas para as reuniões ordinárias, além de pedir encontros extraordinários sempre que forem necessários. Não deve haver mais do que uma reunião ordinária por mês, porque a frequência excessiva tende a transformar o conselho em uma interferência indesejada sobre a equipe de gestão. Outro detalhe relevante é que o cronograma deve apresentar uma agenda programática, incluindo os temas estratégicos a serem discutidos em cada data selecionada, de forma que os conselheiros possam se preparar e as reuniões sejam produtivas.

À primeira vista, todas essas regras e exigências podem parecer difíceis de administrar para uma empresa familiar de pequeno ou médio porte. A governança, porém, não precisa ser instaurada de um dia para o outro, como um choque. O melhor a fazer é implantá-la aos poucos, passo a passo, sem traumas. Nessa linha, uma opção é estabelecer primeiramente um conselho consultivo, sem função deliberativa obrigatória, para oferecer recomendações estratégicas aos proprietários e gestores e também ajudar na adoção das melhores práticas. Neste caso, as sugestões oferecidas podem ou não ser aceitas pelas demais partes, no que se configura como uma alternativa de transição até que a organização se sinta preparada para instalar um conselho de administração plenamente funcional.

Nunca é demais enfatizar que o Código das Melhores Práticas do IBGC recomenda textualmente: "Toda organização deve considerar a implementação de um conselho de administração". A seguir, veremos um exemplo do quanto isso é relevante.

Paraquedas corporativo

Vamos tratar de mais uma empresa familiar que fabrica componentes para a indústria automotiva. Criado no final dos anos 1970, o negócio já tinha passado pela primeira sucessão no momento em que a nossa história começa, em meados dos anos 2000. A segunda geração havia assumido o comando – no caso o filho do fundador, a quem vamos nos referir por Diogo.

Nas palavras de um antigo funcionário da empresa, Diogo é descrito como alguém que toma decisões "70% baseadas na emoção e 30%

guiadas pela razão". Esse sucessor tinha especial predileção por quem "fala bonito", o que atraía com frequência um bom número de consultores empresariais ao seu negócio. Trazidos para prestar serviços temporariamente, esses consultores acabavam sendo contratados pelo proprietário e logo eram incorporados ao quadro de funcionários.

Apesar de único sócio e proprietário, Diogo tinha dificuldade em se manter envolvido com o dia a dia da empresa – nessa altura ele já havia se afastado da gestão e até ido morar fora do Brasil. Em termos de governança, a companhia não era das mais desestruturadas, já possuía um conselho de administração que inclusive contava com dois excelentes profissionais de mercado como conselheiros externos.

A primeira experiência da empresa com um conselho operacional, porém, durou apenas três anos, entre 2006 e 2009. Nesse período o negócio começava a sofrer com o aumento do endividamento e para resolver a questão Diogo contratou um dos consultores de que gostava para ser o gerente financeiro – esse indivíduo será chamado de Eduardo.

Eduardo fez um trabalho competente na função. Ele elaborou um plano para equacionar a rolagem das dívidas com os bancos e em pouco tempo caiu nas graças de Diogo, que o promoveu à presidência da companhia. O problema é que, a partir daí, Eduardo começou a agir sem respeitar ou submeter decisões ao conselho. O resultado, previsível, foi entrar em rota de colisão com os dois conselheiros externos, que acharam por bem alertar o proprietário.

O momento de ruptura chegou quando Eduardo fechou um novo acordo com um dos bancos credores e apresentou o contrato ao conselho como fato consumado, já depois de assinado, em vez de consultar o órgão previamente sobre a negociação ou debater os termos do acerto. Os dois conselheiros externos levaram o caso a Diogo, que preferiu ficar ao lado do executivo e destituiu o conselho.

A segunda experiência da empresa com um conselho de administração teve início no ano seguinte (em 2010), quando dois novos conselheiros foram escolhidos e o órgão voltou a funcionar. Nesse mesmo ano, um dos maiores clientes da empresa anunciou um projeto de expansão, que oferecia uma janela de oportunidade para o negócio de Diogo. Para aproveitá-la, porém, ele teria que investir para crescer e se consolidar como fornecedor importante do componente que fabricava. Nessa época, a companhia registrava resultados positivos, com previsão de encerrar 2010 com lucro de cerca de quinhentos mil reais.

Naquele mesmo ano, a empresa começou a desenvolver o projeto para construir uma nova fábrica, inicialmente planejada para uma cidade vizinha à sua e mais tarde deslocada para outro município mais distante, a cerca de cem quilômetros da sede. A justificativa para ir mais longe era a de que na região em que estava a matriz havia falta de mão de obra e no destino escolhido sobrava gente, embora sem a especialização adequada.

A companhia investiu aproximadamente quatro milhões de dólares em maquinário e na construção de um galpão em um terreno alugado, fechando um acordo com a prefeitura local, que responderia pelo aluguel como contrapartida à geração de empregos. A nova planta começou a funcionar no final de 2011, apresentando dificuldades desde o princípio. Eduardo vetava qualquer ajuda à nova operação por parte de funcionários da matriz, sob o argumento de que o treinamento faria a unidade incipiente "adquirir vícios" da estrutura original.

Alguns meses depois da inauguração, nossa história ganha um novo personagem, um profissional contratado para ocupar a posição de gerente financeiro que vamos chamar de Saulo.

Saulo assumiu a função em junho de 2012 e depois de algumas semanas os dois conselheiros externos o chamaram para uma conversa. Nesse encontro os conselheiros disseram a ele que acreditavam haver alguma coisa errada com a empresa. O novo gestor financeiro perguntou a razão disso e ficou assustado com a resposta: há três meses o conselho não recebia informação alguma a respeito da nova fábrica. Os conselheiros explicaram a Saulo que estavam às cegas e que sempre que questionavam Eduardo sobre o assunto, o executivo principal assegurava que "estava tudo bem", justificando o atraso nos números por uma falha no sistema

Governança em família: da fundação à sucessão 169

de informática, que seria resolvida "em breve". Os dois pediram que Saulo desse um jeito de colocar os balancetes em dia e em seguida prestasse contas ao conselho.

Em três dias o gerente financeiro levantou as informações como pôde e foi atrás de Eduardo para confrontá-lo com os números. O faturamento da empresa girava em torno de 2,5 milhões de reais por mês, enquanto o endividamento, só em razão da nova fábrica, exigia oitocentos mil reais mensais para honrar empréstimos. Além disso, uma dívida anterior de outros 2,5 milhões de reais sangrava os cofres da companhia em 120 mil reais adicionais por mês, o que tornava necessário tirar do caixa quase 1 milhão de reais a cada trinta dias apenas para pagar juros.

As palavras de Saulo para o principal gestor da empresa foram simples: "Eduardo, assim o negócio não vira. Vamos chamar os dez bancos a quem devemos e sentar para renegociar".

Eduardo limitou-se a pedir que o gerente financeiro apresentasse a ele um relatório com o fluxo de caixa da empresa. Quando recebeu as informações, ele disse que aquilo estava errado. Segundo o principal executivo, novos pedidos daquele grande cliente que justificara o plano de expansão iriam chegar e só isso traria um faturamento adicional de quinhentos mil reais mensais à nova unidade fabril. Além disso, prometeu melhorias operacionais que diminuiriam o consumo de matéria-prima e os índices de refugo, reduzindo custos.

Saulo observou que, de fato, a situação melhoraria sensivelmente se os números sugeridos pelo executivo fossem considerados, mas desconfiou do otimismo dele. A pergunta que fez a si mesmo foi simples: e se isso não acontecer?

Seu próximo passo foi checar pessoalmente com o cliente a viabilidade do novo cenário de pedidos, no que sofreu um choque. O cliente deixou claro que aquele nível de encomendas nunca viria a começar porque havia problemas sérios de qualidade no material fornecido, incluindo um lote de amostras com defeito que tinha chegado à sua matriz, no exterior.

No fim das contas, Saulo descobriu que os quinhentos mil reais adicionais por mês em faturamento que Eduardo prometia na verdade se limitavam a pouco mais de um quarto do esperado (130 mil reais) – e só se materializariam um ano e meio depois do previsto. Em outras palavras, a própria base para construir a nova fábrica em outra cidade não se sustentava.

Para piorar, enquanto esses problemas se acumulavam, a situação se agravara na fábrica matriz, onde o clima interno entre os funcionários era cada vez pior, elevando a rotatividade e também o desperdício. A percepção do mercado (que se infiltrou também entre os trabalhadores) era de que a operação da divisão original aos poucos seria reduzida, substituída pela planta recém-inaugurada.

Saulo ainda não havia completado três meses na companhia quando recebeu uma ligação de um dos conselheiros externos, em meados de 2012. Era uma noite de futebol, em que o gerente financeiro acompanhava uma partida na televisão, em casa. O conselheiro queria saber "como estavam as coisas", e Saulo não titubeou em apresentar um diagnóstico direto: "Essa empresa não vai sobreviver se não for feita uma intervenção imediata".

O conselheiro fez uma nova pergunta: "Saulo, a empresa sobrevive com o Eduardo aí?".

A resposta também foi clara: "Não. E vocês precisam tirá-lo de lá agora. Amanhã, se possível".

O conselheiro agradeceu e reportou a situação a Diogo, que continuava vivendo no exterior. O proprietário resolveu checar as informações com o cliente principal, que confirmou a versão repassada a ele pelo membro do conselho. Depois disso, ainda levou quase dois meses para que Diogo viesse ao Brasil e demitisse pessoalmente o gestor principal.

Ao analisar toda a situação, há quem possa pensar que ambas as versões do conselho de administração foram falhas por não conseguirem assegurar o bom funcionamento da empresa. Eu, porém, prefiro enxergar de outra forma. Na primeira experiência da companhia com

Governança em família: da fundação à sucessão   171

o conselho, os dois membros externos tentaram alertar o proprietário sobre procedimentos que passavam por cima das boas práticas de governança, com a tomada de decisões relevantes sem que fossem submetidas ao órgão consultivo.

Na segunda experiência, a ação dos conselheiros em sair à procura das informações sonegadas pelo gestor principal pode até ser considerada tardia, mas em última instância foi a decisão deles em buscar o gerente financeiro e depois reportar a situação ao proprietário que impediu o negócio de ir à lona. Em outras palavras, a atitude do conselho, mesmo atrasada, foi o que salvou a empresa de Diogo.

A conclusão que podemos tirar dessa história é a de que ainda que instalado longe das condições ideais e funcionando sem o respaldo adequado dos acionistas, o conselho de administração é capaz de servir de paraquedas para uma empresa familiar. Trocando em miúdos, até um conselho inadequado é melhor do que não ter conselho nenhum.

9

O EQUILIBRISTA

Tem de ser equilibrista até o final. E suando muito, apertando o cabo da sombrinha aberta, com medo de cair, olhando a distância do arame ainda a percorrer – e sempre exibindo para o público um falso sorriso de serenidade. Tem de fazer isso todos os dias, para os outros, como se na vida você não tivesse feito outra coisa, para você como se fosse a primeira vez, e a mais perigosa. Do contrário, seu número será um fracasso.

Fernando Sabino

No capítulo anterior falamos um pouco dos princípios, estruturas e boas práticas de governança corporativa que podem ajudar no processo de sucessão das empresas familiares, ao disciplinar e manter em bases positivas as relações entre as principais partes interessadas no negócio. Apresentamos também o diagrama do modelo básico de governança, que repetimos abaixo para que possamos analisar um de seus integrantes mais detalhadamente.

Aqui estão novamente as duas pirâmides invertidas: a de cima contendo os acionistas e o conselho de administração e a de baixo agrupando a equipe de gestão e todos os demais funcionários da companhia, com o

CEO ou presidente bem no meio delas. Pois esse é justamente o personagem de que vamos tratar nesta seção.

Fonte: O autor.

No papel, nosso modelo de governança parece uma escultura estática e imóvel, com as duas estruturas piramidais firmemente posicionadas uma sobre a outra. Na vida real, porém, tudo é mais dinâmico, como qualquer um que já teve o nome presente em um organograma corporativo sabe bem. Quando olho para o diagrama, vejo além das formas geométricas, o que me vem à mente é a imagem de um equilibrista concentrado na delicada atividade de manter no ar meia dúzia de malabares, enquanto se desloca para frente e para trás sobre uma grande bola de plástico colorida. Esse equilibrista é o CEO.

Mas quais são as atribuições dessa pessoa cuja função é definida por uma sigla em inglês que soa mais pomposa do que deveria? Já dissemos que o acionista precisa manter a atenção na visão de longo prazo, nas

Governança em família: da fundação à sucessão   175

estratégias que indicam a direção a seguir e em especial na sustentabilidade do negócio. Ao conselho de administração, alocamos a responsabilidade de ser o guardião dos princípios, valores e do próprio sistema de governança, além de oferecer um apoio estratégico. Pois bem, o CEO precisa fazer um pouco disso tudo, além de outras tantas coisas mais.

Esse profissional precisa ter um viés de estrategista, agindo como o piloto que define a rapidez e a rota em que o navio será conduzido. Também conhecido como diretor-geral, esse líder deve ter uma razoável capacidade de comunicação e carisma, porque terá que transmitir com clareza à sua equipe e aos demais funcionários da companhia o que espera que eles façam, de preferência acrescentando uma pitada de feitiço motivador. Ele é o gestor de fato, que responde pelos resultados do negócio, de quem ainda se espera que atue como embaixador da organização, seja diante de clientes, representantes da esfera pública ou investidores externos.

Além dessas atribuições, nosso equilibrista tem mais uma função determinante: servir como o grande intermediador entre as esferas da governança. Não é à toa que ele aparece bem no meio das duas pirâmides: está ali porque é quem deve atuar como o principal filtro entre elas. Somado a todas as responsabilidades estratégicas, de gestão e relações públicas, o CEO tem o papel de mediar os contatos, demandas e questionamentos que partem de ambas as pirâmides. Ele precisa estar atento para que problemas que dizem respeito apenas aos acionistas não atinjam sua equipe de gestão ou o universo dos funcionários, evitando insatisfações desnecessárias nessas esferas. Ao mesmo tempo, é imprescindível que limite ao mínimo a intervenção da pirâmide superior no dia a dia da inferior, para que seu time de gestores possa trabalhar em paz e execute com tranquilidade as determinações estratégicas definidas por ele em conjunto com o conselho de administração.

Em uma empresa familiar, temos que somar uma preocupação adicional à situação. Além de intermediar as relações entre acionistas, conselho, equipe de gestão e funcionários, inclui-se ainda a convivência com os membros da família proprietária, tanto os que trabalham no negócio quanto os que gravitam ao redor dele. Esse detalhe sustenta a base da tese que pretendemos defender neste capítulo: nas empresas familiares a função do CEO pode ser exercida com muito mais eficiência por um profissional de mercado, sem relações de sangue com a família proprietária.

Não temos nenhuma pretensão de afirmar que a função de diretor-geral não possa ser desempenhada por um membro familiar com competência. Sem dúvida há uma série de casos em que isso acontece, com sucesso inquestionável. O que pretendemos fazer é apontar uma alternativa, mostrando por que acreditamos ser essa a saída mais adequada.

Chegamos até aqui sinalizando um caminho para a sucessão que parte da convivência desde cedo dos herdeiros no negócio da família e passa pelo desenvolvimento do senso de legado, que precisa de alguma forma ser compartilhado pelo fundador com seus sucessores. Falamos bastante sobre a liberdade de escolha que deve ser dada a esses herdeiros e também sobre a necessidade de investir pesado na formação dos candidatos a futuros líderes, o que inclui educação de qualidade e experiência fora do negócio familiar, tudo isso apoiado em um plano de sucessão, de preferência com o auxílio de um processo de mentorização para ajudá-los a amadurecer seus talentos e habilidades.

Mesmo ao final dessa longa trajetória, infelizmente não há garantia de que teremos alguém pronto para assumir o comando. Isso não quer dizer que a caminhada não valha a pena. Muito pelo contrário, mesmo que os candidatos não estejam preparados para serem sucessores, certamente estarão muito mais bem formados para atuar como bons acionistas, o que aumenta consideravelmente as chances de preservação e continuidade da empresa familiar. Em um caso como esse, o CEO profissional se encaixa com perfeição, mas também cabe em situações intermediárias, em que o executivo de mercado pode assumir o comando durante o período em que o plano de sucessão estiver em andamento e o candidato ainda em preparação.

É importante deixar claro que nossa posição é radicalmente contrária à dos que pregam a "profissionalização" do negócio familiar a ferro e fogo, defendendo o afastamento da família da empresa como condição elementar de sucesso. Nós, pelo contrário, acreditamos que a integração é possível, seja no conselho de administração, como acionistas atuantes, ou até como integrantes da equipe de gestão, desde que sejam pessoas qualificadas para tanto. Mas na posição do equilibrista, que tem o papel de mediador e estabilizador, que funciona como o grande filtro entre as esferas da governança, há dificuldades adicionais quando relações de sangue estão envolvidas.

Um CEO que é membro da família proprietária terá mais dificuldade em manter um relacionamento equânime com outros integrantes familiares em posições relevantes, sejam acionistas ou ocupantes do conselho, porque aos assuntos profissionais será sempre acrescentado um aspecto emocional. Mais cedo ou mais tarde, esse indivíduo vai se deparar com conflitos de interesse envolvendo integrantes ou ramos diferentes da família, e, mesmo antes de tomar qualquer decisão, vai sofrer com acusações (ainda que veladas) de parcialidade.

Não é só diante dos seus pares que o CEO familiar enfrenta problemas extras. No relacionamento com a equipe de gestão ou com os funcionários da empresa ele será sempre visto como um integrante da família proprietária, alguém que é enxergado sob uma ótica distinta da puramente profissional. Imagine um momento em que ele tenha que negociar o percentual de reajuste de uma categoria de operários ou promover o corte de algum benefício salarial em razão da necessidade de redução de gastos, por exemplo. Nessa hora a frase estará na ponta da língua de alguns: "Mas no tempo do seu pai era diferente...".

Indo um pouco mais longe, no ambiente externo o CEO da família também tende a sofrer mais pressão do que um executivo comum. Os integrantes de um clã empresarial ocupam uma posição singular na comunidade em que estão inseridos, especialmente em cidades de menor porte ou do interior. Consideremos o caso de uma empresa familiar que precisa fazer um corte considerável no seu quadro de funcionários ou que esteja planejando a mudança de uma planta industrial da região em que foi fundada para outra, onde encontrará condições mais favoráveis. Como esse diretor-geral familiar irá encarar essas decisões sabendo que depois terá de conviver com olhares enviesados e cochichos na fila da padaria, por exemplo? Mesmo embasado por motivações econômicas claras, ele será capaz de deixar a emoção e o histórico da família na comunidade de lado no momento de agir?

Um profissional de mercado consegue lidar muito melhor com todas essas situações, justamente por estar livre dos laços familiares. Independentemente de suas decisões, ele será visto como uma pessoa qualquer, tanto pelo público interno quanto pelo externo à organização, imune à "aura de dono" que cerca os membros familiares.

"Cuida, meu filho"

Voltemos mais uma vez aos casos práticos, para tornar mais claro o que estamos tentando explicar. O exemplo a seguir se passou com uma empresa familiar de médio porte, bastante tradicional na fabricação de componentes para motores, localizada em um município da Grande São Paulo. O negócio foi criado no início da década de 1960, na esteira da consolidação da indústria automobilística no Brasil de que tratamos no Capítulo 5.

O fundador da companhia foi um dos pioneiros na fabricação de autopeças no país e até falecer, no início dos anos 2000, sempre teve uma participação relevante nos bastidores patronais do segmento. Quando ele morreu, seu filho tinha 28 anos de idade e se viu forçado a assumir as rédeas da fábrica. Desde os primeiros dias, esse sucessor foi confrontado com uma forte pressão vinda do lado que menos esperava: a própria família.

A questão é que o sustento de sua mãe e de sua irmã dependia exclusivamente dos dividendos que recebiam do negócio familiar. Ambas se mostraram instantaneamente preocupadas com a mudança de comando e passaram a externar com frequência dúvidas se ele seria capaz de tocar a empresa adiante na ausência do pai.

Ao chegar em casa, quase todo dia o sucessor escutava da mãe: "Pelo amor de Deus, cuida, meu filho. Toma conta desse negócio direito, porque é tudo o que nós temos".

Para piorar, pouco tempo depois de assumir a cadeira do pai, esse filho percebeu que a companhia era grande demais para ele administrar e que a tarefa estava além de suas capacidades. Ele então decidiu procurar um executivo experiente do mundo automotivo, amigo do falecido pai, e esse conselheiro lhe disse que a melhor alternativa era buscar um profissional de mercado para fazer o papel de CEO.

Alguns dias depois o sucessor me procurou, também em busca de conselhos. Sem saber da primeira sugestão, apontei o mesmo caminho. O filho, então, foi atrás de um *headhunter* para selecionar candidatos e eu o ajudei informalmente no processo. A empresa acabou por contratar um executivo que eu conheci bem nos meus tempos de Valeo para assumir a direção-geral da empresa da família.

O tempo passou e alguns meses mais tarde reencontrei o herdeiro. "Eu tirei das minhas costas um peso gigantesco", disse, depois de me dar um forte abraço. O maior motivo para o alívio era simples: além da segurança de que a gestão do negócio estava nas mãos de alguém competente, ele tinha voltado a ser visto pela mãe e pela irmã como o que de fato era – filho e irmão –, e não mais como o administrador que punha em risco o patrimônio da família.

Quando contrariar é preciso

A presença de um CEO profissional não traz como benefício só o alívio das pressões nas relações familiares, pode também ser um facilitador de mudanças necessárias à organização, muitas vezes barradas pelo tradicionalismo ou visão centralizadora de um proprietário que insiste em manter as coisas como estão.

Quando o dono de uma empresa diz que uma parede é azul, por exemplo, quem da família vai ter coragem de contrariá-lo, ainda que todos enxerguem a cor violeta da pintura? Se ele disse que é azul, acabou...

Mais uma vez vamos recorrer a um caso real para ilustrar o que queremos dizer. A situação que descreveremos se passou no fim dos anos 1990 com uma empresa familiar de tamanho médio também inserida no segmento automotivo. O negócio tinha sido fundado por três irmãos, na década de 1960, e na época atravessava uma fase de ebulição, consequência da introdução do "sistemismo" na indústria automobilística brasileira.

Em ordem de se adaptar aos novos tempos, a companhia havia começado a implantar um sistema de governança corporativa incluindo a criação de um conselho de administração funcional e a contratação de um CEO de mercado para liderar a gestão, sem ligações familiares. Na primeira leva de mudanças que esse diretor profissional propôs estava uma ampla reforma da imagem da empresa, que precisava ser modernizada para se adequar à nova realidade competitiva do mercado. A marca da companhia ainda levava a palavra "irmãos" (algo como "Irmãos Silva Ltda."), o que se configurava duplamente negativo: o nome não só era longo demais para anúncios ou propagandas, como também soava um tanto amador, mais apropriado para denominar um mercado de bairro do que um negócio que exportava para mais de uma dúzia de países.

O CEO contratou um escritório especializado em *branding* e em algumas semanas tinha em mãos toda uma nova identidade visual, que modernizava dos uniformes dos funcionários à própria marca em si. Logo na primeira reunião em que o resultado foi apresentado, um dos fundadores teve um ataque de fúria. Ele era o presidente e um dos três sócios da companhia, e não ficou nem um pouco satisfeito ao ver a palavra "irmãos" excluída do nome fantasia da empresa que tinha construído — afinal, ele era um deles.

Para piorar, entre os alvos da reforma estava a marca em si, com a qual esse fundador tinha uma relação especial. Décadas atrás, a diretoria da empresa estava reunida em uma sala, discutindo algum assunto delicado. Em um daqueles rompantes típicos de dono, esse sócio deu uma pancada sobre a mesa para conferir mais peso à opinião que defendia – por acaso, naquele momento sua raiva recaiu sobre uma das peças que a companhia fabricava, imprimindo o formato dela em relevo na superfície de um bloco de notas. O perfil metálico do material formou um contorno nítido sobre o papel e disso surgiu a logomarca que o CEO recém-chegado planejava mudar.

É preciso dizer que a reforma não era nem um pouco radical. A nova marca conservava as mesmas cores da antiga e o formato era semelhante. As alterações mais notáveis eram a eliminação da palavra "irmãos", o uso de um tipo de letra diferente no nome da empresa (criado sob medida) e a eliminação de uma linha circular que envolvia a logomarca anterior. Para o fundador, porém, aquilo era inaceitável – a linha excluída, afinal, era parte do produto e tinha sido impressa pelo seu próprio punho.

O CEO sabia que aquela mudança precisava de aprovação por ser uma questão decisiva em todo o plano de marketing da companhia. Havia um planejamento estratégico aprovado pelo conselho de administração que redefinia a importância das exportações e colocava como prioridade a ampliação da participação da empresa no mercado externo. Ele sabia também que nove em cada dez clientes estrangeiros apresentados à companhia iriam querer saber o que o "irmãos" significava e a explicação não iria ajudar as vendas. Além disso, como o escritório de *branding* provara na apresentação, era muito mais fácil fixar na cabeça de alguém uma marca com uma única palavra do que com três. Em resumo, a reforma não era apenas um capricho visual, era parte decisiva da estratégia de internacionalização do negócio.

O que o CEO fez, então, foi se aproximar de um dos conselheiros externos que assessoravam a companhia, um profissional de extrema competência que tinha sido durante anos o diretor-jurídico de um grande conglomerado industrial com operações no mundo inteiro. Esse conselheiro compreendeu a importância da reforma de imagem e decidiu ajudá-lo a convencer o fundador de que se tratava de algo importante.

Não foi uma tarefa fácil, mas depois de um ciclo de quatro longas reuniões, com a presença de representantes do escritório de *branding* para explicar em detalhes o porquê de cada alteração, o sócio finalmente foi convencido e aceitou as mudanças, uma por uma.

Agora, reflitamos sobre o que teria acontecido se nessa empresa familiar a posição de CEO fosse ocupada por um filho do fundador. Ele teria a mesma disposição, capacidade e perseverança para tentar mudar algo sobre o que o pai se mostrava tão irredutível desde o princípio? Seria capaz de conquistar o apoio de um conselheiro para ajudá-lo a se posicionar contra o próprio pai? Ou simplesmente teria se resignado a respeitar a vontade do fundador em manter a "tradição" e deixado a marca e o nome fantasia do negócio da família como sempre fora?

Esse exemplo mostra como um profissional de mercado, sem relação de sangue com a família proprietária, tem facilitado o seu trâmite como diretor- geral. Isso acontece porque esse executivo consegue se relacionar com as partes de forma descomprometida, podendo se aproximar ou contrariar qualquer um dos envolvidos sem a carga emocional carregada por um parente.

Não ao "enlatado"

A chegada de um CEO de mercado tem o potencial de abrir as portas para mudanças e liderar processos de profissionalização, mas a escolha desse profissional é um ponto bastante delicado. Um executivo pode ser extremamente competente no que faz, reunindo a expertise, a capacidade e o conhecimento técnico e administrativo para desempenhar a função de liderança em uma corporação, mas quando se trata de negócios familiares é essencial que ele tenha uma qualidade extra: a sensibilidade para compreender a dinâmica e as relações que mantém a família e a empresa indissoluvelmente interligados.

Para exercer o papel de líder em uma companhia construída por uma família empresária é preciso ter vivido essa experiência na pele. Costumo dizer que um profissional que não vem desse universo e que construiu a própria carreira apenas em grandes empresas terá muito mais dificuldade em se adaptar à convivência com um fundador. Em outras palavras, o executivo que desembarca em um negócio familiar "enlatado" de uma multinacional, habituado às proteções, limites e hierarquias corporativas, terá muito mais problemas em entender – e driblar, quando necessário – as decisões unilaterais de um proprietário.

Aqui trazemos outro caso real, que joga luz sobre o que queremos dizer. A história se passou com uma companhia familiar surgida nos anos 1960. Criado por dois irmãos, o negócio deu os primeiros passos fabricando móveis em um processo artesanal. Com o tempo a operação foi crescendo e agregou um terceiro sócio, sem relação com a família dos fundadores, que vamos chamar de Magno. Esse personagem tinha um senso comercial extremamente aguçado, capaz de catapultar o negócio ao longo das décadas. Ainda assim, sua participação na empresa manteve-se minoritária.

A trajetória da companhia começa a nos interessar no início dos anos 2000, quando os sócios perceberam que o empreendimento atingira um tamanho que exigia uma maior profissionalização da gestão, incluindo a implantação de um modelo de governança corporativa. A essa altura os móveis artesanais haviam sido deixados para trás e a empresa contava com três divisões. As duas primeiras, mais tradicionais, fabricavam produtos vendidos no varejo e respondiam por 90% do faturamento. A terceira, ainda incipiente, abria caminho para que a companhia se tornasse fornecedora de componentes de madeira para a indústria.

Nesse momento os dois irmãos fundadores já tinham se afastado do dia a dia da operação e só Magno, que chegara por último ao negócio, permanecia na gestão. Ele desempenhava o papel de presidente e era a ele que teria de se reportar o executivo recém-chegado, contratado para fazer o papel de Chief Operating Officer (COO) das duas divisões. Vindo de uma multinacional norte-americana, esse executivo tinha competência inquestionável, mas não conseguiu permanecer por mais de dois anos na empresa. Com dificuldade em se adaptar ao funcionamento de uma companhia familiar, ele entrou em rota de colisão com o sócio-presidente e com os membros mais antigos da equipe gestora, que o viam como uma ameaça às suas posições consolidadas ao longo de anos.

O COO foi substituído por um novo profissional, também de competência indiscutível, que vinha de outra multinacional, essa de origem europeia. O executivo recém-chegado também não tinha vivência em empresas familiares, mas teve a habilidade de resgatar as relações da posição com os demais integrantes do time gestor, restabelecendo um senso de equipe na esfera administrativa do negócio. Se conseguiu entender-se bem com seus liderados, esse diretor não teve a mesma sorte com o sócio-presidente, com quem manteve um relacionamento conflituoso e de desconfiança mútua pelo prazo em que permaneceu ali, também cerca de dois anos.

No momento de repor a posição de liderança pela segunda vez, as condições do negócio se apresentavam diferentes. A divisão mais nova, que produzia componentes para a indústria, apresentava um viés de crescimento robusto. Ao mesmo tempo, esse era um setor sobre o qual Magno não tinha muito conhecimento, o que o levou à decisão de mudar a estrutura de gestão. O plano agora era contratar dois novos profissionais: um COO para as duas divisões tradicionais e um CEO, com experiência no ramo, para trabalhar com mais autonomia na unidade incipiente.

O executivo escolhido para ocupar o posto de CEO (a quem vamos nos referir por Fernando) tinha ampla experiência em uma multinacional do setor, mas havia passado os últimos cinco anos como o diretor-geral de uma empresa familiar. Em menos de um mês, ele já havia diagnosticado seus dois maiores desafios para ter sucesso na condução da divisão de que tinha sido encarregado: conquistar a confiança de Magno e ao mesmo tempo limitar suas ações no dia a dia da operação, blindando sua equipe de gestão das atitudes intempestivas do sócio-presidente.

O que Fernando se propôs a fazer não era fácil. Ele apostou todas as suas fichas em exercer o papel de equilibrista, para balancear e ao mesmo tempo filtrar as relações entre as esferas da governança que, embora estabelecida, ainda funcionava com limitações. Em resumo, ele se propunha a servir de estabilizador do relacionamento entre as duas pirâmides do modelo que apresentamos anteriormente.

No âmbito da pirâmide de baixo, o CEO se esforçou em manter relações transparentes, com clareza na divulgação de informações e apoio à formação e desenvolvimento de lideranças no segundo escalão da administração. Pela primeira vez, os membros da equipe de gestão viram-se protegidos da interferência familiar no seu dia a dia. Com isso, abriu-se um canal de comunicação que antes não existia entre os gerentes e a diretoria ao mesmo tempo que se estabeleceu um filtro para a influência dos acionistas e do conselho de administração sobre os gestores.

No que diz respeito à pirâmide superior, o grande objetivo de Fernando foi deixar absolutamente claro ao sócio-presidente que ele não tinha intenção alguma de ocupar seu lugar. A sua experiência anterior no universo dos negócios familiares permitiu a ele perceber rápido que esse fora o grande obstáculo encontrado pelos seus dois antecessores: ser (ou apenas parecer) uma ameaça à posição de Magno.

Enquanto fortalecia o relacionamento com a equipe de gestão à base de transparência e meritocracia, Fernando fez questão de dizer abertamente ao sócio-presidente que não tinha ambição alguma de sentar na cadeira dele. Esse, aliás, é um dos erros clássicos cometidos por executivos sem experiência em negócios familiares: a ilusão de que algum dia podem assumir o lugar do fundador. Isso não é possível por um motivo bastante simples: as funções desempenhadas por esse personagem só podem ser exercidas por ele mesmo. Incorrer nesse erro coloca o profissional de mercado em rota de colisão com o proprietário, da qual depois é difícil desviar.

Ciente disso, logo nos primeiros dias em que assumiu o cargo Fernando disse abertamente a Magno que a posição dele não lhe cabia: "O senhor é fundador, acionista, dono, presidente... Como é que eu posso ocupar essa posição?".

O novo CEO teve o primeiro sinal de que estava sendo bem-sucedido em conquistar a confiança do sócio-presidente alguns meses depois de assumir o cargo ao ser convidado não só para participar como para apresentar os resultados da divisão que comandava em uma reunião do conselho de administração. Embora tivessem poder sobre as três divisões da empresa, nenhum dos dois antecessores de Fernando jamais haviam tido acesso a essa esfera de governança, nem mesmo como ouvintes.

É claro que a confiança não foi ganha do dia para a noite, foi um processo gradual. Nessa primeira participação no conselho (e em várias subsequentes), Magno fazia questão de combinar antecipadamente com Fernando cada detalhe do que iria dizer ou mostrar aos conselheiros, em que estavam incluídos seus demais sócios. O sócio-presidente repetia ao CEO, antes de cada reunião: "Apresente exatamente o que nós combinamos. Você não me saia do script, hein?".

Com o tempo, porém, Magno foi percebendo que podia ficar tranquilo em relação ao executivo que contratara e depois de um ano já tinha abolido até mesmo a conversa que precedia as prestações de contas ao conselho.

Esse executivo já completou dez anos no comando de sua divisão e a evolução dos resultados financeiros prova o quanto um CEO profissional pode colaborar com uma empresa familiar. Quando assumiu a posição, a unidade respondia por cerca de 20% do faturamento total da companhia. Através de um plano de expansão e planejamento estratégico, debatido e aprovado pelo conselho, o segmento liderado por Fernando viu sua receita se multiplicar por três, invertendo a hierarquia das operações da companhia e se tornando responsável por 80% do que o negócio familiar fatura.

A trajetória até chegar a esse ponto, porém, não foi linear nem livre de obstáculos. Até conseguir estabelecer um padrão satisfatório de relações com os atores contidos nas duas pirâmides da governança, Fernando teve que exercitar com frequência seus talentos de equilibrista. Por ter mantido uma influência ativa na gestão do negócio durante décadas, Magno demorou a abandonar o hábito de interferir no dia a dia da gestão, especialmente nas relações com os clientes.

A empresa que ele ajudou a construir teve por mais de trinta anos seu sucesso baseado nas relações com o varejo, em que era comum oferecer descontos e pressionar os compradores para que fossem fechados ou ampliados pedidos à linha de produção. Assim, menos de três meses após assumir como CEO, Fernando recebeu uma ligação de Magno. O sócio-presidente informou-o que o volume de vendas de uma das outras duas divisões estava abaixo do normal e que para atingir a meta de faturamento conjunta do mês ele queria uma "ajuda" da sua unidade. O que ele sugeria era ligar para um dos maiores clientes e oferecer um abatimento de 3% no preço de um dos componentes que era fornecido para ele em troca de um aumento de algumas centenas de unidades no volume de pedidos.

Enquanto escutava o outro pelo telefone, o executivo refletia sobre o dilema. Por conhecer como funcionava esse mercado, Fernando sabia que uma situação como aquela era impensável. Na indústria, cada pedido feito aos fornecedores é devidamente escalonado e programado, de forma a otimizar a própria operação e limitar ao mínimo indispensável os estoques. Eles não respondem a descontos, pressão ou relações particulares, como por vezes acontece no setor varejista — o envio de peças a mais ou a menos pode resultar até mesmo em um demérito na avaliação que o comprador faz do fornecedor.

Fernando se viu em uma encruzilhada. Se fizesse como lhe pedia o sócio-presidente, tinha a certeza de que cairia em descrédito com um grande cliente. Por outro lado, se negasse também era certo que deixaria o chefe contrariado. O que fazer?

O CEO prometeu a Magno que iria agir como ele pedia e depois lhe retornaria a ligação. Uma hora mais tarde, com todo o cuidado, Fernando explicou que havia telefonado para o cliente e que este estava com problemas de estoque, portanto não poderia aumentar os pedidos, mas que agradeciam o generoso desconto oferecido. O executivo poderia ter feito como um dos seus antecessores ao ser confrontado pela mesma situação, batendo na mesa e dizendo ao sócio-presidente que "desse mercado entendo eu". Sua experiência em outras empresas familiares, porém, havia lhe ensinado que é preciso evitar ao máximo o confronto com o fundador ou proprietário do negócio, encontrando uma forma de contornar os conflitos.

Fernando sabia que é preciso ter uma boa dose de habilidade para conviver nesse universo e, portanto, dedicou-se a praticar o equilibrismo da melhor forma que podia. O CEO teve que digerir alguns telefonemas como esse durante os primeiros dois anos à frente da gestão, mas a partir do terceiro o chefe havia se convencido pelos resultados financeiros apresentados de que não precisava interferir no dia a dia da operação.

De aliado a oponente

Já dissemos que a presença de um profissional de mercado pode ajudar no processo de sucessão das empresas familiares, especialmente no período de formação do novo líder, dando tempo para que ele esteja de fato preparado para assumir o comando dos negócios. O caso que apresentaremos agora mostra o quanto a ansiedade sucessória e a relutância em fazer uso de executivos não familiares podem prejudicar uma companhia, por maior que ela seja.

O empreendimento em questão é uma empresa familiar que começou como uma pequena oficina mecânica, nos longínquos anos 1930, e evoluiu a ponto de se transformar em uma das maiores fabricantes de componentes automotivos da América Latina, controlando atualmente uma dúzia de subsidiárias com operações espalhadas pelos cinco continentes.

O grande responsável pelo crescimento do negócio (a quem vamos nos referir por Dário), é filho do empreendedor original e tinha um excelente tino comercial. Ele soube aproveitar muito bem a expansão da malha rodoviária e da frota veicular brasileira, explorando tanto o mercado de peças originais como de reposição. Na década de 1990, esse empresário percebeu que precisava oferecer um apoio adequado à evolução da companhia e colocou em andamento a profissionalização e implantação de um modelo de governança corporativa completo, que incluía uma reestruturação societária, a elaboração do acordo de acionistas, a formação de um conselho de família e de um conselho de administração.

No fim dos anos 2000, quando se aproximava dos 80 anos de idade, Dário resolveu acelerar o processo de sucessão. O momento parecia perfeito não só porque ele alcançava uma idade em que seu afastamento da presidência se tornava cada vez mais inevitável, como porque os negócios nunca tinham ido tão bem – pela primeira vez na história do grupo os lucros superavam a barreira das duas centenas de milhões de reais.

Dário teve três filhos e a essa altura todos já estavam integrados aos negócios da família, em altos cargos diretivos das subsidiárias. Vamos nomeá-los por Ricardo (de 50 anos), Pedro (48) e Rodrigo (32).

Usando a lógica emocional, Dário resolveu guindar o primogênito à presidência da companhia, conservando para si a posição de comando do conselho de administração, que então acumulava com a liderança do grupo.

Infelizmente, na maioria das vezes, os princípios emocionais e a racionalidade exigida pelos negócios não combinam, e, ao escolher o filho mais velho para sucedê-lo, Dário cometeu dois erros ao mesmo tempo. Havia na companhia um executivo que estivera presente ao seu lado durante as últimas décadas, acompanhando cada passo do crescimento vertiginoso do grupo ao longo dos anos, a quem vamos chamar de Samuel. Aos 60 e poucos anos, ele ocupava uma das vice-presidências e sua grande expectativa era se tornar o líder máximo da empresa quando Dário decidisse deixar o cargo. Ao ver que o escolhido tinha sido Ricardo, esse profissional ficou profundamente frustrado, o que o transformou de aliado incondicional da gestão em adversário interno.

A lógica paterna de Dário fazia com que ele enxergasse uma clara hierarquia entre os filhos na linha de sucessão – a das idades. O pai percebia que, entre os três, o mais qualificado para ocupar sua cadeira era na verdade Rodrigo, o caçula, mas a ele parecia inconcebível passar por cima da escala etária, preterindo o mais velho. Seu plano era passar o bastão primeiro para Ricardo e mais tarde transferir o comando dos negócios naturalmente ao mais novo, que afinal ainda era jovem, na casa dos 30 anos.

Ricardo assumiu a presidência sob certa desconfiança do mercado – e uma forte torcida contrária de Samuel. Ao decidir pela sucessão ao filho mais velho, Dário falhou em conquistar a ajuda do seu executivo mais experiente para auxiliar na transição. Em vez de aproveitar a vivência e as relações desse profissional para liderar o grupo por um tempo, aproveitando-o como um mentor do filho caçula, o melhor preparado para sucedê-lo, Dário preferiu isolá-lo em uma posição cheia de regalias, mas completamente esvaziada de poder decisório.

Enquanto o Brasil surfava em uma bonança econômica ilusória, Ricardo conseguiu se equilibrar no comando das empresas da família, mesmo tomando algumas decisões equivocadas. Como dissemos antes, Dário tinha um instinto comercial ferino e entre as fortalezas dos seus negócios sempre esteve a disposição em manter uma relação muito próxima com os clientes, papel que ele fazia questão de desempenhar pessoalmente, com muita habilidade e carisma. O filho não tinha o mesmo talento e dedicação a essa questão e aos poucos essas relações foram ficando mais frias.

Apesar de oficialmente sua atuação estar restrita ao conselho de administração, a sombra de Dário continuava presente, com sua "aura de dono" intocada, inclusive com liberdade para tomar decisões que traziam prejuízos ao grupo. Mencionamos anteriormente que um dos benefícios de ter um profissional de fora da família liderando a gestão é a maior liberdade que ele tem para contrariar o proprietário sem o peso emocional dos laços sanguíneos e afetivos.

Em uma viagem à Europa, foi apresentada a Dário uma oportunidade de negócio que lhe pareceu excelente, a aquisição de uma planta industrial *turn key*, que seria instalada em solo brasileiro pronta para começar a funcionar. Nessa época Samuel já não acompanhava mais seus passos na função de um conselheiro que avaliava e discutia as decisões a serem tomadas, e também não passou pela cabeça do filho mais velho questionar a transação. O resultado foi a montagem de um equipamento industrial ineficiente, que nunca funcionou a contento, acarretando perdas significativas ao grupo.

Decisões gerenciais equivocadas foram potencializadas pela forte retração econômica que tomou conta do país a partir de 2014. No ano seguinte, a participação de um dos principais negócios da companhia no mercado despencou para um terço do que era no início da década. Sentindo-se injustiçado e isolado depois de tantos anos dedicados às empresas de Dário, Samuel fazia questão de procurar os jornais e oferecer informações em primeira mão sobre a derrocada, que atribuía sempre à gestão de Ricardo.

Ao observar as dificuldades que o irmão mais velho atravessava e de certa maneira sentindo-se preterido, Rodrigo comunicou ao pai que não tinha intenção de presidir o grupo no futuro, no lugar de Ricardo. O filho caçula explicou ao pai que seu plano era passar a ocupar uma cadeira diretamente no conselho de administração quando deixasse a função diretiva que ocupava em uma das subsidiárias. Em meio à crise sucessória e administrativa, o valor de mercado do grupo caiu pela metade de um ano para o outro.

Como toda crise gera oportunidades, a má situação dos negócios atraiu o interesse de uma instituição financeira, que enxergou no momento de dificuldade a chance de colocar o pé em uma das filiais, que parecia bastante interessante a esses investidores. Para colocar dinheiro e assumir uma participação, no entanto, eles fizeram a exigência de nomear um executivo que iria comandar a unidade.

Com isso, desembarcou no grupo um profissional com ampla experiência na área financeira. Em pouco tempo ele colocou em prática uma série de medidas que reverteram a tendência negativa da divisão. Dário percebeu o duplo engano em que tinha incorrido e decidiu dar início à segunda fase do processo de profissionalização que iniciara vinte anos antes, preparando o grupo para ter um presidente não familiar pela primeira vez.

Poucos meses depois, Ricardo procurou o novo executivo para uma conversa e o que disse a ele resume em uma frase a contribuição que um gestor profissional pode dar ao processo de sucessão de empresas familiares: "Você não sabe o alívio que está me trazendo ao vir me ajudar na gestão". A chegada desse profissional de mercado e a indicação de que ele iria assumir o comando do grupo no futuro ajudaram a estancar a queda do valor de mercado da companhia, que aos poucos foi reassumindo o equilíbrio. É importante notar que esse caminho de profissionalização não exclui a família dos negócios – presentes ou não no conselho, seus herdeiros precisam atuar como acionistas ativos, atentos e participativos, de olho na perpetuação do legado do fundador.

Em empresas menores é mais difícil separar os integrantes da família da gestão, mas há casos em que companhias familiares se tornam tão grandes e complexas que é indispensável contar com a ajuda dos melhores gestores disponíveis no mercado, independentemente das relações de sangue. No próximo capítulo vamos ver o que consideramos o exemplo mais bem-sucedido de um negócio de família na dura tarefa de combinar crescimento, continuidade e profissionalização.

10

CEM ANOS E CINCO GERAÇÕES

A luta pela criação de riqueza não é senão uma luta pela liberdade, a vontade de ser independente, para não viver à sombra de outrem. Não é uma acumulação de lucros para gozo pessoal, é para dar ao país o direito de ser alguém, ser respeitado e admirado no conceito das nações civilizadas.
José Ermírio de Moraes

Existe uma empresa familiar brasileira centenária, que se reinventou ao longo das décadas e conseguiu não só preservar a continuidade dos negócios como crescer exponencialmente. Um levantamento da revista norte-americana *Forbes* sobre as famílias bilionárias brasileiras, realizado em 2014, posicionou seus proprietários em terceiro lugar na lista de fortunas, com patrimônio aproximado de quinze bilhões de dólares.

De quebra, essa companhia conseguiu conduzir três processos sucessórios, de forma coesa e pacífica, com base no senso de legado, formação dos membros familiares e planejamento. Assim, compartilhando o sonho de preservar a instituição acima de tudo, o Grupo Votorantim alcançou a quarta geração da família e prepara a quinta para atuar como acionistas, integrados em um modelo de governança azeitado e que reserva as posições de liderança aos melhores profissionais que o mercado é capaz de formar.

O início dessa história não difere muito do que se passou com a minha própria família: tudo começou com um imigrante que abandonou a terra natal em busca de melhores condições de vida. O homem que daria origem à Votorantim nasceu em 1874, em Baltar, uma pequena aldeia que fica cerca de trinta quilômetros a leste da cidade do Porto, no norte de Portugal. Antônio Pereira Ignácio cruzou o oceano e desembarcou no Brasil com 10 anos de idade, acompanhando o pai, um sapateiro. Os dois foram viver em Sorocaba, no interior de São Paulo, com um tio dele. Nos seus primeiros tempos de Brasil, Antônio trabalhava sete dias por semana, pregando saltos e solas, reformando calçados diversos e à noite ele estudava.

Assim passaram-se os anos, até que o pai foi forçado a voltar a Portugal para cuidar da mãe doente, deixando o filho com 14 anos de idade em São Paulo. Fazendo uso das prestimosas relações da colônia portuguesa, Antônio conseguiu arrumar um emprego no Rio de Janeiro, em uma empresa de importação de tecidos. Aprendeu tão bem o ofício por lá que em três anos tinha conseguido juntar algum dinheiro e se transformar também em comerciante.

Com 18 anos, ele mandou chamar o pai de volta e os dois abriram um pequeno armazém em São Manuel, no interior paulista. Três anos depois, com mais dinheiro economizado e o empréstimo de um patrício, Antônio seguiu seu périplo pelo interior, mudando-se para Botucatu, onde abriu um grande armazém de comestíveis, bebidas, ferragens, tecidos e armarinhos, que batizou de Casa Rodrigues & Pereira.

Os primeiros passos na indústria seriam dados logo depois. Aproveitando a expansão da cultura pelo estado, Antônio montou uma planta de descaroçamento de algodão em Boituva, que separava a fibra da semente. O negócio devia ser bom, porque entre 1903 e 1904 ele montou outras duas unidades, nas cidades de Tatuí e Conchas.

A essa altura, com 30 anos, o imigrante português que começara a trabalhar no Brasil martelando solas de sapato decidiu que tinha chegado a hora de um salto maior: ele queria construir uma indústria de grande porte. Naquele tempo, porém, simplesmente não havia no país quem fornecesse equipamentos para um empreendimento desses. Antônio, então, procurou seu antigo patrão na importadora de tecidos do Rio de Janeiro, negociou um empréstimo e embarcou para os Estados Unidos.

Ele levava dinheiro suficiente para comprar o maquinário e pagar pela viagem, mas antes estava interessado em conhecer em detalhes o negócio em que pretendia mergulhar. Assim, sem se identificar, Antônio arrumou emprego em uma fábrica de Birmingham, no Alabama, que utilizava o mesmo tipo de máquinas que pretendia adquirir.

Ele trabalhava com tanto interesse que em poucos meses tinha sido promovido de operário a mestre, e haviam lhe oferecido o cargo de gerente. Antônio chegou à conclusão que já aprendera o suficiente e decidiu convidar os proprietários da indústria para um jantar no melhor hotel da cidade, revelando a eles sua identidade e prontificando-se a devolver integralmente os salários recebidos nos meses de estágio oculto.

Espantados, os capitalistas americanos prometeram a Antônio repartir o dinheiro devolvido entre os empregados mais necessitados da fábrica, além de oferecer a ele uma carta de recomendação para ser apresentada aos fabricantes de máquinas, também seus fornecedores. Não é difícil imaginar a surpresa que a chegada do português deve ter causado na visita à Wilson North Carolina, estabelecida na cidade de Charlotte (Carolina do Norte), não só por ele se mostrar capaz de discutir em detalhes as especificações técnicas do maquinário, como por se dispor a importar um lote considerável delas para um longínquo e desconhecido país da América do Sul.

O fato é que Antônio retornou ao interior paulista no fim de 1905, com tudo o que precisava para montar a Fábrica de Óleos Santa Helena, em Sorocaba. O modelo de negócio que ele construiu mostra que a capacidade de planejamento esteve presente na Votorantim desde os primórdios. Antes mesmo de embarcar para os Estados Unidos, o empresário português mandara publicar uma série de anúncios nos jornais do interior paulista, oferecendo contratos de compra da safra de algodão do ano seguinte por um preço pré-fixado, de forma a garantir o próprio suprimento e se proteger da concorrência.

Na volta da viagem, Antônio passou a distribuir sementes aos produtores de forma subsidiada, além de trazer da América do Norte variedades melhoradas de algodão. O maior diferencial, porém, estava na adoção de um novo padrão produtivo: enquanto os concorrentes se limitavam a separar a fibra do algodão para fornecê-la à indústria têxtil, queimando as sementes como refugo, ele montou uma planta para extrair o óleo delas, agregando um novo produto à sua cadeia.

Beneficiando-se da expansão que tinha fomentado, dez anos depois Antônio possuía cinco unidades de descaroçamento, além da indústria de óleo. Para diversificar os negócios, ele tinha montado uma pequena usina elétrica e comprado a Fábrica de Cimento Rodovalho, em São Roque.

Nessa altura, os tempos de imigrante pobre já tinham ficado para trás. Em 1915, Antônio mudou-se com a família para a capital, ocupando um casarão no número 7 da Avenida Paulista, e resolveu dar mais um passo adiante na cadeia produtiva da principal atividade industrial da época, adquirindo a Tecelagem São Bernardo e a Fábrica de Tecidos Bom Retiro, além de montar outras duas indústrias, a Tecelagem Lusitânia e a Fábrica de Tecidos Paulistana. O encontro do empresário com a companhia que daria nome e consolidaria seu grupo agora estava próximo.

Greve e espólio

Entre as diversas relações comerciais derivadas dos seus negócios, Antônonio Pereira Ignácio era fornecedor de uma fábrica de tecidos controlada pelo Banco União, que ficava a sete quilômetros da cidade de Sorocaba, chamada Votorantim. Na metade da década de 1910, o negócio enfrentava dificuldades e o empresário foi chamado para ajudar a sanear uma empresa que começava a atrasar salários.

A pá de cal viria com a Greve Geral de julho de 1917, um movimento que começou em duas fábricas têxteis do Cotonifício Crespi, no bairro da Mooca, em São Paulo, e em poucos dias tinha se espalhado, agregando mais de setenta mil trabalhadores. Eram tempos em que as condições de trabalho nas indústrias não eram nada fáceis – basta ver algumas das principais exigências dos grevistas, como a não contratação de menores de 14 anos, o fim da jornada noturna para mulheres, limite de oito horas de trabalho por período e o pagamento de salários a cada duas semanas, no máximo cinco dias após o vencimento. A razão imediata para a greve, porém, foi o impacto que a Primeira Guerra Mundial provocou no custo de vida da população, cujos ganhos não acompanhavam a alta de preços dos itens básicos.

Um dos efeitos da Greve Geral foi a quebra do Banco União, no que Antônio Pereira Ignácio enxergou uma oportunidade. Tinha-lhe sido oferecida a chance de adquirir o espólio da instituição financeira por um valor oito vezes menor do que o capital nominal registrado. Claro que havia risco: ele teria que assumir a responsabilidade de gerir os negócios do banco e cobrir as necessidades diárias da massa falida. O benefício seria poder comprar as participações dos demais sócios a preços e prazos acertados, se tivesse êxito.

O empresário aceitou o risco e tomou posse da Votorantim em 1918, interessado nos três campos de atuação da empresa, o que incluía a fabricação de produtos têxteis, o uso da sua via férrea e a exploração das jazidas de minérios calcários nas suas propriedades.

No novo arranjo, já a partir da segunda metade de 1920, Antônio Pereira Ignácio aprofundou a prática que se tornaria permanente e uma das grandes características do seu grupo: reaplicar os resultados na empresa para aumentar as reservas e financiar o crescimento.

Curiosamente, é nesse momento também que as histórias dos Pereira Ignácio e dos Ferrari fazem uma breve intersecção. Entre as heranças do Banco União havia uma série de terrenos em São Paulo e São Caetano do Sul que não tinha ligação com as atividades principais do grupo. Para transformar esse apêndice em ativos, Antônio ingressou no ramo imobiliário, colocando os lotes à venda com prazos longos e prestações baixas, a forma encontrada para atrair compradores à então distante Cidade Monções, à beira do Rio Pinheiros. Ali mesmo, em 1945, pouco depois de chegar ao Brasil, meu avô compraria a pequena casa da rua Chicago, em cuja garagem nasceria a Zenit.

Antônio Pereira Ignácio mandou reformar e instalou postes de eletricidade ao longo da linha férrea que ligava a Votorantim ao centro de Sorocaba, inaugurando em 1922 a primeira ferrovia particular eletrificada do Brasil. Com a instalação de novos teares, as empresas têxteis do grupo processavam nada menos do que 17% de todo o algodão produzido no estado de São Paulo naquele ano. A Votorantim já era a principal empresa do grupo, que agora incluía vinte unidades descaroçadoras.

Antônio começava a planejar a sucessão, com a entrada no negócio do filho mais velho, João Pereira Ignácio, como diretor-tesoureiro. Até aqui a história do grupo é o exemplo clássico do *self-made man*, personificado no imigrante pobre que começou como sapateiro, foi pequeno comerciante e se tornou industrial, reinventando os próprios negócios ao longo do caminho para aproveitar as oportunidades.

Nesse momento chegou à Votorantim o homem que daria continuidade a essa trajetória, agregando o sobrenome que se tornou uma das maiores referências da história da indústria brasileira: José Ermírio de Moraes.

Da cana à mineração

Filho de duas famílias tradicionais da antiga aristocracia açucareira de Pernambuco, José Ermírio de Moraes nasceu na virada do século passado, em uma cidade da Zona da Mata que fica a setenta quilômetros de Recife, chamada Nazaré da Mata. Seu pai morreu antes que ele completasse três anos de idade, o que forçou a mãe dona Chiquinha a assumir o comando dos negócios da família, dois engenhos nos arredores da Vila de Lagoa Seca. Eram tempos difíceis para o açúcar, pois os preços só caíam e a arroba do produto agora valia menos da metade do que um dia chegara a alcançar.

Mesmo com as dificuldades, em respeito ao desejo do falecido marido, dona Chiquinha mandou José Ermírio estudar em Recife, onde ele aprendeu alemão e inglês no Colégio Alemão. Terminado o que seria o ensino médio, o estudante percebeu que as opções de formação superior na capital pernambucana eram poucas, especialmente no campo que lhe interessava: a metalurgia.

Ao contrário do que se poderia esperar de um herdeiro de fazendas no Nordeste, José Ermírio não tinha apego à redoma protetora dos negócios familiares, e aos 16 anos partiu sozinho para uma longa viagem aos Estados Unidos, onde foi estudar primeiro na Universidade de Waco, no Texas, e em seguida na Colorado School of Mines, considerada a melhor escola de mineração norte-americana, que contava até com uma mina experimental para treinamento dos alunos. A atitude de dona Chiquinha também foi diferente do que seria previsível para uma família aristocrática, já que, em vez de incorporar o filho aos negócios próprios, ela não só lhe deu liberdade de escolha, como ofereceu o apoio financeiro para custear os estudos no estrangeiro.

Enquanto esteve nos Estados Unidos, José Ermírio chegou até a trabalhar em uma mina de zinco, no Colorado. Durante as férias de verão, logo depois do primeiro ano de faculdade, ele se apresentou a uma unidade da Empire Zinc Mines, crente de que a carta de recomendação que obtivera com um professor seria suficiente para que lhe colocassem em uma posição administrativa confortável. Ao chegar lá, porém, recebeu uma pá e uma picareta e teve que passar semanas carregando minério, como qualquer operário.

Ao recebê-lo de volta, formado, em 1921, dona Chiquinha sabia que a qualificação profissional do filho superava em muito as possibilidades que ele teria nos engenhos da família e mais uma vez entregou a José

Ermírio o poder de decisão: assumir as operações de açúcar herdadas do pai ou seguir a carreira que tinha escolhido. O engenheiro optou pela segunda alternativa e com a bênção da mãe foi assumir um cargo de funcionário público em Minas Gerais, como responsável por mapear as riquezas minerais do estado. Ainda em solo mineiro, no ano seguinte ele trabalhou na St. John del Rey Mining Co., uma companhia inglesa proprietária da Mina de Morro Velho e de imensas reservas de minério de ferro nos arredores de Belo Horizonte.

Em 1923, porém, José Ermírio viu-se forçado a retornar a Recife para socorrer os negócios familiares, que estavam em situação cada vez mais precária. Em pouco tempo, percebeu que a retração do mercado açucareiro causada pela normalização da produção europeia, além da consequente baixa dos preços, exigia um aumento expressivo de produtividade se os engenhos dos Moraes pretendiam sobreviver no novo ambiente. O problema é que isso era impossível com o maquinário obsoleto que havia à disposição.

José Ermírio se reuniu com o cunhado, também sócio nas operações de açúcar, para debater a questão. A alternativa apresentada era adotar uma postura de resignação aos sacrifícios financeiros, para fazer investimentos que oferecessem a chance de salvar os engenhos. Seria preciso comprar equipamentos novos e praticamente montar um novo parque produtivo ou se conformar com a falência. Após um conselho de família, o plano foi aprovado e ficou decidido que ele e o cunhado viajariam à Inglaterra para adquirir as novas máquinas, acompanhados da irmã e da filha do casal, Odete, uma menina de 12 anos que vivia doente e – acreditava-se na época – poderia se beneficiar dos bons ares europeus.

Antes de partir para Londres, então, os quatro fizeram escala em uma estação de cura de Valmont, na Suíça, onde a criança teria à disposição todo o ar alpino que precisasse. Ali, na base do teleférico que conecta a estação de cura à cidade de Montreux, a menina viu-se atraída por uma bandeira brasileira sobre a mesa em que uma moça tomava chá. Pouco depois ela apresentaria ao tio Helena Pereira Ignácio, que acompanhava os pais em uma viagem à Europa com motivos semelhantes: tratar a asma da esposa do fundador do Grupo Votorantim.

Depois de alguns dias de convivência agradável com Helena na Suíça, José Ermírio partiu para cumprir o planejado – desembarcou em Londres, comprou o maquinário necessário e retornou a Recife, para supervisionar a instalação e orientar os familiares que ficariam responsáveis pela operação de açúcar. Em dezembro de 1924, ele se mudou para São Paulo, onde se casaria com a filha de Antônio Pereira Ignácio no ano seguinte.

Na volta da Europa, o empresário português também estava decidido a reorganizar os próprios negócios. As fábricas de tecido em São Paulo, as plantas de óleo em Sorocaba e todas as unidades de descaroçamento de algodão foram incorporadas à Sociedade Anônima Indústrias Votorantim, que passou a controlar todos os demais empreendimentos. A esta altura, o grupo já tinha 3400 funcionários.

Em 1925, o inesperado veio interferir na sucessão do negócio familiar. João Pereira Ignácio, o filho mais velho do fundador, sofreu um problema grave de saúde e teve que se afastar do cargo de diretor-comercial. A posição foi assumida por José Ermírio, que passou a integrar oficialmente a diretoria do grupo.

Sonho de industrialização

Antônio Pereira Ignácio podia se dizer satisfeito com o que tinha construído nos seus quarenta anos de Brasil – nos últimos oito anos, seu capital tinha se multiplicado quase por dez. Ele tinha todo o direito de pensar em uma aposentadoria tranquila, beneficiando-se dos lucros que levara tanto tempo para construir. A atitude do empresário, porém, foi em direção totalmente oposta, cimentando a base do senso de legado que seria levado adiante pelos seus sucessores na Votorantim.

Após a reestruturação societária, Antônio Pereira Ignácio viu surgir a oportunidade de sacar um bom montante de dinheiro do negócio através da venda de seus ativos consolidados na Votorantim. O que ele fez, porém, foi reinvestir tudo de novo no grupo, uma injeção de recursos que fez o capital social saltar de cinco mil contos de réis (a moeda nacional da época) para vinte mil contos de réis. As práticas de restringir as retiradas dos sócios ao mínimo necessário e reinvestimento constante perdurariam pelas décadas seguintes, o que foi decisivo para financiar o crescimento da Votorantim.

Em 1926, João Pereira Ignácio retornou do período convalescente e se tornou diretor-tesoureiro com seu irmão mais novo, Paulo, assumindo a diretoria comercial. Com isso, José Ermírio se tornou diretor-gerente.

Nenhum deles poderia imaginar o tamanho da crise que se avizinhava em 1929. A quebra da Bolsa de Nova York fez desabar as exportações brasileiras de café, então o principal produto do comércio exterior brasileiro. Sem divisas, o governo passou a controlar o câmbio e desvalorizou a moeda, além de restringir as importações – simplesmente porque não havia como pagar por elas. Se um dólar comprava oito mil-réis em 1929, dois anos depois comprava quatorze mil-réis.

Sem querer, as medidas governamentais para minimizar o impacto da crise acabaram funcionando como uma política industrial intuitiva, a mesma que deu fôlego aos primeiros fabricantes de autopeças brasileiros, como vimos antes.

O cenário dos anos 1930 por aqui era ao mesmo tempo difícil e promissor para a indústria. Por um lado, as dificuldades de empreender eram muitas, começando pela escassa disponibilidade de insumos. Não havia siderúrgicas para fornecer aço, a indústria química era praticamente inexistente e não se produzia quase nenhum bem de capital em solo brasileiro. Os desafios logísticos e de comunicação em um país continental eram imensos e para completar havia poucas universidades e escolas superiores capazes de formar a tão necessária mão de obra qualificada. Por outro lado, havia tudo por fazer e as oportunidades pareciam infinitas.

Antes mesmo da crise, José Ermírio já dava mostras de qual era seu grande objetivo em vida, o sonho que seria compartilhado com os filhos e levado adiante por eles: industrializar o Brasil. Em 1928, ele foi um dos idealizadores do Manifesto Votorantim, Matarazzo e Klabin, que reuniu os três grandes grupos industriais da época. O documento marcava posição contra as ideias liberais, majoritárias na opinião pública econômica da época, de que o país deveria sempre manter políticas favoráveis às importações. Sem dúvida isso beneficiava os poderosos cafeicultores, interessados em manter boas relações comerciais com outros países para não sofrer qualquer restrição de suas exportações, além dos comerciantes, que lucravam com a venda de produtos trazidos do exterior sem entraves tarifários. Para os industriais, porém, essa competição era predatória.

O manifesto, que defendia posição favorável à industrialização do país, serviu de embrião ao Centro das Indústria do Estado de São Paulo (Ciesp), que mais tarde se desenvolveria na Federação das Indústrias do Estado de São Paulo (Fiesp).

José Ermírio definiu em um parágrafo o que significava para ele o sonho de industrializar o Brasil. Observada à luz do que se passou nas décadas seguintes, a colocação revela o poder que o senso de legado transmitido por ele teve em manter a família Moraes unida em torno da Votorantim até hoje, além de resumir como eles enxergam os negócios: "A luta pela criação de riqueza não é senão uma luta pela liberdade, a vontade de ser independente, para não viver à sombra de outrem. Não é uma acumulação de lucros para gozo pessoal, é para dar ao país o direito de ser alguém, ser respeitado e admirado no conceito das nações civilizadas".

Cimento e siderurgia

A década de 1930 muitas vezes é lembrada por sua marca negativa devido à Grande Depressão, que desempregou milhões de pessoas e consolidou o ambiente de insatisfação que propiciou o surgimento do nazifascismo. Para a Votorantim, porém, foram tempos de crescimento sólido e uma mudança de rumo que colocou o grupo no caminho da indústria de base.

Além da grande operação da cadeia têxtil, a Votorantim contava com uma pequena produção de cimento, adquirida junto com a Fazenda Santo Antônio, em Mairinque, comprada por Antônio Pereira Ignácio em 1911. Era uma fábrica antiga, construída pelo proprietário anterior das terras, o coronel Antônio Proost Rodovalho, que começara a funcionar em 1892.

José Ermírio viu potencial no negócio, mas também percebeu a limitação que os equipamentos obsoletos impunham. Para melhorar a capacidade e a qualidade do produto final, em 1933 decidiu construir uma nova fábrica de cimento, importando um forno da Dinamarca. Batizada de Santa Helena, a estrutura começou a ser construída no ano seguinte, nas proximidades de Sorocaba, e produziria uma nova marca de cimento, a Votoran. A chancela definitiva sobre sua qualidade veio em menos de cinco anos – em 1938 o cimento Votoran foi escolhido para construção do Viaduto do Chá, a cereja do bolo das grandes obras de urbanização que deram uma nova roupagem ao Vale do Anhangabaú, no centro de São Paulo.

O otimismo da Votorantim com o futuro transparecia na construção da sua nova sede, um prédio de sete andares inteiro para o grupo, transferindo seus escritórios da rua São Bento para a rua Quinze de Novembro, no centro da capital paulista. A transição foi feita obedecendo um novo formato organizacional, em que os quatro ramos de negócios (plantas têxteis, descaroçadoras de algodão, fábricas de óleo e a unidade de cimento) estavam divididos pelas seções que respondiam por eles, o que facilitaria a expansão das atividades.

O cimento era só o começo do que José Ermírio sonhava. Na segunda metade da década ele deu início a dois planos ambiciosos ao mesmo tempo, de olho em setores de insumos que a economia brasileira era carente: siderurgia e indústria química.

A Votorantim tinha conseguido autorização para investigar as jazidas de minério de ferro de Ipanema, em Araçoiaba da Serra, no entorno de Sorocaba. A proximidade das outras unidades do grupo sugeria que montar uma siderúrgica ali seria interessante, mas José Ermírio enxergava uma equação mais complexa. Para eleger o local do novo empreendimento era preciso encaixar uma combinação de fatores que incluía não só o acesso às jazidas, mas também a facilidade em abastecer a usina de carvão vegetal (uma vez que naquela época ainda não havia sido descoberto carvão mineral no Brasil) e o acesso a uma estrada de ferro, para distribuir a produção final ao mercado.

Bom conhecedor do potencial das reservas de minério de ferro de Minas Gerais pelos seus tempos no estado, o dedo de José Ermírio recaiu sobre um município do interior do Rio de Janeiro: Barra Mansa. Em 1936, seus emissários começaram a adquirir terras na região, abundantes em madeira para ser transformada em carvão. A Siderúrgica Barra Mansa foi oficialmente criada no ano seguinte, e em 1938 o primeiro alto-forno começou a funcionar, um projeto dimensionado para produzir 3600 toneladas de ferro-gusa por ano. Parece pouco, mas isso equivalia a 10% de toda a produção siderúrgica brasileira anual no início da década de 1930.

Os volumes não entusiasmaram um grupo do tamanho da Votorantim, que não quis ter participação na empresa – nesse negócio José Ermírio era o principal investidor, com outros nove sócios. Antônio Pereira Ignácio, porém, apoiou o genro na empreitada, inclusive atraindo alguns amigos para colocar dinheiro na siderúrgica. O acerto na escolha do local ficou provado pouco depois. Em 1941, Getúlio Vargas inaugurava ali perto a usina que exigira dos norte-americanos em troca da entrada do Brasil na guerra contra o Eixo, a Companhia Siderúrgica Nacional, construída em Volta Redonda, então um distrito de Barra Mansa.

Indústria química

Em 1935, o empresário Wolf Klabin, um dos sócios do Grupo Klabin, que já fabricava papel naquela época, leu uma pequena nota em um jornal norte-americano que dava conta do fechamento de uma fábrica de fibras têxteis artificiais no interior da Virgínia. Ele entrou em contato com os proprietários (a empresa Tubize Chantillon Corporation) e descobriu não só que a planta tinha capacidade para cobrir quase todo o ciclo do produto, incluindo derivados como o ácido sulfúrico, como havia até interesse da venda e transferência do negócio para o Brasil – em certas condições.

Os americanos exigiam participar da nova companhia brasileira, além de que fossem atraídos sócios com experiência no ramo industrial. Klabin convidou José Ermírio para o empreendimento e no segundo semestre estava criada a Companhia Nitro Química Brasileira, com o objetivo de produzir produtos químicos e têxteis, incluindo o raiom, chamado na época de "seda artificial". Na divisão acionária, a Tubize Chantilon ficou com uma participação de dois terços, Klabin com 15%, a Votorantim com 8% e José Ermírio com menos de 1%.

Agora só seria preciso desmontar dezoito mil toneladas de equipamentos, transportar tudo para o Brasil e remontar o maquinário outra vez. Era necessário ainda encontrar um local razoavelmente isolado, com abastecimento farto de água e acesso à rede de transportes. A solução foi adquirir um terreno de 1 milhão de metros quadrados no então ermo distrito de São Miguel Paulista, na Zona Leste de São Paulo.

Em 1936, depois de solucionado o transporte da fábrica, surgiu um novo problema: treinar a mão de obra capaz de operar os complexos processos de uma indústria química, em um país carente de educação formal como o Brasil da época. Só para começar a funcionar, a planta precisava de mil funcionários.

No ano seguinte a primeira unidade deu a largada nas operações, produzindo ácido sulfúrico. Em 1938, já se fabricava raiom, viscose e outros produtos químicos essenciais, como ácido nítrico, sulfato de sódio e éter. Uma dificuldade inesperada, porém, provocaria a alteração do quadro societário da empresa. Vendo a consolidação de um competidor bem-estruturado, em 1939 os concorrentes derrubaram o preço da "seda artificial" pela metade, e, logo depois, a um quarto do praticado no ano anterior. Assustados com as novas condições de mercado, os americanos desistiram do negócio, vendendo sua participação.

Às vésperas da Segunda Guerra Mundial, a Nitro Química tornava-se inteiramente brasileira. Quando estourou o conflito, a empresa estava em condições de fabricar produtos químicos estratégicos, como a pólvora e a nitroglicerina usadas em explosivos, que ganhavam importância extra no momento em que as importações estavam dificultadas pela guerra. Nesse momento, grandes pedidos dos militares brasileiros começaram a chegar, ajudando a equilibrar as finanças. Em 1940, a companhia já empregava mais de 2600 pessoas.

Troca de comando e o alumínio

Desde que chegou à Votorantim, na metade dos anos 1920, José Ermírio tinha transformado uma companhia têxtil com algumas atividades agregadas em um complexo industrial, em que a indústria de base agora tinha participação fundamental, nos ramos químico e de cimento.

Ao longo de toda a década de 1930, Antônio Pereira Ignácio se manteve como presidente do grupo, mas aos poucos foi se afastando do dia a dia e delegando poder ao genro. Da sua sala no prédio da rua Quinze de Novembro, do alto do quinto andar, ele foi se concentrando cada vez mais na supervisão geral, enquanto José Ermírio respondia pela gestão de fato, como diretor-superintendente.

José Ermírio já tinha sociedade na siderúrgica de Barra Mansa, mas a Votorantim ainda não havia cruzado as fronteiras do estado de São Paulo. No começo da nova década, ele decidiu dar o primeiro passo em direção à criação de uma operação verdadeiramente nacional, estrutura que mais tarde teria papel decisivo na integração da próxima geração nos negócios familiares. Em 1942, o grupo criou uma segunda marca de cimento, especificamente para abastecer o mercado nordestino. Para isso, construiu em Pernambuco a Fábrica de Cimento Portland Poty, na cidade de Paulista, nas proximidades de Recife. No ano seguinte, o alto-forno dinamarquês importado para a planta já produzia quase sete mil toneladas.

O sonho de industrializar o Brasil seguia vivo na cabeça do engenheiro pernambucano e no começo daqueles anos 1940 ele resolveu ingressar em um novo e difícil setor da indústria de base: o alumínio.

O domínio do processamento desse metal era razoavelmente recente – a produção tornara-se economicamente viável apenas cinquenta anos antes, em 1886, quando um norte-americano e um francês desenvolveram e patentearam quase ao mesmo tempo o processo pelo qual se dissolve a alumina em criolita fundida, decomposta depois através da eletrólise. A técnica, que ficou conhecida como Hall-Héroult, permitiu a produção do alumínio em larga escala na Europa e na América do Norte.

Na década de 1940, a situação do mercado mundial podia ser definida como um cartel, em que seis empresas dividiam entre si o controle das jazidas de bauxita (o minério de onde se extrai a alumina), a tecnologia, a produção e o comércio do alumínio. Eram as chamadas "Seis Irmãs" (Alcoa, Alcan, Reynolds, Kaiser, Alusuisse e Pechiney), entre as quais a norte-americana Alcoa e a canadense Alcan dominavam o fornecimento para o Brasil. Entrar nesse círculo não seria uma tarefa simples.

Em 1941, José Ermírio reuniu um grupo de investidores para acompanhar a Votorantim na empreitada, com o objetivo de explorar a maior jazida de bauxita conhecida do Brasil. Avaliada em cinco milhões de toneladas, a reserva ficava na Fazenda Recreio, em Poços de Caldas, no sul de Minas Gerais. O plano era instalar a fábrica de alumina e a usina de redução do alumínio em outro local, uma vez que a área da jazida era servida por ferrovia, mas não dispunha de energia elétrica suficiente ou acesso a combustíveis e a outros insumos essenciais.

A escolha recaiu sobre a Fazenda Rodovalho, onde a Votorantim já tinha sua primeira fábrica de cimento. As condições de transporte para o mercado consumidor (São Paulo) e a exportação (via Porto de Santos) eram excelentes e lá também havia um terminal da Estrada de Ferro Sorocabana, que facilitaria a chegada do minério vindo de Minas Gerais. Existia grande disponibilidade de mão de obra na região e a fazenda até contava com uma vila operária.

José Ermírio contratou os serviços de três consultorias norte-americanas para avaliar a viabilidade da operação e recebeu sinal verde de todas. Depois da aprovação do projeto pelo Conselho de Segurança Nacional e pelo presidente Getúlio Vargas, o negócio recebeu um financiamento do Banco do Brasil. Em dezembro de 1941, criou-se a Companhia Brasileira de Alumínio (CBA), com um capital próprio de sessenta mil contos de réis (o equivalente ao triplo do capital da Votorantim na época) e outros 69 mil contos emprestados pelo banco público, com prazo de doze anos para pagar.

Tudo parecia encaminhado, mas no dia 7 de dezembro os japoneses bombardearam a maior base norte-americana no Havaí, o que arrastou os Estados Unidos para a Segunda Guerra Mundial. Como consequência, o ataque a Pearl Harbor acabou por barrar a transferência de tecnologia que era essencial à construção da fábrica.

Quando o conflito terminou, a situação havia mudado bastante. A capacidade instalada mundial de produção de alumínio tinha sido expandida em muito para suprir a demanda pelo metal no esforço de guerra. Os Estados Unidos começaram a arrendar à iniciativa privada as usinas construídas apenas para fornecer aos militares, e esses novos participantes não tinham interesse nenhum em transferir tecnologia a um novo concorrente brasileiro. Para piorar, o fim da guerra ainda liberou uma imensa quantidade de sucata de alumínio, pronta para ser fundida, derrubando os preços internacionais do produto.

Nessa conjuntura, alguns sócios desistiram do negócio e foi preciso recomprar suas participações, o que descapitalizou a CBA. Para evitar maiores danos, a empresa renegociou o empréstimo do Banco do Brasil, reduzido à metade, além de reestruturar seu projeto industrial. José Ermírio, que além de representar a Votorantim também tinha participação própria na companhia, decidiu manter as posições.

A solução técnica foi acertar uma transferência tecnológica de outra fonte, comprando uma fábrica de alumínio completa na Itália e transplantando-a para o Brasil, acompanhada dos técnicos para treinar a mão de obra nacional. Em 1948, a usina começou finalmente a ser instalada.

Entrada da terceira geração

No fim dos anos 1940, a transferência de comando do fundador da Votorantim para o genro estava consolidada. O "comendador" Antônio Pereira Ignácio permaneceu como presidente do grupo até morrer, aos 77 anos, em 1951, quando José Ermírio se tornou oficialmente a figura pública dominante, embora já tivesse as rédeas dos negócios em mãos desde a década de 1930.

O empresário português ainda era ouvido nos momentos mais críticos, como nos primeiros anos após a criação da CBA, em que a decisão da Alcan de se instalar fisicamente no Brasil, entre outros fatores, exigiu que a Votorantim financiasse diretamente a operação de alumínio. O "comendador" manteve sempre seu apoio à decisão do genro.

O ano em que a Companhia Brasileira de Alumínio começou a ser construída marcou também uma nova fase no processo sucessório da Votorantim, com a entrada no negócio do primeiro dos quatro filhos que José Ermírio teve com Helena, a filha de Antônio Pereira Ignácio.

José Ermírio de Moraes tinha consciência plena de quanto a educação de qualidade é importante para a formação de um líder e executivo, por sua própria experiência. Pensando na preparação do futuro da Votorantim, ele havia enviado seus dois filhos mais velhos para estudar na mesma Colorado School of Mines que ele frequentara na década de 1910. Em 1948, o irmão mais velho (José Ermírio de Moraes Filho) voltou ao Brasil e no ano seguinte foi a vez do segundo filho (Antônio Ermírio de Moraes) retornar, ambos engenheiros formados.

A integração dos dois aos negócios da família, porém, não seria imediata. A proposta de José Ermírio aos filhos era simples: se quisessem trabalhar no grupo, teriam que cumprir um estágio não remunerado de um ano e depois seriam submetidos a uma avaliação para decidir se tinham capacidade para continuar na Votorantim ou não.

Anos depois, Antônio Ermírio ainda se recordava da frase que o pai lhe dissera ao explicar as condições de entrada: "Você vai ficar um ano sem salário. Se não servir, por favor, não quero ressentimentos, mas vai ter que procurar emprego em outro lugar".

José Ermírio foi trabalhar no núcleo original da Votorantim em Sorocaba, em 1948, onde ainda operavam as unidades de tecidos, cimento, descaroçadoras de algodão e produção de óleos. Depois de um ano ele assumiu o cargo de diretor-industrial e já dava sinais de que tinha o mesmo espírito do pai ao apresentar um plano para construir uma nova fábrica de cimento no município de Rio Branco do Sul, nas proximidades de Curitiba.

Antônio Ermírio foi cumprir seu estágio na usina siderúrgica de Barra Mansa, em 1949, e depois do ano probatório foi transferido para a CBA, em São Paulo, que ainda estava sendo instalada.

Os relatos das esposas dos dois filhos de José Ermírio, transcritos no livro *Votorantim 90 anos: uma história de trabalho e superação*, de Jorge Caldeira, resumem bem o senso de legado e a maneira como o empresário se relacionava com o negócio familiar, que tão bem conseguiu transmitir aos seus sucessores.

O primeiro depoimento é de Neyde Ugolini, que se casou com José Ermírio de Moraes Filho em 1951. O que ela diz revela como era a relação dos Moraes com a empresa da família, em que as responsabilidades para com o trabalho precediam o conforto pessoal:

> O pai entregou a ele o comando da área de cimento. Ele tinha de tomar conta e de prestar contas. O pai era severo: quando estava errado ia corrigir, gritava e reclamava. Mas depois apoiava e mostrava a importância de aprender com os erros, para poder um dia substituí-lo. Mas isso foi o que nos uniu. Quando nos casamos, eu tive de continuar morando na casa com meus pais, porque toda segunda-feira íamos para Sorocaba. Ele trabalhava na fábrica de segunda a sexta. Nós passávamos o fim de semana em São Paulo. Na segunda, retornávamos a Sorocaba. Enquanto ele estava na fábrica eu ficava numa casinha pequenina na fazenda. Passava o dia fazendo bolinho, empadinha, trabalhando em casa. Isso durou quase quatro anos, até o nascimento da nossa segunda filha (CALDEIRA, 2007).

O relato de Maria Regina Costa, que se casou com Antônio Ermírio de Moraes em 1953, segue a mesma linha:

> Passei os primeiros anos de casada numa sede de fazenda que ficava na propriedade de Rodovalho. Não tinha telefone nem confortos. Apenas uma vendinha a uma certa distância, que não tinha nada nas prateleiras. Ficava em casa o tempo todo, enquanto o Antônio ia trabalhar. Tinha só a companhia dos filhos (CALDEIRA, 2007).

A visão nacional

Já com dois representantes da terceira geração integrados aos negócios, no início dos anos 1950 a Votorantim continuava atenta às oportunidades que se apresentavam em um país em que tudo ainda estava por construir. Naquele início de década o Brasil consumia 1,4 milhão de toneladas por ano de cimento, por exemplo, e quase 35% disso era importado.

De olho nesse mercado, o grupo decidiu expandir as operações no segmento para a região sul. Em 1952 adquiriu a Companhia de Cimento Brasileiro, em Esteio (RS), renomeada em seguida para Companhia de Cimento Portland Gaúcho. No ano seguinte, foram inauguradas outras duas plantas – aquela que José Ermírio de Moraes Filho planejava, a Companhia de Cimento Portland Rio Branco, próximo a Curitiba (PR), e a Companhia Catarinense de Cimento Portland, em Itajaí (SC).

O grupo mudou de sede mais uma vez em 1954, agora para um prédio de dezessete andares que ficava na esquina da Avenida da Luz com a rua Rizkalah Jorge, também no centro de São Paulo, capaz de acomodar os cerca de quatrocentos funcionários administrativos dos vários ramos de atividades.

No ano de 1955 chegou a vez do filho mais novo de José Ermírio integrar-se aos empreendimentos familiares. Formado como engenheiro de produção de petróleo pela Universidade de Tulsa, de Oklahoma (EUA),

Ermírio Pereira de Moraes seguiu o mesmo roteiro dos irmãos mais velhos, indo cumprir o estágio probatório em um segmento incipiente na Votorantim. Como várias operações do grupo dependiam de celulose e carvão, ele foi encarregado de cuidar da compra de terras e dos investimentos em reflorestamento, ao redor da cidade de Itapetininga (SP).

Também em 1955, depois de quase quinze anos de trabalho árduo, finalmente foi inaugurada a Companhia Brasileira de Alumínio. Com 162 fornos eletrolíticos, a planta tinha capacidade de produzir quatro mil toneladas anuais de produtos em diversas ligas diferentes – tubos, chapas, lingotes, perfis, fios, cabos condutores de energia, entre outros.

A segunda metade da década veio acompanhada de uma mudança sensível no cenário competitivo da economia brasileira, com a eleição do presidente Juscelino Kubitschek. Além da chegada das montadoras de veículos estrangeiras, as portas também foram abertas aos investimentos externos. Essas companhias tinham acesso a fontes de crédito muito mais abundante e barato do que o disponível às empresas nacionais, em um mercado financeiro brasileiro ainda incipiente.

Para responder a essa nova realidade e se manter competitivo, José Ermírio decidiu aprofundar o modelo de negócio familiar que tinha sido estabelecido pelo "comendador" Antônio Pereira Ignácio. A política era reinvestir a totalidade dos lucros no desenvolvimento das empresas do grupo, mantendo as retiradas de dividendos no patamar mais baixo possível.

Essa prática é um indicativo do senso de legado e da relação que os Moraes desenvolveram com os negócios da família, além de servir de prova que o sonho do engenheiro pernambucano de industrializar o Brasil tinha de fato sido compartilhado com os filhos. Afinal, para seguir o plano eram exigidos sacrifícios e austeridade especialmente da nova geração, só justificável se eles tivessem a mesma fé no ideal futuro de empresa e de país em que o pai apostava.

Em 1960 ingressa na Votorantim o último elemento do quarteto que dividiria o comando do grupo pelas próximas décadas, ao lado dos três herdeiros que já estavam presentes. Engenheiro elétrico formado pela Universidade Mackenzie, de São Paulo, Clóvis Scripilliti era dono de uma empresa de terraplanagem e havia se casado com a única filha mulher de José Ermírio, Maria Helena de Moraes, em 1958. Já parte da família, ele foi convidado pelo comandante da Votorantim a abandonar o próprio negócio e se tornar responsável por uma nova frente de expansão: a ampliação das operações no Nordeste.

Um depoimento de Maria Helena ao mesmo livro de Caldeira sobre a Votorantim mostra que o recém-chegado teve de se enquadrar ao modelo vigente de colocar o trabalho e as empresas acima da vida pessoal:

> Quando podia eu ia para Recife, mas as crianças ficavam em São Paulo. Tudo lá era longe e difícil. Quando ele ia buscar lugares para instalar fábricas de cimento no interior, a gente só conseguia se falar pelo radioamador de um vizinho, porque telefone não existia (CALDEIRA, 2007).

Depois de mais de trinta anos de dedicação contínua à Votorantim, José Ermírio tinha consolidado a transição do sólido empreendimento têxtil construído pelo "comendador" português em um grupo bem maior e diversificado, com forte presença na indústria de base brasileira. Ele podia dizer que tinha cumprido seu papel na luta para industrializar o país em dois grandes ciclos de expansão: aço, cimento e indústria química nos anos 1930 e o alumínio nos anos 1950.

O engenheiro pernambucano já tinha conseguido integrar três filhos e o genro aos negócios, mas a década de 1960 traria desafios diferentes, e o grupo teria que adaptar sua forma de gestão e de lideranças para responder às novas condições.

Gestão descentralizada

A realidade vivida pelo Brasil nos anos 1960 viria mostrar que a estratégia de José Ermírio de reinvestir os lucros e limitar as retiradas ao

Governança em família: da fundação à sucessão 215

mínimo era acertada. A partir de 1964, com a chegada dos militares ao poder, uma nova política econômica entrou em vigor, com aumento de impostos, incentivo a investimentos em títulos públicos e controle de preços, o que reduzia ainda mais as já escassas possibilidades de financiamento das empresas brasileiras. O caminho para crescer, agora, dependia quase exclusivamente do capital próprio.

Dois anos antes do início da Ditadura Militar o grupo já tivera que começar a se virar sem a liderança do engenheiro pernambucano, que estivera à frente da Votorantim durante as últimas três décadas. Em 1962, ele se afastou do comando dos negócios para se candidatar a senador pelo Partido Trabalhista Brasileiro (PTB) no seu estado natal. José Ermírio elegeu-se com folgas, sendo o mais votado na disputa em Pernambuco, escolhido por mais de três milhões de eleitores. No ano seguinte, ele seria chamado para compor o primeiro ministério presidencialista de João Goulart, onde ocupou a pasta da Agricultura.

Instalado o regime militar, José Ermírio se manteve fiel ao lado derrotado, de que fazia parte, e passou à oposição. Embora tenha conservado o cargo de presidente, ele permaneceria distante do dia a dia da Votorantim por quase uma década, retornando só em 1971 – mas para ocupar outro papel e preocupado muito mais com o futuro do que com o presente da instituição, como veremos mais adiante.

O afastamento da grande figura pública da família Moraes só pôde ser encarado sem traumas porque o grupo já tinha encontrado uma maneira de reinventar seu sistema de gestão, adaptado à nova realidade das operações da Votorantim. Na ausência de José Ermírio, os três integrantes da terceira geração e seu genro passaram a formar o novo "núcleo duro" de comando dos negócios. A estratégia era ao mesmo tempo de simples compreensão e de difícil execução, só possível em um ambiente em que há unidade de propósitos e de objetivos.

José Ermírio ainda se manteve como presidente, mas não houve a escolha de um novo diretor-geral para o grupo. Cada um dos quatro sócios era responsável por um ou mais segmentos das operações.

As decisões fundamentais eram tomadas em conjunto, mas eles usufruíam de autonomia em suas frentes. Os quatro confiavam tanto uns nos outros que o todo sempre acabava prevalecendo sobre o individual, balizados pelo senso de legado que tinha sido infundido pelo engenheiro pernambucano, com base na tríade trabalho duro, reinvestimento dos lucros e retiradas mínimas.

O modelo mostrou-se ideal não só para acomodar o processo sucessório na família, mas também para conviver com as condições econômicas brasileiras do momento, ao permitir a máxima concentração de capital próprio para financiar o crescimento em um cenário de escassez de crédito, combinada à descentralização administrativa que possibilitava gerir com eficiência operações tão distantes e diferentes entre si.

Em 1965, a Votorantim mudaria de sede mais uma vez, agora para o prédio que abrigou durante décadas o glamoroso Hotel Esplanada, na Praça Ramos de Azevedo, logo atrás do Teatro Municipal, no centro de São Paulo. Adquirido pelo grupo, o edifício tinha um significado especial para os Moraes – ali, em 1925, José Ermírio tinha se casado com Helena, a filha do "comendador" Antônio Pereira Ignácio.

Por mais espaçosas que fossem as novas instalações, distribuídas por sete andares, naquela metade dos anos 1960 não era possível administrar um grupo tão espaçado geograficamente de um único edifício. Estamos falando de uma época em que a economia brasileira era pouco interligada, com enormes dificuldades de comunicação e logística. Assim, pelo modelo que dava autonomia a cada um dos quatro sócios da terceira geração, os negócios conseguiam ser geridos com eficiência e as decisões podiam ser tomadas com agilidade, sem depender da administração central, em São Paulo.

Irmão mais velho e o primeiro a ingressar no grupo, José Ermírio de Moraes Filho respondia pelas operações de tecelagem, pelas fábricas de cimento das regiões Sul e Sudeste e por uma indústria de filmes transparentes, a Votocel. Na década de 1960, a demanda por cimento no Brasil estava em alta – primeiro pela construção de Brasília e depois pelos grandes projetos de infraestrutura e habitação lançados pelos militares. Para atender ao mercado, a Votorantim ampliou as unidades existentes com a construção de novos fornos nas plantas de Rio Branco (PR), Itajaí (SC) e a Usina Santa Helena, que agora contava com sete deles, a maior fábrica de cimento do país no período. Em 1967, começam as obras para construir uma segunda planta no Rio Grande do Sul, no município de Pinheiro Machado.

Antônio Ermírio de Moraes, o segundo filho, recebeu a responsabilidade de cuidar do segmento de metalurgia, o que incluía a Siderúrgica Barra Mansa, a Companhia Brasileira de Alumínio e duas novas operações. Em 1962, a Votorantim tinha adquirido a Companhia Mineira de Metais (CMM), para produzir lingotes de zinco eletrolítico, um processo complexo que se dividia entre as unidades de Vazante e Três Marias, em Minas Gerais. A segunda novidade era a Metalúrgica Atlas, um empreendimento que o grupo colocou em andamento pensando na própria expansão. Chamada de "fábrica das fábricas", ali eram produzidos fornos elétricos, fornos rotativos para cimento e uma série de outras máquinas e equipamentos que eram utilizados pelas diversas instalações industriais da Votorantim.

A Ermírio Pereira de Moraes foi entregue o comando da Nitro Química, que tinha sido o principal negócio do Grupo entre o fim da Segunda Guerra Mundial e a primeira metade dos anos 1950. Naquela segunda metade da década de 1960, porém, a empresa enfrentava dificuldades – era preciso conviver não só com a falta de matérias-primas, mas também com a insolvência de clientes importantes, desestabilizados pelas medidas do governo militar para conter a inflação. Em 1967, ele teve de negociar uma reestruturação acionária em que a Votorantim assumiu a participação do Grupo Klabin na Nitro Química, em troca da exclusividade na fabricação de náilon. A produção foi reorganizada, estabeleceu-se uma política mais rigorosa para conceder crédito a clientes e compradores e foi lançado um esforço para qualificar a mão de obra e contratar executivos bem-formados.

O irmão mais novo dos Moraes também respondia pelos reflorestamentos, um segmento dos negócios que ganharia importância na década seguinte, ao possibilitar uma nova reinvenção dentro da Votorantim, dessa vez em sua matriz energética. No fim dos anos 1960, o Grupo cultivava quase oitenta milhões de árvores, distribuídas pelos estados de São Paulo, Minas Gerais, Paraná e Rio Grande do Sul.

Clóvis Scripilliti, o genro de José Ermírio e o último dos quatro a ingressar nos negócios da família, dirigia todos os empreendimentos da Votorantim na região Nordeste. Ele começou por duas usinas de açúcar em Pernambuco, que reorganizou como exportadoras de álcool. Essa foi a alternativa encontrada para tornar a operação rentável – assim o produto escapava do tabelamento de preços do governo e ao mesmo tempo não era preciso competir internacionalmente em mercados muito subsidiados, como do açúcar.

Scripilliti também foi o comandante da expansão dos negócios de cimento na região. Ele alugou um pequeno avião monomotor para mapear pessoalmente as jazidas e analisar de perto os mercados regionais. Além de ampliar a produção da Fábrica de Cimento Poty (em Pernambuco), em 1967 inaugurou uma nova unidade em Aracaju (SE), a Cimento Portland Sergipe. Em 1968, começou a funcionar a Companhia Cearense de Cimento, em Sobral (CE), para abastecer os estados do Ceará, Piauí e Maranhão.

A precariedade da infraestrutura da época exigia um jogo de cintura e capacidade de adaptação em dose dupla, no que a autonomia decisória do modelo de gestão descentralizado se mostrava essencial. O genro de José Ermírio teve que montar um sistema próprio de comunicação para interligar as unidades nordestinas, porque não havia contato telefônico entre as plantas. Um sistema de rádio foi instalado para transmitir relatórios diários de produção e vendas. Transportar o produto final também não era tarefa fácil, obrigando Scripilliti a montar uma subsidiária só para isso, com quatrocentos caminhões – depois, para abastecê-los, teve de criar a própria rede de lojas de pneus.

Havia o lado positivo naquilo tudo também. Como as distâncias regionais do Brasil ainda eram insuperáveis naquele tempo, a produção no Nordeste foi decisiva na consolidação da Votorantim no segmento. No início da década de 1970, o Grupo dominava um terço do mercado nacional e contava com oito unidades produtivas – nos estados de São Paulo, Paraná, Santa Catarina, Rio Grande do Sul (duas), Pernambuco, Sergipe e Ceará.

O resumo da situação do Grupo no fim dos anos 1960 indica como o novo modelo de liderança compartilhada, posto em prática pela terceira geração, funcionou a contento. A Votorantim fechava a década com cerca de cinquenta unidades industriais espalhadas pelo país, empregando quarenta mil funcionários.

Avô mentor e convivência

Nove anos depois de deixar o comando do grupo e passar o bastão para os filhos e o genro, indo se dedicar à política, José Ermírio voltou a se aproximar dos negócios em 1971. Ele não estava preocupado com a gestão das empresas no presente, já que o crescimento sólido no período em que esteve ausente indicava que os sucessores sabiam muito bem o que estavam fazendo. Seu interesse estava no futuro.

Vendo a terceira geração da família bem encaminhada, o engenheiro pernambucano passou a investir seu tempo na formação dos valores dos mais jovens. Ele convidava os netos para acompanhá-lo nas visitas que fazia às fábricas, funcionando como um mentor dos membros familiares a quem um dia caberia assumir tudo o que havia construído.

A convivência familiar, aliás, seria a chave para que os valores de José Ermírio se enraizassem. O senso de legado do que significava a Votorantim, a noção de que o bem do grupo deve estar sempre acima dos benefícios individuais, a necessidade de assumir sacrifícios em prol do todo e o sonho que ele compartilhara com os filhos de industrializar o Brasil iam aos poucos sendo assimilados também pelos netos.

Sua filha Maria Helena e as três noras tinham o costume de se reunirem para passar a temporada de verão juntas, em uma casa que a família possuía em Bertioga, no litoral norte de São Paulo, sempre acompanhadas dos filhos – que eram nada menos do que 23 crianças de idades diferentes. No inverno elas faziam o mesmo, mas em uma propriedade que os Moraes mantinham em Campos do Jordão, na Serra da Mantiqueira.

Nessas longas semanas que passavam juntos anualmente, os primos desenvolveram uma relação bastante próxima, que deu a eles quase a intimidade de irmãos. Décadas depois, essa convivência seria determinante para que o processo de sucessão continuasse a transcorrer em bom termo em mais uma reinvenção de liderança que a Votorantim colocaria em prática mais à frente.

José Ermírio de Moraes morreu em agosto de 1973, aos 73 anos de idade – 48 deles dedicados aos negócios da família. A presidência do Grupo passou a ser exercida pelo filho mais velho José Ermírio de Moraes Filho, mas o modelo de liderança foi mantido – ele não acumulava o cargo de diretor-geral, que continuou inexistente. Os outros três sócios conservaram a liberdade que tinham para administrar e até mesmo empreender nas áreas pelas quais respondiam. Não foi criado nem mesmo um mecanismo formal para suprir a ausência de um acionista com poder decisivo de comando.

Crise do Petróleo e reinvenção energética

A história da Votorantim é rica em exemplos de como as empresas se deparam com situações em que é preciso adaptações rápidas, verdadeiras reinvenções, sem as quais negócios até então prósperos podem perecer em pouco tempo. No mesmo ano da morte de José Ermírio, o mundo atravessava um novo solavanco econômico que depois ficaria conhecido como a Primeira Crise do Petróleo.

Unidos, os países produtores puxaram para cima os preços, o que causou um impacto imediato para a cadeia industrial brasileira, na época quase completamente dependente do óleo importado. Para a Votorantim, isso significava a necessidade de reformular seu sistema de produzir cimento. A maior parte da produção do grupo dependia dos chamados fornos de via úmida, uma técnica que surgiu no século XIX e empregava bastante energia. A Crise do Petróleo agora forçava o Grupo a adotar fornos de via seca, que possibilitavam um consumo energético 50% mais baixo. Associado a essa mudança tecnológica, foi lançado um plano para substituir o uso do óleo combustível por carvão – a meta era cortar pela metade o consumo de petróleo.

O desafio de alterar a matriz energética de operações em andamento não diminuiu o apetite da Votorantim para o crescimento. Na década de 1970 o Grupo não só ampliou as usinas já existentes como montou outras quatro novas, incluindo uma segunda fábrica da Cimento Poty em Sergipe (na cidade de Laranjeiras), uma planta da Cimento Portland Rio Branco em Goiás (no município de Corumbá de Goiás) e a Cimento Portland Rio Negro (em Cantagalo, no estado do Rio de Janeiro).

Em 1977, a Votorantim adquiriu uma de suas maiores concorrentes, a Companhia de Cimento Portland Itaú, adicionando outras sete usinas ao seu portfólio, nos estados de Minas Gerais, Rio de Janeiro, Mato Grosso do Sul, Paraná, Bahia e no Distrito Federal. As duas empresas disputavam os mesmos mercados, mas enquanto a Itaú tinha obrigação de remunerar os acionistas, a Votorantim reinvestia os lucros.

No fim dos anos 1970, o Grupo tinha conseguido consolidar sua posição no segmento de cimento no Brasil: as oito unidades do início da década haviam se transformado em 19. A Votorantim começou até a exportar o produto: para Nigéria, Serra Leoa e as Guianas, através da Cimento Poty de Pernambuco, e para Bolívia, Argentina e Uruguai, via plantas do Mato Grosso do Sul e Paraná.

O segundo choque do petróleo, sentido a partir de 1979, veio revelar que a estratégia de reinvenção energética havia sido acertada. Naquele ano o preço do barril no mercado internacional mais do que dobrou, de doze dólares para 29 dólares. Com isso, o Grupo intensificou a prática de aproveitar a única fonte de energia que controlava, ampliando o programa de plantio de eucaliptos para produção de carvão vegetal – em 1980, as áreas de reflorestamento contavam com cerca de 180 milhões de árvores.

Outras adaptações se seguiram: a usina siderúrgica de Barra Mansa operava totalmente movida a carvão vegetal já em 1981, e no ano seguinte as fábricas de cimento do Sul e Sudeste tinham praticamente concluído a transição do óleo para o carvão. Também em 1982 a Companhia Mineira de Metais terminou sua adaptação, agora alimentada por uma combinação de biomassa, carvão vegetal e energia elétrica.

Um instantâneo da Votorantim no fim da década de 1970 retrataria um conglomerado com faturamento anual na casa do 1,3 bilhão de dólares, empregando cinquenta mil pessoas, com presença em dezoito dos 22 estados do país. Era o segundo maior grupo brasileiro de capital nacional, respondendo por 40% do cimento, um quarto do alumínio e 85% do níquel produzidos por aqui.

A vez dos primos

Se a Votorantim estava preparada para amenizar o efeito da Segunda Crise do Petróleo sobre sua própria matriz energética, controlar os efeitos do choque sobre o ambiente econômico brasileiro estava fora do seu alcance. Enquanto muitos países importadores de óleo decidiam adotar práticas recessivas, para resfriar suas economias e tentar reduzir o consumo do combustível fóssil, no Brasil o governo agiu como se o problema fosse passageiro, mantendo as medidas de crescimento e permitindo o aumento da inflação.

Para piorar, a Comissão Interministerial de Preços (CIP), um órgão criado pelo governo em 1968 para controlar preços no mercado brasileiro, apertou o nó sobre as empresas, vetando o repasse dos custos crescentes com matéria-prima (petróleo, inclusive) ao produto final.

Governança em família: da fundação à sucessão 223

O resultado, sabemos hoje, foi a recessão prolongada que faria dos anos 1980 a triste "década perdida" para a economia brasileira. O episódio mostra mais uma vez que até investimentos feitos com planejamento cuidadoso podem não atingir os objetivos esperados, algo que a Votorantim sentiria na pele. O consumo nacional de cimento, por exemplo, caiu quase 30% entre 1980 e 1984, forçando o grupo até mesmo a paralisar parte de suas unidades.

Acostumada a se adaptar diante das dificuldades, a Votorantim passou a olhar com mais atenção o mercado externo, voltando-se para as exportações. Em 1981, por exemplo, foi tomada a decisão de reservar 8% de tudo o que era produzido na Companhia Brasileira de Alumínio para exportar – três anos depois, 60% do faturamento da empresa era proveniente das vendas externas.

Os anos 1980 consolidaram outra novidade no grupo: a chegada da quarta geração da família ao negócio. O ano de 1977 marcou a entrada do primeiro neto de José Ermírio no quadro das empresas, seguido ao longo da década seguinte por outros doze primos. Sem exceção, todos tiveram que enfrentar a mesma política de integração aplicada aos pais. Cada um deles foi encaminhado a uma unidade do Grupo, em caráter experimental, para que aprendessem na prática e desenvolvessem capacidade gerencial.

Costurada durante as temporadas de verão em Bertioga e as de inverno em Campos do Jordão, a proximidade entre os membros da quarta geração tinha perdurado e eles se falavam com frequência. Ao serem distribuídos pelos mercados regionais e tendo de buscar soluções específicas para cada situação local, os primos perceberam que as condições haviam mudado – e diziam isso uns aos outros. O Brasil caminhava a passos largos para se transformar em uma economia unificada, em que as variações regionais e os problemas logísticos aos poucos iam perdendo importância.

A quarta geração notou que chegava a hora de a Votorantim reinventar outra vez o seu modelo de gestão, reforçando a ligação das unidades com o

Grupo. Era preciso tornar os negócios mais comparáveis entre si, estabelecendo uma linguagem comum para os inúmeros dados que vinham de todas as partes do país, mas sem perder a autonomia das empresas e conservando o respeito a circunstâncias regionais que eram específicas e complexas.

O primeiro passo foi a criação de uma instância informal de consulta entre eles, que foi batizada simplesmente de "Reunião dos Primos". Ali eles perceberam definitivamente que valia a pena investir na solução coletiva dos problemas, porque ao trocar experiências notavam que o que enfrentavam nas unidades era muito semelhante. Nessas reuniões, a forma de decidir sobre determinado assunto seguia um procedimento parecido com o que os quatro integrantes da geração anterior adotavam: consenso.

Na Reunião de Primos, a quarta geração decidiu fixar objetivos e contratar a ajuda de consultorias externas para unificar aos poucos o planejamento e a gestão de todas as empresas do Grupo. A mudança era radical, no mínimo porque ia na direção contrária à descentralização que durante décadas tinha assegurado uma expansão vigorosa. O mérito desses sucessores está justamente nisto: perceberam que as condições haviam mudado.

Assim, os quatro sócios da terceira geração, pais deles e responsáveis pelas superintendências na Votorantim, começaram a se deparar com propostas empresariais sólidas e bem-fundadas. Essas propostas já vinham em um formato adaptado ao novo cenário econômico brasileiro e mundial. Na década de 1980 a realidade era completamente diferente dos pioneiros anos 1930, em que José Ermírio sonhava industrializar o Brasil e ainda havia tudo por fazer. Agora era preciso levar em conta uma competição muito mais acirrada e que se dava em termos globais.

Governança e confisco

Em 1985, o Brasil vivia um duplo fim de ciclo, econômico e político. O regime militar chegava ao fim com as eleições indiretas para presidente.

Ao mesmo tempo, estava em xeque o modelo de capitalismo de estado, com a concentração de capital nas mãos estatais, na forma de empresas públicas. Uma série de novas possibilidades se descortinava para as empresas brasileiras, depois de décadas de acesso restrito a financiamentos, controle de preços e monopólio estatal em vários setores econômicos.

Adicionava-se a esse cenário a necessidade de pensar em termos internacionais, porque as exportações se mostravam um excelente negócio para a Votorantim. Para se ter uma ideia, se em 1982 as vendas de alumínio ao exterior através da CBA somaram sete milhões de dólares, seis anos depois atingiriam trezentos milhões de dólares.

Enquanto isso, na Reunião dos Primos estava difundida a percepção de que era preciso fazer uma revisão detalhada dos procedimentos internos se queriam manter o papel relevante do Grupo. Por consenso e com o apoio dos quatro sócios da terceira geração, eles definiram os primeiros passos de um modelo de governança e gestão em que as unidades autônomas passariam a se reportar a um órgão central, o embrião do conselho de administração que se consolidaria anos depois.

Mesmo durante a reformulação, as oportunidades de negócios não escapavam à atenção da Votorantim e novos negócios surgiam. Em 1987, foi criada a Citrovita, um projeto de plantio de laranjas em Itapetininga (SP), visando o mercado externo de suco. No ano seguinte, o Grupo arrematou os ativos da Celpau em um leilão do BNDES, uma empresa que tinha 25 mil hectares plantados com eucaliptos, com o objetivo de depois construir uma grande fábrica de papel e celulose em Ribeirão Preto, também com vistas à exportação.

Em 1991, surgiu a decisão de aproveitar a expertise financeira acumulada durante décadas de convivência com turbulências econômicas de todo tipo e foi criado o Banco Votorantim. A instituição bancária foi concebida como negócio independente, com administração inteiramente profissionalizada.

Um ano antes, porém, o Grupo tinha sido submetido a mais uma prova de fogo, materializada no confisco promovido pelo Governo Collor.

Em março de 1990, de um dia para o outro, a Votorantim viu nada menos do que seiscentos milhões de dólares que tinha em caixa serem bloqueados, o que equivalia a cerca de 80% de seus ativos financeiros.

Um plano emergencial de sobrevivência teve que ser desenhado às pressas para dar conta de uma infinidade de problemas que se apresentavam. Para começar, era preciso encontrar uma forma de honrar a folha de pagamento do mês, devida aos cerca de sessenta mil funcionários, que somava nada menos do que oitenta milhões de dólares. Havia ainda uma série de projetos de investimento em ação, no valor de quase 1 bilhão de dólares – da nova fábrica de papel em Ribeirão Preto ao projeto Citrovita, além das expansões programadas na Companhia Brasileira de Alumínio e na Companhia Mineira de Metais, sem falar em uma nova planta de cimento quase concluída nas proximidades de Cuiabá (MT).

Em poucas horas foi decidida uma inversão de prioridades que estavam em prática há décadas. O caixa das unidades foi centralizado para garantir um controle rigoroso dos recursos disponíveis. Pagamentos começaram a ser renegociados em toda a cadeia de fornecedores e clientes. No cenário de quase paralização do mercado interno pelas medidas do governo, as operações foram redirecionadas para o exterior – a prioridade era exportar tudo o que fosse possível, mesmo que com algum sacrifício momentâneo aos preços. Claramente, isso tudo só foi possível graças à noção enraizada entre os Moraes de que o todo estava acima do individual e que preservar a instituição era o mais importante.

No mês seguinte as exportações foram suficientes para pagar metade da folha salarial e o resto foi obtido através de um empréstimo tomado em um leilão do governo. Ou seja, a Votorantim era obrigada a pagar juros para fazer uso de um dinheiro que na verdade lhe pertencia.

Projetos de investimento, mesmo os promissores, tiveram de ser interrompidos. O saldo do solavanco se fez sentir logo no primeiro semestre de 1991, com uma queda brutal no faturamento, quase metade do registrado nos mesmos seis meses do ano anterior.

Mas além do confisco, o primeiro governo eleito diretamente no Brasil em três décadas também veio acompanhado da abertura do mercado, o que não foi sentido apenas pelo setor automotivo, que tratamos anteriormente. Na Votorantim, a resposta a isso foi adotar uma visão internacionalizada – o planejamento agora deveria levar em conta a realidade global.

A fidelidade ao sonho compartilhado pelo avô de industrializar o Brasil evoluíra. A quarta geração dos Moraes não podia mais perseguir soluções apenas para o setor produtivo nacional, era preciso pensar o papel a ser ocupado pela produção industrial brasileira na escala mundial. Para isso, aprofundou-se uma revisão de portfólio e de ativos entre as empresas do Grupo na década de 1990 e não haveria mais espaço para setores cujo desempenho não fosse compatível com a nova realidade.

Segmento que servira de apoio para a construção da Votorantim no começo do século, as unidades têxteis passaram a enfrentar dificuldades em conseguir margens de lucro satisfatórias ao serem confrontadas pelas importações asiáticas. Aos poucos, ao longo dos anos 1990 elas foram sendo desmobilizadas. O mesmo aconteceu com as usinas de açúcar de Pernambuco, que não contavam com vantagens competitivas para se sustentarem em um ambiente de concorrência cada vez mais agressiva.

No que diz respeito aos ativos, durante anos tinha sido natural que as unidades estabelecidas em áreas pioneiras e carentes de infraestrutura funcionassem com reservas e estoques elevados. Nos novos tempos, porém, com o uso da informática, acesso à internet e adoção de processos *just in time*, não havia mais necessidade de tanta folga.

Papel e o novo modelo

Um novo modelo de governança começou a ser testado na prática no segmento de papel e celulose do Grupo, a partir de 1992, quando a Votorantim assumiu o controle da Papel Simão, que tinha operações em Jacareí (SP), além de outras quatro unidades produtoras. Diferente da Celpau, o outro negócio de papel que tinha sido comprado no fim dos anos 1980, a nova empresa adquirida era de capital aberto e tinha ações negociadas em bolsa. Assim, para unificar as unidades papeleiras e respeitar as regras do mercado acionário, a solução foi unificar as administrações com a criação de uma *holding* operacional, também de capital aberto: a Votorantim Papel e Celulose (VCP).

O comando desse processo de unificação foi entregue a um antigo funcionário da Papel Simão que já presidia a empresa e mais tarde seria determinante no passo seguinte do modelo de governança da Votorantim: Raul Calfat. A VCP foi subordinada a um Conselho de Administração, em que Calfat ocupava uma cadeira, sob supervisão de José Roberto Ermírio de Moraes, o representante dos acionistas da Votorantim nessa instância.

O plano era estabelecer um formato de controle para aproveitar o potencial de capitais de terceiros, garantindo acesso a recursos em condições semelhantes às obtidas pelos concorrentes globais. A ideia era estender as práticas de governança e gestão a outras unidades do Grupo, para mais tarde se lançar no mercado de capitais internacional.

Em mais uma reinvenção, a Votorantim percebia que para concorrer no âmbito mundial os sacrifícios e o reinvestimento de capital próprio não eram mais suficientes. A quarta geração, com apoio dos quatro sócios da terceira, passaram então a preparar a estrutura para captar dinheiro externo.

Em 1996 e 1997, depois da estabilização da economia brasileira e da criação do Real, a VCP contratou um crédito de duzentos milhões de dólares no exterior, sendo 150 milhões de dólares com o banco holandês ING-Barings, rompendo com a estratégia da Votorantim de mais de quarenta anos de autofinanciamento. No ano 2000, as ações da VCP começaram a ser negociadas na Bolsa de Nova York.

Um pouco antes, no fim dos anos 1990, a Votorantim aprofundou as mudanças na sua estrutura decisória. O modelo estabelecido no início da década de 1960 por José Ermírio de Moraes Filho, Antônio Ermírio de Moraes, Ermírio Pereira de Moraes e Clóvis Scripilliti era baseado em autonomia decisória, divisões descentralizadas, consenso de valores e concordância nas decisões mais importantes. Agora, às portas do século XXI, seria implantada a separação total entre a propriedade familiar e a gestão do negócio.

Abaixo da *holding* familiar (que hoje responde pela sigla Hejoassu), foi criada uma outra *holding* operacional, a Votorantim Participações (VPAR), que então controlava todas as operações do Grupo. Para facilitar a administração, foi lançado um processo de concentração das atividades semelhantes em unidades de negócios, a começar pelo segmento que historicamente mais se beneficiara da descentralização e flexibilidade das estruturas regionais, agrupado na recém-criada Votorantim Cimentos.

A Votorantim descrevia o cenário de forma simples no Relatório Anual de 1999:

> A nova realidade econômica – muito mais dinâmica e competitiva – imprimiu uma nova forma de gestão. Reagrupamos as empresas em unidades de negócios e ingressamos em áreas promissoras. A nova estrutura confere maior autonomia gerencial e financeira às áreas de negócios, que foram reforçadas pela crescente profissionalização dos quadros dirigentes, com profissionais recrutados dentro do Grupo e outros contratados no mercado.

Em mais uma década de reinvenção, os negócios dos Moraes tinham sofrido nova metamorfose, transmutando-se de operações restritas ao mercado brasileiro e movidas por capital próprio em um Grupo com perspectivas de futuro globais, com faturamento anual na casa dos 3,5 bilhões de dólares. E agora a família se preparava para dar mais um passo no processo de sucessão.

Passagem do bastão

Na manhã do dia 30 de agosto de 2001, um grupo de jornalistas tinha sido convocado para uma entrevista coletiva na sede da Votorantim, no prédio da Praça Ramos de Azevedo, no centro de São Paulo. Eles foram recebidos por Antônio Ermírio de Moraes, que tinha entre suas funções ser o porta-voz do Grupo desde que o pai morrera, em 1973.

Como sempre fazia, Antônio Ermírio recebeu os repórteres com informalidade e depois de alguns minutos de conversa descompromissada anunciou a razão do convite: a Votorantim estava pronta para completar um processo que tinha começado há décadas.

"Agora vocês conversem com eles", disse Antônio Ermírio, deixando a sala e apontando para os oito primos da família Moraes que entravam. Era o dia de marcar a passagem do bastão, os quatro integrantes da terceira geração abriam passagem aos filhos.

Eram eles: José Ermírio de Moraes Neto e José Roberto Ermírio de Moraes (filhos de José Ermírio de Moraes Filho), Carlos Ermírio de Moraes e Luís Ermírio de Moraes (filhos de Antônio Ermírio de Moraes), Clóvis Ermírio de Moraes Scripilliti e Carlos Eduardo de Moraes Scripilliti (filhos de Clóvis Scripilliti e Helena de Moraes Scripilliti), Fábio Ermírio de Moraes e Cláudio Ermírio de Moraes (filhos de Ermírio Pereira de Moraes).

Sob o comando da terceira geração, não havia linha formal de comando entre os sócios da Votorantim, a eficiência das operações dependia da sincronia perfeita entre os valores herdados de José Ermírio — ou seja, os quatro precisavam compartilhar os mesmos objetivos e comportamentos.

No novo modelo foi criada uma estrutura de governança corporativa para responder à nova realidade do negócio familiar. As empresas do Grupo foram agrupadas em cinco unidades de negócios, subordinadas a um conselho executivo, que respondia pela supervisão geral. Acima de tudo isso, estabeleceu-se um conselho de administração, com José Ermírio de Moraes Filho como primeiro presidente, Antônio Ermírio como vice e Ermírio Pereira de Moraes e Maria Helena Scripilliti como integrantes (Clóvis Scripilliti havia falecido no ano anterior).

O modelo recém-criado também estabelecia um conselho de família, com a função de acompanhar o desenvolvimento das novas gerações. Era o começo de uma mudança na maneira de enxergar as relações entre o negócio e a família, que daria frutos logo mais adiante.

Para chegar ali, todos os oito primos tinham percorrido uma alonga trajetória executiva na Votorantim, tendo conquistado a confiança dos seus pares e outros membros da família. Eles tinham um enorme respeito pelos anos de trabalho e dedicação da geração anterior, conservando os mesmos valores fundamentais que ajudaram a preservar o senso de legado do negócio familiar desde a época do avô: colocar o todo sempre acima das partes, além de cultivar a humildade e o esforço.

Como os tempos tinham mudado – e, como dissemos, as lideranças precisam se adaptar a eles –, um novo valor foi integrado aos outros já consagrados: criar um ambiente receptivo à inovação.

No que diz respeito à estrutura gerencial, agora existiam cinco unidades: Votorantim Industrial, Votorantim Negócios, Votorantim Finanças, Votorantim Energia e Votorantim Novos Negócios.

Sob o comando de José Roberto Ermírio de Moraes (presidente) e Fábio Ermírio de Moraes (vice-presidente), a Votorantim Industrial agrupava a Votorantim Cimentos, a Votorantim Metais (incluindo as operações de níquel, aço, zinco e alumínio), a VCP (papel e celulose), a Votocel (filmes flexíveis) e a Votorantim Internacional (empresa que apoiava as transações do Grupo com o exterior).

A segunda divisão, que tinha José Ermírio de Moraes Neto como presidente e Cláudio Ermírio de Moraes como vice, foi batizada de Votorantim Negócios, passando a reunir os empreendimentos que ainda precisavam de algum apoio para se adaptar ao novo modelo de gestão implantado ou que estivessem em processo de maturação. Isso incluía a Nitro Química, a Citrovita, a Igarassu (que produzia cloro e soda cáustica) e a Nordesclor (que fabricava hipoclorito de cálcio, usado no tratamento de piscinas).

O Banco Votorantim foi integrado à Votorantim Finanças, tendo José Ermírio de Moraes Neto no comando, enquanto todos os negócios do Grupo ligados à geração de eletricidade (próprios ou em sociedade com terceiros) agruparam-se na Votorantim Energia, que tinha Carlos Ermírio de Moraes como presidente.

Por fim, Luís Ermírio de Moraes foi encarregado de cuidar da Votorantim Novos Negócios, uma divisão montada de olho na inovação tecnológica, para buscar negócios promissores no médio e longo prazo, em áreas como biotecnologia e informática, por exemplo.

José Ermírio de Moraes Filho, o primeiro integrante da terceira geração a ingressar nos negócios da família, viria a falecer apenas duas semanas após o anúncio da nova estrutura e seria substituído na presidência do conselho de administração pelo sobrinho Carlos Ermírio de Moraes, filho de Antônio Ermírio.

Os resultados da Votorantim no ano seguinte à implantação do novo modelo de governança e gestão mostram que a decisão – e a sucessão – seguiam pelo caminho correto. O faturamento líquido consolidado em 2002 cresceu quase 40% em relação ao ano anterior, somando 10,6 bilhões de reais, com um Ebitda (lucro antes de juros, impostos, depreciação e amortização) 30% maior, na casa dos 3,7 bilhões de reais. O lucro líquido do Grupo também cresceu 8%, para 2,2 bilhões de reais.

Ainda em 2002, o Grupo adotou seu próprio modelo gerencial, o Sistema de Gestão Votorantim (SGV), resultado dos esforços para melhorar a atuação combinada das empresas e aproveitar as sinergias. Além de disseminar as melhores práticas, o sistema implantou compras conjuntas de materiais e contratações de serviços integradas para diferentes unidades, reduzindo custos.

Através do SGV, equipes de empresas diferentes podiam trocar informações, diminuindo gastos com transporte marítimo ao combinar operações de exportação, por exemplo. Contratos de fornecimento de energia foram revisados, para baratear a compra de eletricidade. Sempre que possível, foi colocada em prática também uma padronização dos equipamentos em uso pelo Grupo para reduzir os custos de manutenção.

Um ano depois a fase de transição para o novo modelo de governança tinha sido completada, com a aglutinação dos negócios em apenas três unidades. A Votorantim Industrial passou a responder pelas operações de energia e absorveu ainda a divisão que agrupava empresas em adaptação, a Votorantim Negócios. As outras duas (Votorantim Finanças e Votorantim Novos Negócios) foram mantidas.

Resumo das gerações

A essa altura creio que se torna interessante fazer um apanhado da evolução do processo sucessório da Votorantim para pontuar algumas coisas. Como vimos, os negócios começaram com o gênio empreendedor de um sapateiro português que emigrou ainda criança para o Brasil, no fim do século XIX, Antônio Pereira Ignácio. Depois dos primeiros passos como comerciante, ingressou na atividade industrial, primeiro com o descaroçamento de algodão e produção de óleo, depois com fábricas têxteis, mas foi a chegada de um engenheiro pernambucano formado nos Estados Unidos que mudou o foco dos negócios para a indústria de base, a partir da década de 1930.

José Ermírio de Moraes tinha o sonho de industrializar o Brasil e conseguiu compartilhá-lo com os três filhos e o genro, além de transmitir a eles os valores do trabalho duro e do sacrifício pessoal das partes em favor do todo. Assim, José Ermírio de Moraes Filho, Antônio Ermírio de Moraes, Ermírio Pereira de Moraes e Clóvis Scripilliti conservaram o senso de legado enquanto assumiam a gestão do Grupo em um modelo descentralizado, ideal para explorar as oportunidades do Brasil em processo de desbravamento econômico dos anos 1960, repleto de mercados a serem ocupados.

Além de comandar uma expansão impressionante dos negócios da família, os quatro sócios conseguiram estimular uma relação de intimidade e proximidade que se forjou entre os primos da quarta geração, incorporados às operações aos poucos a partir do fim da década de 1970 para ganhar experiência e conquistar a confiança dos seus pares. Por fim, oito deles foram selecionados para dar continuidade à sucessão, dois filhos de cada um dos membros da geração anterior.

Ainda que compartilhando os valores do avô, esses oito tiveram que preparar a Votorantim para a nova realidade dos anos 1990, transformando o perfil do conglomerado com forte atuação no Brasil para um empreendimento capaz de competir globalmente. Sob a supervisão da geração anterior, os primos e sócios gestaram a transição e implantaram um modelo de governança corporativa para proteger a base institucional e salvaguardar a continuidade.

Agora, na segunda década do século XXI, a família Moraes estava pronta para reforçar um pouco mais as garantias oferecidas à perpetuação dos seus negócios.

Preparação para ser sócio

No mesmo ano em que foi oficializada a passagem do bastão da terceira para a quarta geração dos Moraes, um executivo que trabalhava no Grupo desde 1992 foi elevado à diretoria da Votorantim Industrial: Raul Calfat. Ele tinha começado na Papel Simão como estagiário e presidia a empresa do ramo de papel e celulose quando essas operações foram adquiridas pela VCP.

Três anos depois, Calfat foi escolhido para substituir José Roberto Ermírio de Moraes no comando da Votorantim Industrial, a primeira vez em quase cem anos que um diretor-geral não era integrante da família. Com isso, os Moraes indicavam ter compreendido mais um elemento-chave envolvido no processo de preservação de uma empresa familiar:

mais importante do que formar o sucessor para trabalhar e liderar os negócios é prepará-lo para ser sócio.

A profissionalização da gestão no Grupo Votorantim atingiu a maturidade naquela metade dos anos 2000, certamente auxiliada pelo processo de implantação da governança que se iniciou no fim da década anterior. Em outras palavras, a família assimilou a noção de que, por melhor que tenha sido a formação dos sucessores, não se pode desperdiçar o talento e a habilidade de um executivo profissional se for entendido que ele é a pessoa mais qualificada para liderar.

Como já dissemos, isso não diminui em nada a importância da preparação dos sucessores, que devem ser formados para exercer uma função de máxima relevância no sistema: agir conscientemente como sócios. Esses membros familiares precisam ser preparados para a tarefa nada fácil de supervisionar o que os gestores fazem, sempre com uma visão de médio e longo prazos, atentos especialmente à continuidade e à preservação do legado deixado pelos seus antecessores. O sinal de que essa evolução na mentalidade da família empresária tinha de fato se consolidado entre os Moraes veio na década seguinte.

Carlos Ermírio de Moraes, o filho de Antônio Ermírio, permaneceu dez anos na presidência do conselho de administração da Votorantim Participações, até falecer, em agosto de 2011, aos 55 anos de idade. José Roberto Ermírio de Moraes (filho de José Ermírio de Moraes Filho) assumiu interinamente e ficou até a eleição seguinte, realizada em 2012, quando foi reconduzido ao cargo.

Em janeiro de 2014, a Votorantim empreendeu uma nova reformulação em sua estrutura de gestão. O exercício de centralização capitaneado pela terceira geração que fora iniciado no fim dos anos 1990 tinha oferecido suas vantagens máximas. A avaliação era de que chegara o momento de flexibilizar novamente o gerenciamento dos negócios. Assim, o que se decidiu foi criar um conselho de administração para cada uma das seis unidades abaixo da divisão Industrial: Votorantim Cimentos, Votorantim Metais, Votorantim Siderurgia, Votorantim Energia, Citrosuco e a Fibria, nome pelo que respondiam agora as operações de papel e celulose, depois que se concluiu a integração da Aracruz ao Grupo, em 2009. A Votorantim Finanças, que responde pelo Banco Votorantim, foi mantida no status anterior, subordinada apenas ao Conselho de Administração da VPAR.

A mudança foi explicada pela Votorantim como um "passo evolutivo" no modelo de governança, no comunicado oficial disponibilizado ao mercado financeiro: "Depois de instalar um modelo corporativo centralizado que permitiu às empresas capturar sinergias significativas, disseminar melhores práticas e criar um único sistema de gestão, a Votorantim está pronta para promover um modelo mais descentralizado para melhor acomodar seu momento econômico, que é cada vez mais complexo e internacionalizado".

O objetivo era que a Votorantim Industrial passasse a operar de forma integrada com o Conselho da VPAR, "com foco no gerenciamento de portfólio e na perpetuação do DNA do sistema de gestão da Votorantim em todas as suas operações", dizia a nota.

No mesmo anúncio a Votorantim comunicou outra flexibilização significativa na tradição sucessória da família. Raul Calfat deixava o comando da Votorantim Industrial, que tinha liderado por dez anos, para ser guindado à presidência do conselho de administração da VPAR, em substituição a José Roberto Ermírio de Moraes. Para o lugar deixado vago por ele na direção geral da Votorantim Industrial foi escolhido outro executivo não familiar – João Miranda, até então o Chief Financial Officer (CFO), responsável pela área financeira da divisão. Com isso, fechava-se o ciclo e pela primeira vez na história do Grupo as posições máximas de liderança, tanto no Conselho quanto na gestão, estavam entregues a profissionais que não respondiam pelo sobrenome Moraes.

O comunicado ao mercado esclarecia que Calfat, como presidente do conselho da VPAR, "seria responsável pela ligação com os conselhos de todos os negócios". Para encerrar, o informe resumia o que se pretendia com as mudanças: "Com a instalação desse modelo de governança evoluído, a Votorantim acrescenta agilidade a decisões e eficiência às suas operações, aproximando-se dos seus mercados, garantindo a preservação dos seus valores".

Em 2016 a VPAR e a Votorantim Industrial foram fundidas em uma única estrutura, a Votorantim S.A., holding à qual as operações industriais passaram a se subordinar. Dessa forma, Calfat passou a presidir o conselho de administração da nova holding, posto que ocupava em meados de 2018.

Olhar para o futuro

Definido e instalado o novo modelo de governança, a Votorantim passou à próxima etapa, para garantir que o sistema seja sustentável e tenha continuidade. Assim, o Grupo começou imediatamente o planejamento da liderança futura, com o objetivo de identificar, preparar e treinar as pessoas que serão responsáveis por perpetuar a estrutura quando os atuais executivos não estiverem mais presentes.

Um programa de formação foi colocado em andamento ainda em 2014 para auxiliar na seleção de executivos tanto para comandar a principal divisão industrial do Grupo como para ocupar as posições máximas das seis unidades de negócios. O ponto de partida do processo foi uma cuidadosa escolha de dez candidatos, todos trabalhando na Votorantim.

Os dez eleitos passariam por um ciclo de cinco módulos de estudo e formação, especialmente desenvolvidos para a Votorantim pelas mais renomadas escolas de administração e economia do mundo. O primeiro módulo foi realizado em novembro de 2014, cumprido na Universidade de Stanford, na Califórnia (EUA).

Dos dez candidatos, cinco são executivos com larga experiência no mercado, mas que ingressaram no grupo há pouco tempo, entre dois e três anos. Os outros cinco concorrentes têm outro perfil, são funcionários que ocupam posições na Votorantim há mais tempo, de quem se poderia dizer que "fizeram carreira" nas empresas do Grupo.

Entre os dez candidatos selecionados para o programa de formação executiva, existia apenas um integrante da família fundadora, o que nos permite avaliar que o novo paradigma adotado pelos Moraes, de delegar a gestão a profissionais do mercado como melhor estratégia para assegurar a perpetuação dos negócios, veio mesmo para ficar.

11

AS CINCO GRANDES AMEAÇAS
À CONTINUIDADE

*Os sábios aprendem com os erros dos outros, os tolos com os
próprios erros e os idiotas não aprendem nunca.*
Provérbio chinês

No capítulo anterior nos propusemos a analisar em detalhes a trajetória centenária da Votorantim por considerarmos que a história do grupo reúne todos os ingredientes necessários para servir de modelo a uma empresa familiar interessada na continuidade. O exemplo dos Moraes não passou batido pelos estudiosos em gestão e sucessão, o modelo de governança implantado na companhia chamou a atenção da IMD Business School, um instituto de educação suíço que figura entre as melhores escolas de negócios do planeta. Em 2005, os suíços elegeram o Grupo como a melhor empresa familiar do mundo.

Até aqui avaliamos uma série de casos empresariais, em que acertos e erros aparecem em situações reais. Agora que estamos nos acercando do fim deste livro, chegou o momento de aproximar a lupa e avaliar de perto as ameaças mais comuns à continuidade de empresas familiares.

240 Bruno Luís Ferrari Salmeron

Selecionamos uma lista com as que consideramos as cinco mais recorrentes, para fazer como ensinam os chineses e aprender pelo menos um pouco com os enganos alheios.

1. Repetição do modelo anterior

Nós já tangenciamos a primeira ameaça clássica da lista anteriormente (no Capítulo 6), quando tratamos daquela empresa metalúrgica de médio porte que sofria para completar sua primeira sucessão geracional. Na avaliação anterior sobre o caso, nossa atenção recaiu sobre o equívoco de delegar poder em demasia a consultorias, principalmente quando envolve o que chamamos de Triângulo de Ouro das competências corporativas (liderança, conhecimento técnico e metodologia). Pois bem, naquele caso esse deslize foi o que abriu caminho para que se estabelecesse na empresa o primeiro erro tradicional da relação: **repetir o modelo da geração anterior na sucessão**.

Justamente por ser comum é que essa ameaça encabeça a nossa lista. Como já mencionado, a companhia em questão tinha sido fundada por dois irmãos, que durante quatro décadas haviam trabalhado em harmonia, fazendo o negócio crescer. Assim sendo, nada parecia mais natural a eles do que espelhar a situação que por tanto tempo funcionara a contento como modelo para a sucessão. A ideia dos irmãos (que chamamos de Cláudio e Emerson) era que cada um destacasse um filho para assumir a própria posição no negócio.

Há uma série de problemas envolvidos nesse tipo de escolha, como também já citamos antes. Para começar, os sucessores escolhidos podem não contar com a capacidade técnica ou habilidade de liderança necessárias para atuar como os pais e fundadores faziam.

O segundo problema em insistir no modelo da geração anterior é que na escolha dos líderes que substituirão os antigos é comum que se olhe para as necessidades passadas, em vez de mirar as exigências futuras. Assim, ainda que seja possível encontrar sucessores com características semelhantes às dos que irão ser repostos, esse estilo e principalmente

Governança em família: da fundação à sucessão   241

seus objetivos estratégicos podem estar fora de sincronia com o cenário que irão encontrar no mundo em constante mudança e nível exacerbado de competição que vivemos.

Por fim, a insistência em replicar o modelo anterior pode ter o efeito de estabelecer uma "camisa de força" sucessória, que deixa pouquíssima margem para correções de rota, como vimos no caso da empresa de Cláudio e Emerson. Já que o diagnóstico da consultoria para o processo de sucessão ia perfeitamente de encontro com o que os irmãos desejavam, não passou pela cabeça de nenhum dos dois que a "cogestão" sugerida pelos assessores externos (com um filho de cada um deles ocupando uma vice-presidência e alternando-se na cadeira da presidência ano a ano) tinha poucas chances de funcionar. Menos plausível ainda lhes pareceria manter no comando o CEO não familiar, que tinha sido contratado para o "período de transição" dos filhos, ainda que ele estivesse apresentando resultados excelentes. O que se viu foi que a ideia fixa em repetir o modelo dos fundadores tinha tanta força que se transformou em profecia autorrealizável, apesar de todos os sinais visíveis de sua falência.

A história da Votorantim serve de contraponto a esse caso, porque na trajetória centenária da empresa não havia a menor obsessão por replicar o modelo anterior. Já no primeiro processo sucessório, nos idos dos anos 1940, o "comendador" Antônio Pereira Ignácio enxergou no genro a liderança adequada para levar adiante o conglomerado de fábricas de tecidos, de óleos e descaroçadoras de algodão, mesmo em detrimento de dois de seus filhos que já ocupavam cargos representativos na cadeia de gestão.

Por sua vez, quando decidiu se afastar dos negócios para se dedicar à política, José Ermírio de Moraes também conservou distância em relação à definição do novo modelo de gestão aplicado pelos três filhos e o genro. O sistema estabelecido pelos quatro membros da terceira geração da família diferia em muito da estrutura centralizada e com o poder concentrado nas mãos de um único homem forte, que existia nos anos de liderança do engenheiro pernambucano. A administração descentralizada, em que cada um dos quatro respondia por determinado segmento ou área geográfica dos negócios, era muito mais adequada ao novo cenário de expansão e diversificação que a Votorantim enfrentava a partir da década de 1960 – e, portanto, foi adotada sem maiores resistências.

Quando chegou a vez da quarta geração ingressar nas empresas, a situação havia mudado outra vez. Conforme iam sendo incorporados aos negócios, os primos percebiam que o ambiente competitivo dos anos 1980 e 1990 mudava rápido, acrescentando como fator extra à equação a concorrência externa. A descentralização administrativa já não trazia tantas vantagens como antes, agora que a comunicação entre as regiões do país tornava-se mais fácil e os desafios logísticos diminuíam. Se o cenário se alterava, não havia por que conservar o modelo e assim eles decidiram por uma maior concentração administrativa, implantando um sistema de governança corporativa.

Um pouco mais à frente, nos anos 2000, a quarta geração dos Moraes daria um passo adicional em defesa da continuidade dos negócios da família. Capazes de evoluir com os tempos, eles perceberam que a Votorantim tinha assumido uma proporção em que não era mais possível restringir o acesso às posições mais elevadas de comando do Grupo apenas aos membros familiares, por melhor que se buscasse prepará-los. Pela primeira vez o mais alto posto na maior divisão industrial das empresas passou a ser ocupado por um executivo que não tinha relações de sangue com os Moraes.

Ainda sob o mandato da quarta geração, dez anos depois o Grupo completaria a transição em uma nova maneira de encarar as relações entre a família e a companhia. O mesmo executivo não familiar que comandou por anos a Votorantim Industrial assumiu a presidência do conselho de administração, dando lugar a outro gestor sem relações familiares com os Moraes. A partir desse momento, as duas posições mais elevadas dentro dos negócios estavam nas mãos de profissionais e os integrantes da família passaram a se concentrar em uma função tão ou mais relevante, a de desempenhar o papel de sócios, com especial atenção ao âmbito estratégico, voltados à preservação e continuidade dos negócios.

Ao longo de quatro gerações, o modelo de gestão e sucessão foi sendo alterado sempre que as situações exigiam. Essa talvez seja a grande lição deixada pelo exemplo da Votorantim: é muito melhor fazer as adaptações que os novos cenários exigem do que tentar encaixar um modelo preconcebido à realidade.

2. O inimigo interno

A segunda grande ameaça que vamos apresentar pode se originar da primeira. A exigência de seguir uma receita preestabelecida automaticamente limita as possibilidades de correção de rota, ampliando o risco de reunir no mesmo quadro administrativo integrantes da família empresária que, por razões que na maioria das vezes nada têm a ver com os negócios, não se entendem. Por isso as **rivalidades familiares que contaminam o ambiente empresarial** figuram no segundo posto da nossa lista.

O exemplo que utilizaremos para ilustrar essa situação se deu em uma companhia familiar de porte médio, do segmento têxtil. Esta empresa tinha três décadas de existência no momento em que a história começa, em meados dos anos 2000. Nesse momento o negócio já tinha seu processo de sucessão em estágio adiantado, mas a conclusão não parecia bem encaminhada.

A companhia havia sido criada por dois sócios sem relação familiar entre si, que sempre foram amigos próximos e se entendiam muito bem, a ponto de possuírem participações acionárias rigorosamente iguais. O modelo de gestão, por consenso, tinha se adaptado às características da operação. Como se tratava de um empreendimento têxtil verticalizado, a empresa possuía duas divisões: uma unidade de tecelagem fabricava os tecidos que serviam de matéria-prima para a outra, uma confecção. Cada sócio comandava sua divisão, e isso funcionou bem durante décadas, sempre com base na relação de amizade e companheirismo entre os acionistas.

A partir do fim dos anos 1990, esses dois sócios começaram a planejar a sucessão, introduzindo aos poucos os filhos e outros integrantes das respectivas famílias em posições na organização, cada um em sua respectiva divisão. O que eles pretendiam era repetir o próprio modelo, em que cada um teria um representante no comando de sua unidade, como sempre fora.

Assim, nos anos 2000, os dois sócios combinaram de se afastar ao mesmo tempo das duas posições de comando, que seriam assumidas pelos respectivos filhos. Em poucos meses, porém, o negócio ameaçava desmoronar, porque o relacionamento entre as duas unidades tinha chegado a um impasse. A relação entre elas era semelhante à que existe entre um cliente e um fornecedor: a tecelagem fornecia o insumo básico para a confecção, que por sua vez o processava em artigos de vestuário. Os desentendimentos se acumulavam, com uma divisão acusando a outra de ser a fonte dos problemas, fossem prazos de entrega, qualidade da matéria-prima ou do produto final, o que por fim acabou afetando os resultados da companhia.

Para tentar solucionar a questão, os dois sócios decidiram contratar um profissional para intermediar as relações entre as duas unidades, algo que nunca fora necessário enquanto os dois ainda participavam diretamente da gestão. A escolha recaiu sobre um técnico que vamos chamar de Antônio, para quem foi criado o posto de gerente de planejamento e controle de produção. Em resumo, a missão de Antônio seria apresentar um diagnóstico dos problemas o mais rápido possível e implantar as medidas corretivas necessárias, de forma a garantir que as divisões voltassem a se entender como antes.

Pouco mais de um mês depois de assumir o cargo, Antônio percebeu algo que os dois sócios não haviam notado ou faziam questão de ignorar. O cenário que o profissional encontrou foi de conflito generalizado, com uma série de desavenças crônicas enraizadas em vários escalões do negócio. Mas o que poderia ter dado errado, se o que os fundadores tinham feito era apenas replicar o sistema que durante décadas havia se sustentado com eficiência?

A grande questão era que, ao contrário do relacionamento saudável mantido entre os dois sócios, os integrantes das novas gerações das suas famílias tinham desenvolvido uma rivalidade ferrenha. Seus filhos e netos não só não se gostavam, como faziam questão de competir em tudo, até em quem tinha o melhor carro ou apartamento de praia, no infantil objetivo de provar que o seu ramo da sociedade era melhor que o outro. Para piorar, o ingresso de membros familiares nas duas divisões ao longo do tempo acabou por cristalizar dois "feudos", que em vez de trabalhar em conjunto pelo objetivo comum (o produto final), passavam a maior parte do tempo ocupados em criar dificuldades para a unidade vizinha.

Deparando-se com essa realidade, Antônio chamou os dois sócios para uma conversa e expôs a situação da forma mais delicada que pôde, provando a eles que na configuração presente a empresa tinha poucas chances de operar de forma eficiente. Os fundadores, porém, negaram-se a admitir o que era posto diante de seus olhos – em resumo, que o seu modelo de gestão e sucessão não era replicável e que havia um antagonismo irreconciliável entre suas famílias, disseminado dentro da companhia.

Antônio foi mandado de volta ao trabalho para continuar "com o que tinha sido contratado para fazer". Sem alternativa, em um primeiro momento ele tentou servir como um intermediário neutro entre as duas divisões, na tentativa de arbitrar os desentendimentos entre as partes e fazer o todo funcionar. Dentro de seis meses, porém, já tinha percebido que a tarefa não era apenas ingrata – era impossível. Ao se desdobrar para cobrir as falhas que se disseminavam por diversos pontos da cadeia de produção, o gerente se viu arrastado para dentro de discussões e conflitos cuja origem era tão remota quanto as causas de uma *vendetta* naqueles filmes sobre a máfia siciliana.

Antônio então convocou os dois fundadores para uma segunda conversa, dessa vez com sua carta de demissão em mãos. Ele repetiu o que havia dito antes, mas com riqueza bem maior de detalhes, colhidos nos meses de convivência no ambiente da empresa. Seu diagnóstico era que os problemas presentes ali não poderiam ser solucionados por um simples gerente colocado entre as divisões. Seria preciso contratar um executivo que ocupasse uma posição acima dos diretores familiares das duas unidades, apoiado por uma estrutura de governança e com poder para, aos poucos, tentar desarmar os espíritos e promover o entendimento entre as partes.

Para o alívio de Antônio, os sócios agradeceram seus conselhos, mas nem tentaram demovê-lo da ideia de deixar a empresa. Na semana seguinte, eles simplesmente contrataram um novo profissional para substituir o gerente demissionário e decidiram voltar a interferir no dia a dia da gestão, cada um em sua divisão, como faziam anteriormente. Sob a influência direta dos fundadores, o clima de conflito foi amenizado e a performance operacional melhorou, deixando todos um pouco menos insatisfeitos.

A pergunta é: o que vai acontecer quando os dois sócios (ou apenas um deles) não estiverem mais por perto?

3. Sem largar o osso

A ameaça de número três tem ligação direta com o comportamento dos fundadores, em especial os mais centralizadores. É comum que empresas familiares sejam construídas com base na vontade e no esforço de um pioneiro que durante anos, às vezes décadas, trabalhou duro para atingir o patamar finalmente alcançado. Conforme o tempo passa, esse fundador também envelhece e eventualmente precisa ser substituído, mas, ao olhar para tudo o que criou, simplesmente não consegue se desligar do negócio que muitas vezes define sua própria existência. Pois é a combinação entre a **relutância em delegar poder** e essa **resistência em se afastar da gestão** que define o terceiro grande risco à continuidade presente na nossa lista.

O perfil do fundador centralizador é quase um clichê nas companhias familiares. Sobre ele paira a "aura do dono" e é quem não se deve nunca colocar em xeque. É o árbitro, o conhecedor, o experiente, alguém que "já viu de tudo nessa vida" e, portanto, não deve ser questionado em suas decisões. Só há um problema: no mundo de hoje, em que os ciclos de mudança se completam em períodos cada vez mais curtos, o inquestionável precisa ser colocado em dúvida em base quase diária.

Os negócios que não forem capazes de habilitar sua cadeia de comando a acompanhar e responder rápido às transformações constantes do mercado têm muito maior probabilidade de ficar pelo caminho, sejam eles grandes, pequenos ou médios. Empresas familiares em que o "dono" se mantém isolado, lançando do alto de um pedestal suas ordens e orientações dogmáticas, quase divinas, definitivamente não estão bem posicionadas para encarar o cenário atual.

Para melhorar as probabilidades de sucesso, essas companhias precisam se abrir à modernização, esforçando-se em atrair recursos humanos com habilidades adequadas e depois dar espaço para que esses profissionais possam trabalhar com liberdade. Para isso, como explicitamos antes, nada melhor do que implantar um modelo de governança corporativa que ajude a disciplinar as ações dos elementos envolvidos no negócio, mantendo-as adequadamente limitadas às esferas a que pertencem (as nossas pirâmides invertidas, lembram-se?).

A governança pode cumprir um papel decisivo em amenizar a relutância em delegar o poder, porque ao enquadrar as relações colabora em muito para reduzir a influência do fundador sobre o dia a dia da gestão, quando define o conselho como fórum mais adequado às suas intervenções.

É claro que, como também mencionamos anteriormente, a introdução da governança dificilmente se dá do dia para a noite, ainda mais em empresas em que existe um acionista centralizador e presente. Ainda assim, por mais obcecado que seja o fundador de uma empresa familiar, qualquer um sabe que não vai viver para sempre e que um dia alguém irá substituí-lo. O curioso é que ainda que esse pensamento esteja presente de forma consciente, muitos lutam inconscientemente contra o inevitável.

Como o tema da sucessão familiar sempre me interessou, o assunto acaba por surgir em boa parte das conversas que tenho com profissionais e executivos no meio empresarial. Ao longo dos anos, comecei a notar um padrão nas respostas que recebia quando fazia uma pergunta simples aos fundadores que estavam se aproximando do momento da aposentadoria: "Por quantos anos o senhor ainda pretende trabalhar?". Com 65,

70 e por vezes até 80 anos de idade, a maioria desses acionistas replicava, em um tom evasivo: "Ah, pelo menos mais uns cinco anos…".

O que percebemos com isso? A verdade é que a maior parte dos fundadores que responde assim não está pronta para deixar o comando dos negócios. Quando estimulados ou pressionados para definir um prazo, eles fixam uma data de saída vaga – cinco anos lhes parece um horizonte confortável, por ser ao mesmo tempo nem tão próximo, a ponto de causar pressão imediata, nem tão distante, a ponto de chocar quem escuta a resposta.

Se à primeira vista a resistência em se afastar da gestão parece só um capricho de fundador, essa relutância em abrir caminho para a nova geração tem potencial para se consolidar em ameaça grave à continuidade das empresas familiares, principalmente se existe um plano de sucessão em andamento. Como tratamos no Capítulo 6, esse plano precisa ter não só critérios claros, mas prazos definidos para que as etapas sejam cumpridas. Quando o fundador se aferra ao poder e decide postergar por uma e outra vez o momento de saída, ele incorre no risco de desmotivar e gerar desconfiança no candidato a sucessor, em especial se este já dedicou anos à preparação para assumir o sonhado posto do pai.

A imagem é quase um lugar-comum, porém nada representa melhor o momento da troca de comando do que uma corrida de bastão. Todos sabem que a velocidade dos corredores é essencial em uma prova de atletismo como essa, mas sem um sincronismo perfeito entre os atletas no momento de passar o cilindro de metal, todo o esforço foi em vão. O corredor que chega precisa reduzir a velocidade para ser alcançado pelo companheiro que se aproxima, dentro da área específica da pista em que a troca pode ser efetuada. Se o primeiro atleta demorar excessivamente para soltar o bastão ou correr rápido demais, conservando o objeto em mãos por mais tempo do que o ideal e ultrapassando a zona de passagem permitida, a prova estará perdida.

Algo bem semelhante pode acontecer em um processo de sucessão. Se o candidato a novo líder for mantido à espera por tempo demais,

Governança em família: da fundação à sucessão 249

principalmente se o prazo ultrapassa o acordado, ele pode perder a motivação em continuar no processo e desistir. Assim, no momento que esse fundador finalmente decidir deixar o posto, às vezes incapacitado por motivos de saúde ou pela própria idade, por exemplo, não haverá mais um sucessor interessado em seguir com o negócio da família.

Retornemos aos casos reais para tornar mais clara a questão. O exemplo que vamos acompanhar envolve uma empresa familiar de pequeno porte, criada na década de 1980 por um empresário que sonhava estabelecer-se no ramo plástico, ligado à indústria automotiva. Os negócios caminharam a contento por vários anos, até que as ondas da crise financeira de 2008 nos Estados Unidos começaram a se materializar no mercado brasileiro na forma de uma contração do crédito que afetou principalmente as companhias de tamanho reduzido, como a de que tratamos.

Bem nesse momento, o fundador teve um problema de saúde e foi forçado a se afastar do dia a dia da empresa. Esse acionista era a representação clássica do "dono": centralizador, egocêntrico e relutante em dar autonomia aos funcionários. A essa altura ele já havia integrado seus três filhos à companhia, obedecendo à tradicional divisão que costuma se dar em empresas do tipo. A irmã mais velha, que chamaremos de Cecília, cuidava do setor comercial. O filho do meio, que nomearemos de Fábio, respondia pela operação industrial, enquanto o mais novo, Hélio, comandava a área financeira.

Apesar das atribuições bem-definidas, nenhum dos três irmãos tinha liberdade para agir quando decisões realmente importantes precisavam ser tomadas. O assunto era submetido ao pai, que muitas vezes fazia o que julgava mais correto sem levar em conta a opinião dos filhos, ainda que eles fossem titulares das respectivas áreas de negócios.

Para acrescentar complexidade à situação, alguns meses depois do afastamento do pai, a empresa foi confrontada com uma pesada multa da Receita Federal, que punha em risco a própria solvência do negócio. Durante um processo de auditoria, o órgão fiscalizador havia encontrado uma montanha de impostos atrasados, sobre o quais os filhos não tinham conhecimento – eram anteriores à entrada deles na empresa e resultado de mais uma decisão unilateral equivocada tomada pelo fundador.

No vácuo de liderança deixado pelo pai e em meio ao turbilhão financeiro e tributário, a irmã mais velha se adiantou e assumiu as rédeas da companhia. A duras penas, ela coordenou uma renegociação dos financiamentos bancários e conseguiu estruturar um plano de pagamento parcelado da dívida fiscal.

Como não tinha autoridade formal sobre os irmãos, Cecília estabeleceu um sistema de decisão baseado em consenso, em que os assuntos mais relevantes eram discutidos e avaliados pelos três, com votação ao final. Dois anos se passaram, e como a saúde do pai não melhorara a ponto de permitir que ele retomasse suas funções, os irmãos decidiram entre si colocar em prática um processo de implantação de governança corporativa na empresa, com a contratação de uma consultoria para ajudar a preparar a sucessão formal.

Infelizmente, essa consultoria trazida para ajudar acabou por arruinar a harmonia que havia sido construída entre os três irmãos, em mais um triste exemplo de como delegar poder demais a assessores externos mal-intencionados pode ter consequências negativas para os negócios familiares. Mais interessado em se perpetuar como conselheiro da companhia, em seis meses o principal se aproximou do irmão mais novo, levantando dúvidas em relação à liderança natural de Cecília, que tinha se estabelecido informalmente.

Ao perceber a crise familiar que se avizinhava, o fundador resolveu intervir. Como não estava totalmente recuperado, decidiu retomar suas atividades parcialmente, posicionando-se ao lado do filho mais novo e apontando-o como o escolhido para ser seu sucessor. Depois de todo o sacrifício e trabalho duro que tinha dedicado ao negócio familiar nos tempos de dificuldades, é claro que Cecília não gostou nem um pouco da atitude do pai.

Mesmo durante o período de crise, quando teve que acumular novas funções, ela havia se mantido como a grande responsável pelos contatos comerciais da empresa e decidiu aproveitar isso a seu favor.

Desgostosa pela forma como tinha sido preterida, a filha mais velha e candidata a sucessora melhor preparada decidiu deixar a companhia da família, montando uma microempresa no mesmo ramo. Concorrente ao do pai, o negócio hoje vai de vento em popa, graças às relações que ela tinha no segmento.

O irmão do meio também ficou insatisfeito com a decisão do pai não só porque não tinha a menor vontade de voltar a trabalhar da forma limitada e sem autonomia de antes, mas também por reconhecer a injustiça feita com Cecília. Em uma decisão tão radical quanto a dela, optou por deixar a gestão do negócio da família com a intenção de viver dos dividendos da empresa.

O caçula permaneceu, oficialmente guindado ao comando de toda a operação. Na prática, porém, ele se viu submetido ao modelo que já conhecia, em que tudo o que tinha real importância precisava passar pelo crivo do pai, que dava a palavra final sobre o assunto.

Esse irmão mais novo até hoje continua nessa, à espera de que o pai solte o bastão e o liberte de sua influência centralizadora. Eu me encontrei com esse fundador há alguns meses, em um evento corporativo. Conhecedor da história da empresa e vendo-o um tanto frágil, caminhando com dificuldade, resolvi lhe fazer a pergunta que mencionei mais acima, sobre quanto tempo ele ainda pretendia comandar o negócio. O que ouvi como resposta não me surpreendeu em nada. Ao lado do filho caçula que o acompanhava, um tanto cabisbaixo, ele respondeu: "Ah, pelo menos mais uns cinco anos…".

4. Brinquedos e hobbies

A quarta grande ameaça à continuidade pode parecer menos relevante e até inofensiva à primeira vista, mas reúne enorme potencial destrutivo. Estamos falando dos **brinquedos e hobbies de luxo** que seduzem o fundador ou os membros da família empresária.

A que estamos nos referindo? Mais do que ao consumo desenfreado ou à aquisição de produtos de valor exagerado, essa ameaça se relaciona a atividades que envolvem alto custo de manutenção, exigindo uma imobilização de capital que drena recursos indispensáveis ao negócio principal. Os exemplos são infinitos e podem envolver um iate transoceânico, um jatinho, um helicóptero, uma ilha paradisíaca no litoral da Bahia, a manutenção de uma equipe de polo equestre (e todos os seus animais), a posse de um (ou mais) cavalo de corrida no Jockey Clube local, o pendor por jogos de azar e até a participação de um filho em provas de automobilismo.

Não cabe a nós julgar o que cada um deve fazer com o próprio dinheiro, mas como estamos interessados na preservação dos negócios familiares – e de todos os empregos que dependem deles – o assunto precisa ser abordado. A solução para eliminar essa ameaça é tão óbvia quanto conhecida: estabelecer uma separação total entre o que é patrimônio pessoal (da família ou de seus integrantes) e o que pertence à empresa. Essa barreira deve ser clara e intransponível, para que atitudes individuais não prejudiquem o coletivo, ou seja, o negócio familiar em si. Como mencionamos no Capítulo 8, uma alternativa às famílias empresárias é montar uma estrutura para gerenciar os bens comuns (o Family Office), abrigada debaixo do guarda-chuva da governança.

Em um olhar superficial, a fixação por brinquedos e hobbies caros é só mais um entre tantos caprichos humanos. Quando envolve um sucessor, porém, a questão pode ter uma relação mais profunda, pois sua origem por vezes se encontra no desrespeito ao pré-requisito que tanto defendemos como ponto de partida do relacionamento de qualquer herdeiro com o negócio familiar: o direito de escolha.

Estamos acostumados a fazer trocas inocentes com nossos filhos desde pequenos e em escala quase sempre crescente. Começa com o sorvete negociado pela lição de casa cumprida, a ida ao parque de diversões por uma boa nota em matemática ou a viagem à Disney em troca da passagem de ano sem exames finais, culminando com o prêmio máximo do início da vida adulta, o carro pelo ingresso na faculdade. Nesse contexto, em alguns casos, até inconscientemente, alguns fundadores concordam

Governança em família: da fundação à sucessão 253

em alimentar vontades dos filhos em troca de que eles sigam seus passos, escolhendo uma profissão e por fim optando por dar continuidade ao negócio da família.

"Subornado" na decisão sobre o próprio futuro e com sua liberdade de escolha tolhida, esse sucessor pode se transformar em um profissional frustrado, desviado para um caminho que na verdade não queria seguir. Presencialmente, ele se vê confinado à empresa do pai, mas sua mente não está ali, aquilo não o interessa. Assim, os brinquedos e hobbies caros funcionam como a válvula de escape de alguém que não vive o que realmente gostaria.

Ainda que haja separação total entre o patrimônio da empresa e os bens particulares, nesses casos a pessoa que deveria dedicar toda sua energia anímica a perseguir o sucesso do negócio que herdou, esforçando-se para preservar o legado de seus antecessores e passá-lo adiante, estará presente só pela metade, e isso pode ser tão prejudicial quanto a drenagem de recursos financeiros.

Nos tempos de Valeo, tinha bastante contato com executivos de empresas familiares, às vezes pelo interesse da multinacional francesa em adquirir mais participantes no mercado brasileiro, em outras pela necessidade de saber como estava indo um concorrente nosso. Lembro-me de um episódio que ilustra bem a situação que acabamos de descrever.

A empresa que tinha ido visitar era mais uma daquelas criadas pelos pioneiros da indústria de autopeças brasileira. O negócio havia começado com a fabricação de componentes elétricos, na metade dos anos 1950, em uma pequena fábrica da Zona Norte de São Paulo. Seu fundador, porém, percebeu a oportunidade que se abria com a chegada das primeiras montadoras ao Brasil ainda naquela década e decidiu mudar de ramo, passando a produzir artigos para o segmento automotivo.

A companhia soube aproveitar o crescimento do setor e a expansão da frota brasileira. Naqueles anos 1990, tinha construído uma planta bem maior, onde também ficavam as instalações administrativas em que se deu o encontro que vou relatar, em uma cidade da Grande São Paulo.

A essa altura, o fundador já tinha se aposentado, sendo substituído pelo filho, então na faixa dos 40 anos de idade, que agora ocupava o posto de diretor-presidente da empresa (vamos chamá-lo de Carlos). Como havia certo interesse da Valeo naquele segmento, a missão dada a mim era tentar saber um pouco mais sobre as condições da companhia, até como possível candidata a aquisição.

Carlos me recebeu cordialmente em uma sala de reuniões que tinha uma mesa no centro e as paredes cobertas por armários de metal, do tipo que costuma ser usado como arquivos em bibliotecas. Com pouco mais de meia hora de conversa eu já podia notar que ele não tinha real interesse no que fazia. Eu perguntava sobre a produção da empresa, maquinário empregado, distribuidores e mercado externo, e ele respondia de forma resumida, sem muito entusiasmo, o oposto do que se poderia esperar do líder de uma empresa que, afinal, pertencia a ele mesmo.

Em determinado momento da reunião, pedi para ver o catálogo de determinada categoria de produto fabricado por eles, justamente o segmento que mais atraía a atenção da Valeo. Carlos se levantou e começou a abrir as gavetas dos armários metálicos, retirando uma série de pastas, que colocava sobre a mesa. Passou de um arquivo a outro, depositando mais e mais material à minha frente, sem encontrar o catálogo que buscava. Quando chegou ao quarto armário, ele desistiu e saiu da sala, para pedir ajuda da secretária.

Enquanto esperava meu anfitrião retornar, notei que o material que escorregara de mais de uma das pastas tiradas dos armários se relacionava ao mesmo tema: cavalos. Até onde podia ver, eram revistas, fotografias, registros, diplomas e premiações de animais.

Carlos voltou pouco depois, com o catálogo que eu tinha pedido nas mãos. Aproveitei a deixa e perguntei se ele gostava de cavalos, apontando para a foto de um garboso garanhão sobre a mesa. Com os olhos brilhando, o diretor-presidente e proprietário de um negócio razoavelmente representativo no segmento de autopeças brasileiro começou a falar com uma motivação que eu ainda não tinha visto.

Animado, Carlos me deu uma aula sobre a raça de cavalos de que era criador. Segundo ele, aqueles animais apresentavam uma vantagem competitiva indiscutível sobre todas as outras raças, porque podiam ser usados durante dois ou três anos para corridas e depois passarem a ser empregados em provas de trabalho, como de baliza, apartação e tambor, por exemplo.

As chances de ganhar dinheiro são muito maiores, ele me dizia, porque tanto corridas como provas de trabalho pagavam prêmios altos. Em seguida, Carlos me descreveu entusiasmadamente um determinado potro que havia comprado por cerca de dez mil reais e que já tinha conquistado prêmios superiores a sessenta mil reais.

Quando ele começou a falar dos leilões milionários que promovia em seu haras no interior de São Paulo, percebi que suas prioridades estavam definitivamente invertidas. Aquela era a atividade que de fato o movia, a ponto de o hobby ocupar espaço considerável até nos arquivos da principal sala de reuniões da empresa. No caminho de volta para a Valeo, fui pensando que a primeira ação a ser tomada, caso a empresa fosse de fato encampada, seria substituir Carlos por um executivo que tivesse mais interesse em autopeças do que em cavalos.

5. O risco ego

A quinta ameaça da lista está ligada diretamente a uma falha de caráter que na vida pessoal não costuma causar consequências muito maiores do que um ou outro olhar atravessado, mas quando começa a ditar os rumos nas empresas familiares tem seu potencial destrutivo ampliado ao infinito. Estamos falando da vaidade.

A psicologia tem um conceito que nos ajuda a entender melhor essa questão, chamado Consciência do Eu. Em resumo, é a percepção que a maioria das pessoas adquire ainda quando criança de que somos únicos e que cada ser humano é diferente dos outros bilhões que existem no mundo. Pois bem, em alguns indivíduos essa consciência não se desenvolve adequadamente, situação que o psiquiatra e psicólogo Augusto Cury caracterizou como a consolidação de um "Eu Infantil". Nesses casos, esse indivíduo sente uma necessidade irresistível de seguir provando (a si mesmo e aos outros) que é único, através da posse de bens materiais, de poder ou de status social. É como se ele precisasse reafirmar com frequência que é diferente e até melhor do que os que o cercam.

O que isso tem a ver com nosso tema? Pois bem, indivíduos com uma Consciência do Eu Infantil no comando de empresas podem apresentar a perigosa tendência de colocar em ação **estratégias ou projetos para satisfazer o ego ou desejo de status**.

Vamos a mais um exemplo prático, no qual tudo fica mais claro. O caso se passou em uma companhia familiar do ramo têxtil que, como quase todos os negócios, começou pequena, fabricando chapéus na década de 1960, transformando-se hoje em uma potência com faturamento de algumas centenas de milhões de reais.

A companhia se reinventou para crescer, primeiro passando a produzir artigos de vestuário de algodão e depois adquirindo outras malharias, especializando-se finalmente no segmento de vestuário infantil nos anos 1990.

Na década seguinte, o fundador da empresa resolveu colocar em andamento o processo de sucessão. Assessorado por uma consultoria, adotou o plano usual de se afastar dentro de cinco anos. A essa altura, ele tinha dois filhos envolvidos nas operações. O mais velho, que vamos chamar de Henrique, administrava uma das plantas industriais, enquanto o mais novo, que nomearemos de Flávio, era responsável pela área de marketing.

Como seria de se esperar, os consultores avaliaram que os dois candidatos eram competentes e tinham as habilidades necessárias para liderar, mas enxergaram no filho mais novo a "personalidade que a empresa precisava no momento". Percebendo a inclinação da consultoria e até certa preferência do pai pelo irmão mais novo, Henrique acabou por desistir da corrida sucessória e decidiu deixar a companhia, abraçando um outro ramo de negócios da família.

Antes mesmo de assumir o comando, Flávio já tinha forte influência sobre as estratégias adotadas pela empresa, ainda como diretor de marketing. Vaidoso, queria revolucionar completamente o negócio que iria herdar. Um complexo industrial têxtil não tinha o glamour que ele desejava, o que planejava era transformar aquilo em um império de marcas famosas – e em escala mundial.

Assim, seguindo os planos de Flávio, a empresa deu início a uma expansão internacional, estabelecendo filiais na Europa e adotando um conceito arrojado para desenvolver um novo canal de distribuição para seus produtos, na forma de uma rede de lojas multimarcas com o objetivo de atrair os pequenos lojistas enfraquecidos pela competição com grandes magazines e shopping centers. A meta era instalar mais de mil dessas unidades pelo Brasil.

Flávio também desejava colocar um pé no mundo da moda e decidiu adquirir duas marcas já existentes – uma delas tinha feito sucesso entre os adolescentes dos anos 1980, mas estava esquecida, enquanto a outra era uma estrela ascendente em termos globais. Antes mesmo de completado o processo de sucessão, ele já começava a viver o que sonhava, adicionando ao seu dia a dia uma rotina de desfiles de moda, festas badaladas e viagens internacionais.

Ao assumir de fato as rédeas da empresa, quando o fundador lhe transmitiu a presidência e passou ao conselho de administração, Flávio acelerou o processo que de certa forma já capitaneava. O objetivo era completar a metamorfose que tanto perseguia, colocando a área de varejo (que respondia por cerca de um quinto do faturamento) em pé de igualdade com as operações industriais. Ele queria mais lojas e mais marcas, para levá-lo a mais desfiles e mais festas, sempre com mais glamour.

Em alguns anos, porém, a estratégia começou a fazer água. Os planos para as duas marcas adquiridas fracassaram. Para a que havia sido famosa três décadas atrás, a meta era abrir uma centena de lojas, mas foram inauguradas apenas três. A outra, que ao ser adquirida se mostrava uma estrela em ascensão no mundo da moda, nunca trouxe resultados e acabou sendo vendida por menos da metade do preço pelo que foi comprada.

Como sabemos, o filho do dono não pode errar – aliás, ele nunca erra, quando muito se engana... Assim, Flávio se manteve no comando dos negócios, mas aos poucos foi sendo convencido pelo conselho de que se fazia necessária uma volta às origens, com foco em aumentar a eficiência das operações industriais e concentração no mercado infantil, em que sempre se haviam mantido fortes.

Nada como a análise fria dos números para indicar quanto a influência do ego na estratégia empresarial pode ser prejudicial a um negócio familiar. Depois de toda essa trajetória, que durou cerca de dez anos, o lucro da companhia está em um patamar 80% mais baixo do que o registrado no ano anterior ao começo da adoção dos planos de Flávio, apesar de a receita ter se mantido em nível semelhante.

Cadeia ameaçada

Até aqui, tratamos neste capítulo das ameaças à continuidade das empresas familiares. Vamos agora inverter o ponto de vista, para mostrar que a sustentabilidade delas não importa apenas às famílias e funcionários ligados diretamente a esses negócios – no mundo de operações interconectadas como o de hoje, muitas dessas companhias são fornecedoras importantes de grandes conglomerados, e seu desaparecimento tem o poder de colocar em risco cadeias inteiras.

Parece exagero? Observemos a indústria automobilística, talvez o exemplo mais bem-acabado da situação. No Capítulo 5 traçamos um breve panorama sobre a evolução do segmento no Brasil, mostrando como as montadoras se transformaram de corporações verticalizadas, que fabricavam quase tudo de que precisavam para produzir um veículo, em operações que atualmente delegam até o desenvolvimento de tecnologia a terceiros. Esses eleitos, os chamados "sistemistas", são hoje mais do que simples fornecedores, e às vezes são também multinacionais.

Nesse cenário, porém, há peças que não atraem o interesse dos grandes parceiros das montadoras, por não alcançarem valor agregado suficientemente atrativo ao nível de remuneração de capital que eles exigem. Assim, há uma série de segmentos que se mantiveram nas mãos de empresas familiares, que agora fornecem não mais diretamente aos fabricantes de veículos, mas aos sistemistas.

Apesar de terem menor valor, essas peças não deixam de ser indispensáveis a um projeto automotivo, porque sem a borracha que faz a vedação de uma porta ou um elementar jogo de parafusos de fixação de rodas, por exemplo, o carro não pode deixar a linha de produção. Dessa forma, essas empresas familiares que estão no extremo da cadeia produtiva são tão relevantes para que o ciclo de produção se feche quanto as multinacionais – e elas estão em dificuldades.

Para dar uma ideia do tamanho do problema, vou fazer uso de alguns números obtidos pelo Sindipeças junto à Serasa Experian, empresa especializada no monitoramento de qualidade de crédito e inadimplência. De 2006 até a metade de 2016, nada menos do que 101 empresas do segmento de autopeças entraram em recuperação judicial no Brasil (situação que antigamente era conhecida por concordata), mais da metade delas nos três últimos anos do período analisado. Dessas, 95% eram de pequeno porte e 80% eram familiares.

O quanto isso preocupa os gigantes do setor? Parece que a luz amarela foi acesa, pelo menos para algumas das grandes multinacionais. O caso que vou descrever se passou em meados de 2016, em uma das maiores fabricantes de máquinas pesadas e equipamentos agrícolas do mundo.

Antes de chegar ao ponto, é preciso uma breve explicação para compreender melhor a situação. Nesse setor, que envolve maquinário complexo, de tamanho considerável e alto custo por unidade, os fabricantes não mantêm estoques. Uma companhia que produz tratores, por exemplo, planeja sua linha de produção para que o veículo seja deslocado às revendedoras assim que fica pronto. Em outras palavras, o trator termina de ser fabricado e vai diretamente para cima de um caminhão, o que torna a transportadora responsável pelo frete um dos elos da cadeia produtiva em si.

Pois bem, a maior parte das transportadoras no Brasil são empresas familiares. Se não bastasse, esse grande fabricante de máquinas agrícolas começou a enfrentar problemas em uma outra etapa ligada aos seus negócios. Na ponta de venda, em que a maioria das revendedoras também pertence a famílias empreendedoras, havia uma onda de lojas fechando as portas pelo interior do país.

Como essa multinacional sabe que não pode sobreviver sem um braço comercial forte, as unidades fechadas estavam sendo encampadas pela empresa, que se via forçada a ficar com a loja até encontrar alguém interessado por assumir o negócio.

Ao estudar a situação para tentar entender o porquê dos fechamentos, a fabricante de máquinas descobriu que o problema por trás da maioria deles era o mesmo: sucessão. Muitas dessas revendas têm em comum a mesma origem, na figura de um antigo motorista de trator ou de outro maquinário agrícola que se estabeleceu no comércio. Em geral, esse profissional é um conhecedor profundo dos produtos e tem o hábito de participar ativamente do dia a dia, acostumado até a colocar a mão na massa na hora de testar ou apresentar os veículos funcionais que vende aos clientes.

A questão é que os filhos desses fundadores não têm o mesmo perfil – criados no conforto, muitos simplesmente não têm interesse em assumir a revenda dos pais, enquanto outros até tentam, mas por não contar com o preparo necessário acabam por fracassar.

A situação era extremamente prejudicial para a multinacional, não só pelo óbvio risco comercial que o fechamento das lojas representava, mas porque a operação de salvamento causava impacto direto sobre os resultados da companhia, ao desviar recursos financeiros que poderiam ser usados de outra maneira. Diante disso, a empresa decidiu agir, criando um plano de ação que começou pelas revendedoras, mas deve ser expandido para toda a cadeira de fornecedores.

Essa multinacional fazia uma avaliação anual para medir a saúde econômica das suas lojas, exigindo uma série de informações que deveriam ser fornecidas. A partir de então, foram incluídos na lista indicadores para avaliar o nível de governança corporativa e o plano de sucessão desses negócios. A regra é clara: as revendedoras que não atingirem a pontuação requerida nesses dois quesitos serão descredenciadas, com a transferência da licença de vender as máquinas a alguém que reúna as qualidades necessárias.

CONCLUSÃO

Neste capítulo final vamos fazer uma breve retrospectiva de tudo o que tratamos antes em detalhes, para relembrar os pontos principais e contar com um breve resumo do que vimos até aqui.

Demos início a este livro apresentando alguns números sobre empresas familiares no Brasil. Como vimos, a representatividade delas na economia é considerável: nada menos do que 90% dos negócios que funcionam em solo nacional são familiares, responsáveis por metade de toda a riqueza gerada no país em 2010. O grande problema é que elas estão em risco. De cada cem companhias familiares criadas no Brasil, apenas trinta conseguem alcançar a segunda geração da família e só cinco chegam à terceira. O grande propósito desta obra parte justamente deste cenário: investigar por que isso acontece e oferecer algumas alternativas para tentar amenizar essa terrível taxa de mortalidade.

Sempre acreditei que a melhor forma de tornar algo claro para alguém fosse através de exemplos, daí a opção que assumimos de fazer uso da história da minha família como forma de ilustrar o quanto é importante que os filhos das famílias empresárias convivam desde cedo com o negócio para que se possa transmitir a eles a cadeia de valores dos fundadores, consolidados no que chamamos de sonho compartilhado. Verdadeiro resumo de uma visão coletiva de futuro, esse sonho representa a percepção de que tipo de negócio se quer construir no futuro e é capaz de carregar o empreendimento de significado. É dele que esse possível sucessor irá extrair a energia para atingir os grandes feitos empresariais e que lhe servirá de bússola para indicar a direção a seguir.

Como explicamos, ao sonho compartilhado precisa se encaixar o senso de legado. Para que um negócio se perpetue, é essencial que os sucessores entendam e assumam para si mesmos que a empresa vai além das propriedades que irão herdar. Eles precisam internalizar a noção de que, ao assumir o comando, tornam-se responsáveis por algo que foi criado e mantido vivo graças ao trabalho duro de uma ou várias gerações passadas – e que cabe a eles transmitir aos próprios descendentes uma instituição tão ou mais sólida e admirada do que a que lhes foi deixada pelos mais antigos.

A esses dois conceitos associa-se um terceiro, que apontamos como igualmente indispensável: dar liberdade de escolha aos filhos para que possam decidir por si mesmos se querem ou não ingressar no negócio da família. Nesse contexto, também através do meu próprio exemplo, tentamos mostrar como é relevante a experiência do candidato a sucessor fora da empresa familiar, porque é onde ele encontrará as oportunidades de aprender com acertos e erros. Na própria empresa, quase sempre esse indivíduo se vê envolto em uma espécie de redoma protetora que, se por um lado o isenta de cometer grandes enganos, também limita seu crescimento. É difícil aprender sem errar, e o filho do dono não pode errar...

No meu caso, foi justamente a saída da Zenit que me mostrou um mundo novo, abrindo oportunidades de formação e vivência que nunca teria na empresa da minha família. Foram as minhas experiências na Arno e mais tarde na Valeo que me convenceram de que o meu lugar não era na fábrica de elevadores fundada pelo meu avô, mas no universo da indústria automotiva.

No dia em que meu avô me fez aquela pergunta sobre se eu queria ser "Bruninho" ou "Brunão", não estava preparado para entender que a minha saída da Zenit era indispensável para que o "Bruninho" dos tempos de criança e adolescente se desenvolvesse no Bruno Luís Ferrari Salmeron de hoje. Como tive liberdade de escolha, fiz a opção de não voltar ao negócio da minha família, mas o sucessor que decide pelo retorno sempre vem com uma bagagem que o torna muito mais qualificado para dar continuidade ao que herdará dos fundadores.

Porém mesmo depois de compartilhado o sonho, nutrido o senso de legado, ter sido oferecida (e exercida) a liberdade de escolha e cumprida a experiência fora do negócio familiar, o processo de sucessão ainda tem uma fase longa e decisiva pela frente, a partir do momento em que o candidato a líder é de fato incorporado ao dia a dia da organização. Desse ponto em diante é preciso oferecer a ele as oportunidades para que possa se familiarizar com as operações e desenvolver as habilidades gerenciais que lhe permitirão comandar algum dia.

Tratamos também de como é importante manter a perspectiva estratégica no momento de avaliar e escolher esses candidatos a comandante, tendo o olhar voltado para os desafios que a companhia vai enfrentar no futuro e não buscando repetir o modelo ou o estilo de liderança que teve sucesso no passado. Buscamos destacar o quanto planejar é necessário, o que inclui a definição de um plano de sucessão com a participação do candidato, listando etapas, prazos e metas bem-definidas para que ele saiba o que se espera dele e a trajetória que terá de cumprir para atingir o objetivo.

Durante essa fase, mencionamos como pode ser de grande valia o apoio e o acompanhamento de um executivo experiente a esse jovem sucessor, papel que tem melhor possibilidade de ser desempenhado com eficiência por alguém de fora do círculo familiar, para aliviar a carga emocional da relação. Avaliamos como a diferença de idade entre mentor e pupilo pode interferir na eficiência desse processo, levando em conta as diferenças geracionais e delineando os perfis dos três grandes grupos etários dos tempos atuais: os Baby Boomers e as Gerações X e Y.

A complexidade de um processo sucessório é tanta que, apesar de se cumprir todas as etapas de que falamos, a decisão final precisa ser deixada em aberto por alguém verdadeiramente interessado na continuidade de um negócio familiar. Por melhores que sejam as intenções e as oportunidades de formação oferecidas ao candidato, por vezes não se consegue prepará-lo suficientemente para ocupar a cadeira do fundador. Isso não torna menos importante todo o processo formador, muito pelo contrário. Se não foi possível preparar o herdeiro para que assuma a gestão, cumprir essa longa trajetória certamente o tornará muito mais apto a desempenhar uma função essencial: a de acionista atuante e atento, equipado com o olhar estratégico para mirar o longo prazo, com a atenção voltada à preservação do negócio.

Nesse contexto, abordamos os conceitos básicos da governança corporativa, um sistema de regras e procedimentos que surgiu nos Estados Unidos dos anos 1980 e que foi sendo aperfeiçoado ao longo das crises das décadas seguintes. Capazes de oferecer um auxílio inestimável aos processos de sucessão, esses princípios também se mostram excelente alternativa para ajudar as organizações familiares a disciplinar as relações entre as partes a qualquer tempo.

Falamos um pouco sobre as principais instâncias da governança e até nos arriscamos a desenhar o modelo que consideramos o mais apropriado aos negócios de família, com as duas pirâmides invertidas que mantém o conselho de administração e os acionistas separados dos demais funcionários por um personagem central, o CEO profissional. Por não ter relações de sangue com a família empresária, esse "equilibrista" terá sempre mais facilidade em tramitar entre as partes contidas nas pirâmides, ajudando a disciplinar o relacionamento entre elas e assegurando que cada esfera possa funcionar aproveitando ao máximo suas potencialidades. Justamente por estar livre da "aura do dono", esse executivo consegue se relacionar com mais leveza tanto com os elementos da pirâmide superior quanto com os da inferior, ajudando a direcionar a visão dos acionistas e do conselho para o viés estratégico e fiscalizador, enquanto lidera sua equipe de gestão e os demais funcionários na perseguição aos objetivos definidos em conjunto com as duas primeiras partes.

Para traduzir essa visão à prática, utilizamos o exemplo de uma companhia brasileira centenária que, mesmo contando com pedigree

Governança em família: da fundação à sucessão   267

empresarial de primeira linha e tendo sido capaz de realizar a sucessão para integrantes da família por quatro gerações, decidiu adotar a profissionalização de seu time gestor sem limitações. Nossa opção em contar um pouco da história da Votorantim se deu para retratar que é possível atingir a excelência em empresas familiares – e no Brasil. Olhando sempre para frente e adaptando-se aos novos tempos sempre que necessário, o grupo foi metamorfoseando tanto suas operações quanto seu modelo de gestão, evoluindo ao longo das mudanças que transformaram uma sólida companhia têxtil no conglomerado que praticamente ajudou a implantar e consolidar a indústria de base no país ao longo do século passado.

Além de compartilhar o sonho e transmitir o senso de legado adiante, essa família empresária percebeu que mais do que habilitar sucessores, era preciso formar acionistas. Em determinado momento, observando como seus negócios cresciam, diversificavam-se e se tornavam mais complexos, os Moraes chegaram à conclusão de que não era mais possível abrir mão da expertise e da habilidade dos melhores executivos que o mercado oferece apenas por não haver uma relação de sangue com eles. Assim, depois de implantado um sistema de governança, decidiu-se que era preciso quebrar a barreira e abrir espaço para as melhores cabeças existentes tanto nos altos cargos gerenciais como nas posições mais elevadas do conselho.

Como acreditamos que podemos aprender não só com os acertos, mas também com os erros dos outros, apresentamos finalmente uma lista com as cinco grandes ameaças à continuidade dos negócios familiares, detalhadas no último capítulo. Com tudo isso, chegamos ao término dessa caminhada com a modesta certeza de ter compartilhado experiências que acreditamos serem de alguma valia na preservação das empresas de família.

Nossa esperança é que este livro seja mais um passo em direção ao nosso grande objetivo, o de ajudar fundadores e sucessores a levar adiante o que criaram ou herdaram, preservando milhões de empregos em consequência.

BIBLIOGRAFIA

ABREU, Marcelo de Paiva. *A economia brasileira 1930-1964*. Rio de Janeiro: Departamento de Economia Puc-Rio, 2010.

ACHÉ. *Gerações BB, X, Y e Z*: uma convivência saudável!. São Paulo: Coleção Aché de Educação para a Saúde, 2012.

ANDRADE, Adriana; ROSSETI, José Paschoal. *Governança corporativa*: fundamentos, desenvolvimento e tendências. São Paulo: Atlas, 2006.

ASSUMPÇÃO, Alfredo José. *Fraldas corporativas*: desenvolvendo hoje o líder de amanhã. São Paulo: Saraiva, 2009.

BRANDÃO, Ignácio de Loyola. *Oficina de sonhos*: Américo Emílio Romi, aventuras de um pioneiro. São Paulo: DBA Dórea Books and Art, 2008.

CALDEIRA, Jorge. *Votorantim 90 anos*: uma história de trabalho e superação. São Paulo: Mameluco, 2007.

CALDEIRA, Lélis. *Gurgel, um brasileiro de fibra*. São Paulo: Alaúde Editorial, 2008.

COSTA, Ronaldo Couto. *Matarazzo*: a travessia. Vol. 1. São Paulo: Planeta, 2004.

CURY, Augusto. *Pais inteligentes formam sucessores, não herdeiros*. São Paulo: Saraiva, 2014.

DAVIS, John A. *A dinâmica do sistema da empresa familiar*. São Paulo: Special Management Programa, 2004.

FREITAS JÚNIOR, Roberto de Gouveia e. *Legislação e ocupação urbana em lotes privados do centro de São Paulo no século XX*. São Paulo: Escola Politécnica, Universidade de São Paulo, 2008. Dissertação (Mestrado em Engenharia).

GATTÁS, Ramiz. *A indústria automobilística e a segunda revolução industrial no Brasil:* origens e perspectivas. São Paulo: Prelo Ed., 1981.

GRYSKIEWICZ, Stan; TAYLOR, Sylvester. *Making Creativity Practical:* Innovation That Gets Results. Greensboro, NC: Center for Creative Leadership, 2003.

HART, E. Wayne. *Seven Keys do Successful Mentoring.* Greensboro, NC: Center for Creative Leadership, 2009.

HOMERO. *Odisseia.* Trad. de Carlos Alberto Nunes. São Paulo: Editora Três, 1994.

IBGC. *Código das melhores práticas de governança corporativa.* 5. ed. São Paulo: IBGC, 2015.

_____. *Casos de empresas familiares não listadas:* experiências na aplicação de práticas de governança. São Paulo: IBGC, 2015.

_____.; FONTES FILHO, Joaquim; LEAL, Ricardo (Orgs.). *Governança Corporativa e criação de valor.* São Paulo: Saint Paul, 2014.

LANSBERG, Ivan. *Suceeding Generations:* Realizing the Dream of Families in Business. Boston, MA: Harvard Business School Press, 1999.

LUEDERS, Alidor. *Governança Corporativa:* empresa familiar. Palestra na Católica de Santa Catarina, Joinville: 2014.

MASSARA, Vanessa Meloni. *Produção de alumínio do ponto de vista do consumo de energia.* São Paulo: Instituto de Eletrotécnica e Energia, Universidade de São Paulo, 2004. Dissertação (Doutorado em Engenharia).

OLIVEIRA, Djalma de Pinho Rebouças de. *Governança corporativa na prática.* 3. ed. São Paulo: Atlas, 2015.

OKANO, Tais Lie. *Verticalização e modernidade:* São Paulo 1940-1957. São Paulo: Universidade Presbiteriana Mackenzie, 2007. Dissertação (Mestrado em Arquitetura e Urbanismo).

SALMERON, Sandra Ferrari. *Rosa Soldani:* sua história. São Paulo: 2014.

SÃO PAULO. Decreto nº 3205, de 23 de agosto de 1956. Regulamenta os artigos 4.7.1, 4.7.2 e 4.7.4 do novo Código de Obras, aprovado pela lei 4615, de 13 de janeiro de 1955, e os artigos 244 e seguintes do Código de Obras "Arthur Saboya", aprovado pelo ato 663, de 19 de agosto de 1934, referentes a instalação e funcionamento de elevadores e dá outras providências.

TOLEDO, Roberto Pompeu de. *A capital da vertigem*: uma história de São Paulo de 1900 a 1954. São Paulo: Objetiva, 2003.

TONDO, Cláudia (Org.). *Desenvolvendo a empresa familiar e a família empresária*. 2. ed. Porto Alegre: Sulina, 2014.

VOTORANTIM SIDERURGIA. *Relatório Votorantim Siderurgia 2013*. São Paulo, 2014.

Contato com o autor
bsalmeron@editoraevora.com.br

Este livro foi impresso pela gráfica BMF
em papel *Offset* 70g.